Onze Études
sur la poésie
moderne

Du même auteur

AUX MÊMES ÉDITIONS

Littérature et Sensation, *1954*

Poésie et Profondeur, *1955*
Coll. *« Points »*, 1976

L'Univers imaginaire de Mallarmé, *1961*

Pour un Tombeau d'Anatole, *1961*

Paysage de Chateaubriand, *1967*

Stendhal, Flaubert
Coll. *« Points »*, 1970

Études sur le romantisme, *1971*

Proust et le Monde sensible, *1974*

CHEZ D'AUTRES ÉDITEURS

Stéphane Mallarmé : Correspondance (1862-1871)
recueillie, classée et annotée en collaboration
avec Henri Mondor
Gallimard, 1959

Nausée de Céline
Fata Morgana, 1973

Jean-Pierre Richard

Onze Études sur la poésie moderne

Éditions du Seuil

EN COUVERTURE : *La Montagne Sainte-Victoire*,
Paul Cézanne (aquarelle, musée du Louvre ;
archives Réunion des Musées nationaux).

ISBN 2-02-005970-3.
(ISBN 1ʳᵉ publication : 2-02-002601-5.)

Avant-propos

Voici un recueil d'études sur la poésie moderne. Elles ne forment pas un panorama, ne dessinent même pas toutes les lignes d'une préférence : certaines des œuvres les plus importantes d'aujourd'hui, celles ainsi de Michaux, de Jouve, de Breton, n'y sont pas examinées. A quoi tient dès lors leur unité ? Sans doute à l'égalité d'un parti pris : tous ces poètes ont été saisis au niveau d'un contact originel avec les choses. J'ai voulu découvrir comment, en chacun d'eux, les éléments primitifs fournis par la sensation ou par la rêverie (cette sensation « diagonale », dit Michel Foucault) s'articulaient les uns aux autres dans la perspective globale d'un projet, d'une recherche d'être. Ainsi se formaient devant moi autant d'univers imaginaires : architectures intérieures, nées du monde et tournées vers le monde, cherchant à le constituer, ou reconstituer dans l'espace d'une sensibilité ; petites cosmogonies privées, mais qui, par leur cohérence propre, pouvaient nous servir à tous de clefs, de médiations vers le réel. Il faut donc prendre ces études pour de simples relevés de terrain : pour des *lectures,* c'est-à-dire des parcours personnels visant au dégagement de certaines structures et au dévoilement progressif d'un sens.

Or il se trouve que, chez la plupart des poètes ici étudiés, avec, bien sûr, mainte différence d'accent ou de tension, ce sens passait par une épreuve. Le vécu y semblait, à un certain moment, entrer en contradiction avec lui-même. L'expérience générique de la poésie moderne, n'est-ce pas celle, double, de l'émerveillement et du conflit ? Dans l'avancée de sa recherche surgissent des couples d'antinomies concrètes : proche et lointain, instantané et durable, ouvert et clos, expansif et replié, superficiel et profond, discret et continu, opaque et transparent, obscur et lumineux, la liste s'en allongerait à l'infini. Derrière ces oppositions, les creusant et fondant en paysage, un affrontement plus cardinal encore : celui de ce qui est et de ce qui n'est pas. Dans le champ du senti se découvrent donc tôt ou tard, pour le poète d'aujourd'hui, l'obstacle ou la cassure ; la rêverie y traverse la mort, la limite, la fragmentation, l'absence. Chiffres d'un être à la fois fulgurant et retiré — mais dont le retrait même nous assignerait plus intensément encore au questionnement de notre ici.

La poésie vit directement alors cette distance (cette différence). A travers matières, formes, qualités, couleurs, mouvements, elle éprouve la contradiction ; elle l'interroge, la pousse à bout — et, ce faisant, s'épuise, s'asphyxie parfois elle-même —, pour voir jusqu'où ce mouvement la portera. Mais cet écart de l'être, elle tente aussi de le réduire. Quelquefois en y instituant une sorte de cohabitation concrète des incompatibles — et en inventant pour cela des schèmes de juxtaposition, de mélange, d'organisation, d'ambiguïté, de métamorphose. Ou bien par l'acte d'un dépassement créateur, d'une synthèse. Mais il peut arriver aussi qu'elle choisisse de maintenir l'écart, qu'elle en exaspère la tension, faisant de son impuissance à l'abolir la source d'une révélation, peut-être d'un langage. On songe alors au mot de Hölderlin : « Le défaut de Dieu est [notre] secours. » Défaut qui permet aux contraires d'entretenir entre eux « le combat de l'amour ». Ou bien l'on évoque l'étonnante définition que Pic de La Mirandole donnait de l'art d'écrire. Il comparait la littérature à une échelle, ajoutant que, sur les barreaux de celle-ci, « tantôt nous descendons, déchirant l'unité avec une puissance titanesque, l'éparpillant, tel le corps d'Osiris, en de multiples fragments, et tantôt nous montons, avec l'énergie d'un Phébus qui rassemblerait ces fragments, les membres d'Osiris, au sein d'une unité nouvelle ». L'échelle d'Osiris, c'est bien la poésie moderne. Mais elle abolit la successivité de ce double *tantôt :* réunissant en un seul acte, celui de l'écriture, le geste de l'enfoncement éparpillé et celui du regroupement jailli. Son vertige ne distingue plus Phébus et Osiris.

Paradoxale, dialectique, ou simplement équilibrante, on comprend que la poésie moderne cherche à créer le sens en une assomption violente, parfois tragique, du non-sens. Tout en elle s'oriente vers l'acte d'un renversement : ainsi le *rien fécond* de Saint-John Perse, l'*éclair qui dure* de René Char, l'*ombre lumineuse* d'Eluard, le *feu créateur* d'Yves Bonnefoy, la *chaleur vacante* d'André du Bouchet, la *limite illimitée* de Philippe Jaccottet, le *désastre surgi* de Jacques Dupin. Le *non* y vire imaginairement au *oui,* tout en continuant à se prononcer en lui à titre de réserve ou de dénégation, de dénégation fondante. L'écartement y devient la proximité même du lointain. Le vide y ouvre à quelque chose, ou plutôt à ce sol, ce *fond des choses* qui permet à toutes choses d'être, d'être dans la distance qui les sépare de leur fond. L'exténuement y est l'accès d'une fraîcheur. Ou disons, si l'on veut, qu'avec des différences de visée, de registre, d'intonation — car il y a des univers *faciles,* comme ceux de Ponge ou d'Eluard, d'autres *empêchés, empêtrés,* comme ceux de Reverdy, de Bonnefoy, de Du Bouchet ; il y en a de *détendus,* comme celui de Schehadé, d'autres de *contractés,* comme celui de Char ; il y en a de *denses,* comme celui de Dupin, d'autres de *légers,* d'aériens, comme celui de Jaccottet —, la poésie développe, à travers toutes les œuvres ici étudiées, comme une problématique rêvée de la présence.

Cette présence, comment s'y réalise-t-elle ? Par l'exploration imaginaire de certaines figures où l'être se révèle et où chaque existence s'accomplit. Ainsi pour Eluard l'épi ou le réseau, pour Reverdy le vent, pour Bonnefoy le cri dans le ravin, pour Char le serpent, pour Jaccottet le ruisseau dans l'herbe : exemples choisis au hasard parmi bien d'autres, car toute œuvre s'efforce, c'est la définition même de sa richesse, de multiplier le nombre de ses solutions. Ces solutions, rien ne les indiquait d'avance : mais une fois trouvées, elles nous apparaissent évidentes, nécessaires. Mieux, et voici un premier cercle vicieux de la critique : c'est seulement à travers elles que nous pourrons découvrir l'énoncé du problème, ou du projet, qu'elles viennent si heureusement résoudre. Car ce projet n'existe pas en dehors de l'œuvre ; il lui est très exactement contemporain. Il naît et s'achève dans l'écriture, au contact d'une expérience et d'un langage. De là l'un des paradoxes de la littérature : elle est une recherche, mais qui ne sait pas ce qu'elle cherche, ou qui ne le sait, et pour l'oublier tout aussitôt, que dans le moment où elle l'a trouvé.

Ces trouvailles, et c'est ce qui les rend si fugitives, toujours à retrouver, sont des rencontres : une même chose réussit à s'y annoncer de la même manière dans une imagination, une sensibilité, une intelligence, un langage. Les structures verbales, qui informent l'ordre de l'horizontalité signifiante — la linguistique dirait de la « contiguïté » —, y entrent en rapport d'homologie avec les structures de perception ou de rêverie, telles qu'elles se disposent, en grappes, dans la latence du poème — dans l'ordre de la verticalité métaphorique, de la « sélection ». C'est sans doute cet isomorphisme qui distingue de toutes les autres la signification proprement littéraire. C'est lui en tout cas qui nous fournit, face à un poème ou un roman, le seul critère valable de qualité. La vraie littérature se signale par une pertinence entre les différents niveaux de sa recherche (et les diverses étapes de son trajet). Elle établit un rapport, un écho immédiatement sensible entre les formes — syntaxiques, rhétoriques, mélodiques — de son expression et les figures, thématiques ou idéologiques, de la profondeur vécue qu'elle exprime, qu'elle réalise en elle.

Or, voici un autre paradoxe : l'originalité de la poésie moderne, ou du moins de sa plus grande part, tient peut-être au fait qu'elle égare apparemment cette pertinence.

Les deux dimensions du sens (du signifiant) semblent y entrer en conflit l'une avec l'autre : l'ordre superficiel de l'expression ne s'y constituant que par un trouble, voire un dévoiement ou une rupture de l'articulation thématique elle-même. Le réseau sensible ou métaphorique s'y étale dans la suite d'un discours très particulier qui distend ses charnières, dissout ses copules, brise ou sature ses liaisons. Ajoutons d'ailleurs que c'est *aussi* à travers ce discours qui le distend que le réseau thématique se tisse, se découvre à soi, s'impose aux choses. D'où, pour la critique de poésie, un deuxième cercle vicieux : elle a besoin de l'incohérence pour déchiffrer la cohérence. Elle n'atteint la splendeur de Phébus, surgi au jour réuni de l'évidence, qu'à travers la douleur d'Osiris, déchiqueté, perdu dans l'ombre du non-sens. Mais nous savons déjà — et revoici la même contradiction, informant cette fois la zone du langage — qu'il est faux de distinguer des phases, d'évoquer un *à travers :* car c'est l'obscur, ici, qui *est* lumière... Souvenons-nous de maint exemple illustre de détour, de détournement signifiant de l'expression : déjà la « méprise » de Verlaine, la parole « bouffonne et égarée » de Rimbaud, le « miroitement, en dessous » de Mallarmé, puis l'écartèlement surréaliste de l'image.

Que peut faire alors la critique ? D'abord retrouver, dans cette expression déconcertée, le concert thématique qui la fonde : seul moyen, me semble-t-il, de donner à la compréhension quelque solidité, quelque objectivité. Mais cela n'est pas tout. Car il lui faudrait aussi montrer comment cet égarement fait sens, le même sens, un sens qui nous donne peut-être à penser *directement* le défaut ou le débordement de l'être (de l'être ici, de la source). L'hiatus de la contradiction se dirait alors à travers les écarts ou le « grand écart » de la parole. Analyser le désordre de l'expression, ou, si l'on préfère, l'ordre propre de sa discontinuité, la suite spécifique de son incohérence, ce serait peut-être retrouver, mais en acte, et comme immédiatement modulé par son objet (l'être, la mort, l'origine, le lointain), le même projet qui se dégage d'une investigation profonde des essences. Une véritable critique catégorielle se devrait donc de joindre une appréhension qualifiée des distances, des distances signifiantes, à sa recherche des identités et des variations. Savoir ce qui, sur l'espace immédiatement lu de leur échelle, sépare Osiris de Phébus, sépare Osiris de lui-même, cela serait tout aussi important pour nous que de saisir ce qui les réunit.

De ces deux directions possibles, c'est l'étude des formes thématiques, évidemment la plus aisée, qui a surtout été menée dans ces essais. L'autre, qui intéresse le domaine propre du langage, n'y intervient que çà et là, à titre de confirmation trop particulière, ou de conclusion trop générale, et toujours rapidement. C'est que nous manquent encore les instruments — et d'abord une phonétique de la suggestion, une stylistique structurale — qui nous permettraient d'en parler sérieusement. Pourtant, nous sentons bien que la signification poétique est une, indivisible. Réunir en un seul acte de compréhension tout le volume du sens ; éprouver comment, dans un beau poème, l'émotion — cette motion d'une venue — naît à la fois d'un relief de parole, d'une modulation d'images, d'une inflexion de sentiment, d'une liaison d'idées ; sentir tel pli de langage y correspondre à tel ébranlement de l'être, sans qu'on sache jamais qui répond à qui, ni de quel côté a surgi l'initiative, n'est-ce pas là l'ambition, peut-être nécessairement déçue, de tout véritable lecteur de poésie ? Il est lui aussi sur l'échelle d'Osiris. Dans l'avancée de sa lecture, il y descend et y remonte, s'y éparpille, s'y réunit à soi : s'y perd, s'y crée en somme. Mais à la condition — est-elle vraiment réalisable ? — d'en tenir à la fois tous les barreaux.

Janvier 1964.

Pierre Reverdy

> Je voudrais être loin de moi
> Je suis trop près
> Je me rapproche.
> *Main d'œuvre*, p. 395.

« Les chaînes de l'homme ne sont pas de fer, mais de glu, et quand on croit s'en être dégagé d'un côté, on s'y est empoissé davantage d'un autre » (*LB,* 16[1]). Pour pénétrer dans l'univers de Reverdy, acceptons d'éprouver dès l'abord nous aussi cet empoissement et cette servitude, de partager avec lui cette nausée. Aucune fraîcheur ici ne nous accueille, aucune innocence première de l'objet. L'ennemie, c'est la matière elle-même, qui se colle à nous tel un interminable cauchemar, nous asphyxiant et paralysant. Pesanteur, opacité, viscosité, inertie, la chose réunit en elle les attributs les plus néfastes, pour transformer le monde en une sorte de répugnant réduit, où, « sous les décombres des jours et de la nuit, la poussière des ombres » (*M,* 343), nous resterons toute notre vie ensevelis. Cette prison peut prendre maint visage : n'est-ce point par exemple le cœur humain, cette « cave » « obscure » et « humide » dont Reverdy, avec une sévérité de moraliste classique, a flétri si souvent la médiocrité, le climat étouffant et « chlorotique » (*RP,* 194) ? Ou bien encore c'est, transporté hors de nous, un paysage : celui du

---

1. J'utilise les abréviations suivantes : *P : Plupart du temps,* Gallimard ; *M : Main d'œuvre,* Mercure de France ; *FV : Flaques de verre ; RP : Risques et Périls,* NRF ; *GC : Le Gant de crin,* Plon ; *LB : Le Livre de mon bord,* Mercure de France.

village normand où Reverdy avait choisi de vivre, « pays engourdi de silence où tout est recouvert, houssé en sous-bois et petit, restreint et sans éclat — une sorte de pénombre sans joie » (*LB,* 209), pays si différent du scintillant midi originel, mais dont la tristesse obtuse et mate s'accordait mieux qu'aucun autre décor sensible avec sa secrète vérité.

Rien certes de plus désolé ni de plus désolant qu'une telle relation avec les choses. Le malheur en provient, suggère Reverdy, d'une impuissance qu'aurait l'intelligence, « au-delà d'un certain degré de développement, à jouir de l'événement actuel » (*RP,* 197). Faute de pouvoir être immédiatement saisi par la pensée, l'actuel devient alors pour elle l'inerte, puis le neutre, bientôt l'infernal. Mais comment s'installer en cet enfer ? Le malaise en est si fort, si foncièrement intolérable, qu'il semble indiquer de lui-même son remède. Puisque vivre, c'est ainsi étouffer dans l'inertie au milieu d'une sorte de mort matérielle, le seul salut possible sera de soulever « cette épaisseur de rouille » (*M,* 343), « cette épaisseur de croûte » (*FV,* 50), d'alléger « ce monde trop pesant » (*M,* 430), bref, de créer parmi cette épuisante étendue de plénitude un petit espace creux, un vide où retrouver son souffle et sa mesure, où *se reprendre.* Voici définie l'essence de la poésie : elle est « un élargissement de l'horizon, une extension de la personnalité libre » (*GC,* 100), « une explosion indispensable de l'être dilaté par l'émotion vers l'extérieur » (*GC,* 37) et qui se crée un chemin à travers les couches hostiles du non-être. Contre l'immédiat dégoût de la matière, et loin de « la terre - la terreur » (*LB,* 8), elle élève le vœu d'une altitude, l'utopie d'un air pur, l'image d'une liberté froide et légère où « l'artiste se hisse de lui-même, pour vivre et respirer » (*Mercure de France,* 1er août 1950, p. 585).

Il est pourtant dans la fatalité de Reverdy que cette expansion libératrice n'aboutisse le plus souvent qu'à accroître le malaise même dont elle prétendait nous affranchir. Ce déboire tient à deux formes, apparemment inverses, d'accidents. La première de ces déconvenues relève de l'obsession, ici fondamentale, du *mur*. A peine en effet la conscience imaginante a-t-elle commencé à heureusement se dilater qu'elle se heurte à un infranchissable écran ; devant elle l'objet marécageux se durcit, s'élève, il se mue brusquement en une façade. « Ce mur si lisse, si épais, si haut, si calme..., cet effroyable mur » (*RP,* 192), « toujours ce mur, cet immense mur » (*RP,* 189) dont tant de poèmes recommencent le cauchemar et contre lequel s'arrête notre « inutile essor » (*FV,* 8), cette paroi multiforme qui est, selon les cas, haie ou rivière, cloison ou porte, rue interposée, fenêtre close, rideau de pluie ou de brouillard, nuage, c'est la nature elle-même devenue pour nous obstacle et refus. Notez que tout peut apparaître ici muraille et qu'aucun lieu, spécialement maudit, ne parvient donc à calmer, en la fixant, l'obsession. Car si le mur semble quelquefois peupler de sa substance une sorte d'immensité bouchée, si le poète peut sentir « de son cœur jusqu'au fond du monde » s'étendre « l'étouffante épaisseur d'un mur » (*M,* 519), à d'autres moments il lui semble que l'hostile paroi des choses commence très près de lui, sur lui peut-être, et que « l'au-delà, c'est tout ce qui est en dehors de notre étroite peau » (*LB,* 31). Immensément spatial ou intimement épidermique (car nous pouvons aussi rester « seul contre *la peau des murs* », *LB,* 133), le mur reverdien conserve la même fonction, qui est de boucher un *accès :* non content en effet de casser notre élan, il indique, mais en l'obturant à tout jamais, la présence de cela même qu'à travers lui nous nous proposions d'atteindre. Le terrible, c'est moins peut-être dès lors l'acte qui borne que la suggestion qui nous est faite en même temps de *quelque chose existant derrière* le borné. Une prodigieuse fantasmagorie de la clôture exaltera donc ici la magie interdite du *caché ;* autour de la conscience désirante s'étendra un jeu quasi infini de surfaces négatives, chargées à la fois de suggérer et de défendre un *verso.* Le mur, c'est bien l'être lui-même, mais l'être refusé, retourné, et devenu non-être. « C'est derrière le mur le plus épais que tout se passe» (*P,* 127) : un tout dont nous nous savons exclus, et qui est donc pour nous pire encore qu'un rien...

Il arrive pourtant que le mur s'émeuve, et même, apparent miracle, qu'il s'éloigne : «un mur, en face de moi, s'est mis à reculer...» (*P,* 75). Les choses bougent alors et les parois s'ébranlent : l'univers connaît une dilatation semblable à celle de la conscience. Semblable, mais — et c'est là le second malheur reverdien — non point exactement parallèle ni synchrone... Il arrive en effet le plus souvent que l'objet ainsi gonflé et projeté dans l'immensité spatiale aille trop vite pour le moi qui voudrait adhérer à lui, et qui s'épuise dès lors vainement à le poursuivre. Les choses ne nous font plus directement obstacle, mais elles nous glissent entre les doigts, nous dépassent et nous échappent, nous laissant finalement seuls, essoufflés et perdus, loin derrière elles : «Tout fuit pas à pas / Et tourne le dos / Comme pour mieux rire» (*M,* 199)... «Et je cours derrière toi sans jamais t'atteindre» (*P,* 132). Tel le «cavalier perdu», le poète «regarde l'horizon / Tout ce que le vent pousse / Tout ce qui se détache / Se cache / Et disparaît / Derrière la maison» (*P,* 327). Gaëtan Picon a, dans son bel essai sur Reverdy, commenté ces multiples thèmes d'évasivité sensible[1]. A l'angoisse immédiate d'un *ici* visqueux et obturé succède le délire plus subtil, mais non moins douloureux, d'un *ailleurs* infiniment fuyant en qui s'engloutit peu à peu la chair des choses : vertige du «point final de l'univers qui se dérobe» (*M,* 488), de «l'horizon limpide qui s'éloigne» (*P,* 286), de «l'horizon qui n'existe pas» (*P,* 219). Maint poème de Reverdy se développe dynamiquement comme une quête, une marche en avant parmi l'excessive volubilité des choses, ou, mieux, comme une course, perdue d'avance, entre la conscience et «la vie plus réelle» qu'elle s'efforce toujours de rattraper. La vie est une «marche forcée» où nous ne connaîtrions

1. *L'Usage de la lecture,* t. I, p. 251 sq.

jamais la joie du but atteint ou de l'étape, et où nous n'aurions pour consolation que notre épuisement, notre désespoir eux-mêmes : « Cependant, chaque jour qui te désespère te soutient. Mais va, le mouvement, le mouvement et pour le repos ta fatigue » (*P*, 12).

Tel est le chemin de croix de Reverdy : la conscience, y sachant déjà son incapacité à saisir l'immédiat, y vérifie en outre, à chaque minute de sa vie, une double impuissance à appréhender le dissimulé et le distant, à se projeter dans ce qu'il y a *là-bas* et dans ce qu'il y a *derrière,* ces deux figures sensibles d'une même transcendance. Des deux façons alors nous sommes prisonniers, « prisonniers du fini ou de l'infini, prison sans limites » (*LB*, 243) : victimes également douloureuses du vide ou de l'épaisseur, du « ciel qui pèse ou qui fuit » (*M*, 340). Une chose est sûre en tout cas, c'est que le monde d'ici-bas souffre d'un insupportable manque d'être et comme d'une maladie d'irréalité : mais plus sûre encore notre incapacité à accéder à un monde réel. Comme dans la plus noire dramaturgie janséniste, nous n'avons pas le pouvoir de mériter la grâce — ici la plénitude de l'objet — et ne pouvons qu'implorer l'être, ce dieu caché, peut-être absent. La vie réelle reste *au-delà :* au-delà de l'espace et au-delà du temps, car l'on ne coïncide jamais non plus chez Reverdy avec l'horaire objectif des choses ; l'on y arrive toujours trop tôt ou trop tard, à « minuit moins le quart » (*P*, 277) ou à « trois heures et quart » (*P*, 50). Par fébrilité, parce qu'on s'est trop pressé (« encore une minute et je suis là », *P*, 193), ou par engourdissement, parce qu'une main mystérieuse vous a retenus (« Dans la vie je me serai toujours levé trop tard », *P*, 50), on laisse passer le bon moment, l'heure juste, et l'on se retrouve seul sur le seuil des portes, sur le quai des gares ou des ports. « Le temps est passé / Je n'ai rien fait » (*P*, 50). Ne rien faire, ou plutôt faire en sachant que cela n'aboutira à rien, attendre, se tendre continuellement vers une issue, alors que la situation où l'on se trouve se définit essentiellement par l'absence reconnue d'issue, marcher certes, puisque sans projets ni mouvements nous ne saurions vivre, mais marcher en revenant toujours au même endroit et en tournant en rond — comme le fait d'ailleurs de son côté la terre sur laquelle sans fin nous cheminons —, telle est dès lors la seule attitude digne que nous puissions élire. Maint poème de Reverdy nous oblige à épouser nous-mêmes ce découragement plein de courage, cet éternel recommencement désespéré de l'espérance. Ainsi l'allégorie suivante où nous voyons les poètes, musiciens aux mains coupées qui jouent, *en dehors d'eux*, de la musique, accompagner l'exercice d'une série de fantômes qui montent, descendent, remontent, retombent inlassablement en une maison de cauchemar — mais d'un cauchemar qui serait aussi, et significativement, un *charme* : «Un escalier qui ne conduit nulle part grimpe autour de la maison. Il n'y a, d'ailleurs, ni portes ni fenêtres. On voit sur le toit s'agiter des ombres qui se précipitent dans le vide. Elles tombent une à une et ne se tuent pas. Vite par l'escalier elles remontent et recommencent, éternellement charmées par le musicien qui joue toujours du violon avec ses mains qui ne l'écoutent pas» (*P*, 15).

Mais est-il vraiment exclu que le musicien ici rêvé puisse rejoindre un jour ses mains et sa musique, et que ces fantômes prisonniers — nous-mêmes — accèdent, au-dessus du toit, à une existence délivrée? Il suffit pour cela d'un miracle : un beau matin il fait très froid, il neige : «une étendue poudreuse de gelée blanche» (*LB*, 13), «un paysage de neige encore pure où les pas n'ont jamais appuyé leur sceau déshonorant, [...] où tout est éclair, où tout est pur, où la blancheur seule s'étend» (*RP*, 27), et nous voici réconciliés avec le monde, ou avec l'ultra-monde. Ce que Reverdy savoure ici, c'est l'anonymat d'une grande nappe délivrante qui efface calmement accidents et frontières ; c'est aussi la désinfection opérée par le froid, le sacre d'une virginité nouvelle, et la surprise d'une immensité non plus fuyante, mais immobile, pacifiée, et comme à portée de notre main. Ni saleté, ni mur, ni horizon perdu : ce « magnifique spectacle sans nuances » (*LB*, 13) triomphe de toutes nos obsessions et nous redonne aussi, « limpide, légère, piquante » (*LB*, 221), la pure transparence d'un azur.

Et le « ciel » lui-même, l'univers proprement spirituel, qui jusqu'ici se cachait ou s'enfuyait sous notre prise, n'existe-t-il pas non plus des expériences, exceptionnelles certes, mais réelles, qui nous rendent aptes à le saisir ? Il faut relire ici *le Gant de crin*, livre par la suite dépassé, où Reverdy décrit de telles expériences. Une note importante y distingue l'*idéal*, réalité de nature subjective et donc essentiellement illusoire, insaisissable, du *spirituel*, qui existe vraiment hors de nous et peut donc faire l'objet d'une adhésion directe. « Spiritualiser, écrit Reverdy, c'est passer dans un autre monde que celui où nous sommes réduits à l'état peu enviable de prisonniers » (*GC*, 207). Or ce passage outre, ici posé comme parfaitement possible et légitime, divers textes de Reverdy nous le montrent effectivement réalisé. Il s'accompagne souvent d'une rêverie de l'ascension et de l'envol, ou bien, plus lourdement, d'une imagination du saut. Ainsi dans ce passage à demi grotesque du *Livre de mon bord* : « Je quitte cette atmosphère épaisse en sautant lourdement, comme une grenouille, et je me trouve tout à coup dans l'air limpide, au-delà du brouillard » (*LB*, 44). En cette traversée des apparences s'éprouvent un dépouillement du moi, un retrait de la réalité concrète, le brusque accès à une extase de viduité et de silence, comme l'indique la fin du beau poème justement intitulé *Verso* :

Les mots se sont perdus tout le long du chemin
Il n'y a plus rien à dire
Le vent est arrivé
Le monde se retire
L'autre côté (*P*, 366).

En cet *autre côté,* vers lequel semblait jusqu'ici tendre toute son entreprise, il est cependant curieux de constater que Reverdy aime assez peu à s'attarder. Dispersés çà et là dans toute l'étendue de l'œuvre, divers textes évoquent bien cette heureuse jouissance d'un *là-haut,* mais pour en interrompre assez vite le bonheur et nous montrer comment il s'achève en une redescente, une réinstallation dans l'*ici-bas,* pour nous suggérer surtout — et c'est là ce qui pourrait dès l'abord surprendre — que ce retour est finalement le bienvenu. Dans *Risques et Périls,* par exemple, un rêveur qui se croyait arrivé au paradis — mais c'était sous le seul effet de l'opium — se retrouve le lendemain matin en un poste de police, « assez satisfait au fond, si loin du ciel ». Un poème en prose de *Plupart du temps* évoque de même un personnage qui rate son envol et s'abat piteusement sur un trottoir ; mais voici la moralité de son histoire : « Dans sa chute il comprit qu'il était plus lourd que son rêve et il aima, depuis, le poids qui l'avait fait tomber » (*P,* 36). Au cœur même de l'extase la plus pure, alors qu'il est « très haut », « sur les sommets aiguisés de la lumière », alors qu'une « dilatation bienheureuse identifi(e) l'être aux dimensions inimaginables du bonheur », le héros de l'admirable *Maison hantée* entend résonner en lui « une voix déchirante », qui vient « des plus grandes profondeurs de la terre » (*RP,* 176-177) et qui l'appelle irrésistiblement vers le bas. Cet au-delà si ardemment, si désespérément visé, le voici donc, dès qu'il est obtenu, abandonné sans déplaisir, parfois même dénoncé comme dangereux ou illusoire. Quelles sont les raisons d'un si étonnant renversement ?

La première me semble être l'horreur que Reverdy éprouve pour toutes les facilités de l'angélisme. A quoi bon en effet passer au-delà et se sauver, si ce salut doit être une perte de soi, s'il entraîne un abandon de notre corps, de notre visage, de notre passé, de notre responsabilité morale, en somme de toute notre lourde et collante humanité ? « Ah ce n'est pas fini / L'oubli n'est pas complet / Et j'ai encore besoin d'apprendre à me connaître» (*P*, 127), soupire quelque part un candidat insatisfait à l'évasion. Se connaître, et se posséder par la connaissance que l'on a acquise de soi-même, c'est là un besoin presque aussi fort chez Reverdy que son appétit de transcendance. Or, si je passe de l'autre côté, loin de pouvoir encore me posséder et me connaître, je ne saurai plus même qui je suis, «j'oublierai même mon nom» (*P*, 193) — et ce thème de l'anonymat imposé, si obsédant ici, marque une peur de l'aliénation transcendantale. Qui serais-je en effet dans les grands champs vides de neige ou de ciel, dans l'absolue neutralité de la lumière? Personne peut-être, un autre en tout cas, et Reverdy n'est pas disposé à se vouloir vraiment un autre. Car s'il devenait autre, s'il avait «une voix nouvelle / Une autre forme de [son] nom... / Et les traits d'une autre figure» (*M*, 27), il ne serait plus lui en vérité, et quel sens pourrait revêtir alors *pour lui* cette métamorphose? «Mourir ange» de l'autre côté de la fenêtre, Reverdy ne reprend pas à son compte le vœu mallarméen. Et *je* pour lui n'est pas non plus *un autre*, mais tristement et fidèlement un *je*. La «saveur du réel» qu'Icare découvre dans sa chute, jamais il ne pourra vraiment la renier. Car s'il faut se sauver, c'est ici même : «Devenir un autre / A ras de terre» (*M*, 397).

Mais une raison plus puissante encore entraîne chez Reverdy la peur ou le refus final des au-delà : c'est que l'au-delà, pour exister en tant que tel et pour faire en nous l'objet d'une quête authentique, doit, par essence, toujours demeurer *au-delà...* Rien de plus plat et, dans le fond, de plus décourageant qu'une expérience religieuse se proposant de fixer et d'amener parmi nous la transcendance — en somme d'en détruire le caractère transcendant... La foi est-elle autre chose qu'une paresse, ou qu'un blocage, «un cran d'arrêt dans la course à la vérité» (*LB*, 13)? Toute religion naît, paradoxalement, de notre renoncement au vrai sacré, qui est fuite infinie et éternel vertige : de ce vertige elle voudra nous protéger en étendant autour de nous l'explicite sécurité d'un dogme, d'une muraille de croyances... Voici désormais que le mur, au lieu de nous emprisonner, nous abrite : « Un croyant, à quelque religion ou quelque système que ce soit, *adhère à un fond* comme les figures des bas-reliefs plaquées à la muraille... » (*LB,* 140). Quant à l'incroyant, « il ne se passe pas de fond », mais c'est un fond horizontal et mobile, « un point de fuite jamais atteint », si bien que « pousser l'horizon jusqu'à ce qu'il vous engloutisse » est sans doute la seule définition valable de « notre implacable destinée » (*LB,* 8). Pour être, il faut donc que l'être ne soit pas pour nous, qu'il s'absente. Atteinte, la signification du monde se dissiperait d'elle-même entre nos mains : ou, plutôt, cette atteinte ne serait encore qu'illusion, puisque le sens des choses, de par son essence même, ne peut, ne *doit* pas faire l'objet d'une adhésion. La fidélité terrestre de Reverdy, son besoin d'un certain poids un peu écœurant et tiède de matière lui servent donc aussi à préserver le nécessaire écartement de l'être. C'est *parce que* ma vie est ici nauséeuse qu'elle prend, quelque part là-bas, son sens. L'enracinement malheureux dans l'ici-bas permet en somme l'intégrité ontologique d'un *ailleurs :* l'essentiel restant de « remplir de son esprit et de sa sensibilité l'abîme vertigineux de la distance » et de cultiver en soi « la délicieuse souffrance de la séparation » (*LB,* 19).

Telle me paraît être en fin de compte la situation spirituelle de Reverdy : situation assez peu enviable puisqu'elle se définit par une double tension et un double refus. « Aspiré par en haut, attiré en bas » (*GC,* 17), il ne peut en effet se donner totalement ni au haut, qu'il refuse, ni au bas, qu'il vomit. L'un et l'autre le repoussent d'ailleurs aussi puisqu'il « faut un effort terrible pour monter, et il faut un effort terrible pour descendre ». « Je ne pouvais ni monter ni descendre » (*RP,* 178), dit encore le héros de la *Maison hantée.* Que peut-il faire alors, sinon rester éternellement à mi-chemin, ni ici ni là-bas, suspendu «entre deux mondes» (*P*, 211), comme le dit le titre significatif d'un beau poème ? L'*interland*, tel est, il me semble, le domaine propre de Reverdy, son douloureux royaume. Mais cet entre-deux, prenons garde que c'est *notre* terre elle-même, notre vie familière, que nous n'aurons jamais quittée mais que viendront modifier dans sa texture, et peu à peu creuser, bouleverser en son sens la divination d'une autre vie et les libres puissances de la rêverie. La poésie, dit Reverdy, naît en l'homme au moment où celui-ci «ne tient plus à rien que par quelques faibles racines» — mais où il y tient encore un petit peu. Il est alors comme «une algue inconsistante et torturée par le courant, mais qui ne se détachera jamais» (*LB,* 74). Une algue, ajoutons-le, qui utiliserait son inconsistance même et les souffrances de sa débilité afin de mieux interroger le courant auquel elle se prête — et qui se servirait ensuite de son frêle pédoncule rocheux pour nous retransmettre, à nous individus plus caillou-teux, ses découvertes... Cette situation de déchirement ou d'équilibre, cette position essentiellement transitive — mais la transition n'y mène à rien et demeure un pur état de suspension —, c'est elles qu'avec une honnêteté minutieuse et monotone explore toute la poésie de Reverdy. Elles par exemple qui commandent la structure de maint poème, où tantôt l'élan initial s'arrête sur un constat d'échec, tantôt l'état premier de prostration se dénoue en une timide promesse finale. Si bien que la plupart des poèmes reverdiens connaissent, vers les deux tiers ou les trois quarts de leur trajet, un point de retournement et comme une ligne de clivage : un court mouvement en mineur, d'échec ou d'espérance, vient au dernier moment y démentir le climat évoqué par tout le reste de la rêverie.

Mais, plus que les structures du poème, ce sont ses thèmes familiers qu'il conviendrait ici d'interroger. Et l'on s'apercevrait alors que la plupart d'entre eux relèvent d'une obsédante imagination de l'intervalle : rêverie d'un espace aimanté — notre monde — que parcourent en divers sens des courants de désir et des effluves d'être. Tantôt la circulation s'y fait, mais avec quels freinages, quelles difficultés, de *là-bas* vers *ici :* le caché et le lointain s'y avouent à demi, hasardeusement des signes passent. De l'autre côté de la cloison, par exemple, «On entend venir quelqu'un qui ne se montre pas / On entend parler / On entend rire et on entend pleurer...» (*P,* 68). Les yeux fermés, «éteints» (*P,* 340), le souffle retenu, on écoute «derrière la fenêtre basse où filtre un rayon de ta lampe», on écoute «mourir le bruit» (*P,* 99). Car les bruits que nous accueillons ainsi ne nous parviennent que mourants, déjà presque détachés de leur source, et donc inexplicables. «Là-haut un bruit de pas trotte de temps en temps» (*P,* 123). Mais qui trotte, et pourquoi, cela nous ne le saurons jamais. «Un bruit de pas glisse sur le palier / Personne n'entre / Non personne ne veut entrer» (*P,* 139) : quel est le sens de ce pas interrompu ? La sensation nous accorde à la fois ici et nous dérobe son objet : renseignement, elle est davantage encore énigme. Mais, pour la conscience qui l'accueille, elle vaut évidemment mieux que rien. Et c'est pourquoi, dans l'écho de ces ambulations lointaines, dans le retentissement assourdi de ces bruits qui lui parviennent à travers tous les écrans amortisseurs de la matière, Reverdy reconnaît comme un message d'espérance. Il n'est désormais plus seul, plus vraiment prisonnier. Collé l'oreille au mur, il adopte la position patiente du guetteur, attendant que, de lui-même, par suintement ou excrétion, le secret consente à sortir un petit peu de l'épaisseur et à se transformer pour lui en un langage :

A travers l'épaisseur murée de la matière
Je cherche à prendre tous les mots qui sortent un à un
A guider ces éclairs qui glissent sous la brume (*M,* 375)...

Remarquez la réserve extrême, la timidité de ces émergences. Même accordé, le sens reste ici retenu, et comme enveloppé. C'est que Reverdy déteste la crudité, et toutes les formes immédiates du contact. A la nécessaire rétention ontologique de l'objet correspond alors le mode sensible du *feutré*, dont il aura été l'un des plus délicats spécialistes : la tangence la plus franche que l'on puisse ici rêver consistant à effleurer, dans l'obscurité et à tâtons, « la longue main gantée de la nuit » (*FV*, 89).

D'autres signes se manifestent à nous de manière plus active, plus directement incisive : rayons ou fils tombés du ciel — « un rayon de soleil perce le toit » (*P*, 134), « le rayon blanc traverse la fenêtre et inonde la table » (*FV*, 89), « un aviateur descend par un fil comme une araignée » (*P*, 127) —, messagers mieux dessinés, dont la linéarité possède au moins l'avantage de crever visiblement un écran et de nous renvoyer continûment à leur origine. Que s'augmentent, dans le message, la puissance d'incision, la qualité sensible de percussion, et nous rencontrerons ces sensations, si fréquentes chez Reverdy, qui ne s'éparpillent plus dans la matité de l'épaisseur, mais y éclatent au contraire avec violence, aussi contractées que brèves, comme pour déchirer l'endormant feutrage de l'objet et provoquer en nous la bénéfique secousse d'un réveil. Ce sont par exemple ces cris si pathétiques qui « filent dans les chemins » (*FV*, 115) ou qui s'élèvent « dans la rue, derrière un volet » (*FV*, 45), ou bien encore « cette voix qui tinte sur l'eau » (*FV*, 45), provoquant autour d'elle un inattendu reflux d'espace et de silence. Les *cloches* possèdent la même valeur de choc et de résonance, surtout quand elles sonnent « au bord du ciel » (*P*, 182). Mais il est bien d'autres déchirures : ainsi, brusquement surgi dans le grand silence nocturne, le bruit sec d'un verre qui se casse (*P*, 181) ou d'un escalier qui craque, l'éclat d'un rire derrière le « paravent déteint » (*M*, 268), le jet d'un sifflet de train (*P*, 183), ou bien, en une sorte d'association dansante de ces diverses sensations, « l'éclat des timbres mêlé à ceux des verres / Et des rires » (*M*, 269). A ces explosions sonores, trop vite, hélas ! résorbées par le grand mutisme de l'espace, correspondent lumineusement l'éclair, ou l'étincelle, clignotés à partir d'une étoile, d'une fenêtre entrebâillée, d'une lampe, d'un seuil de porte. Et certes tout cela s'éteint très vite, et il peut paraître quelquefois décourageant de s'attacher avec tant de passion à des indices si fragiles, si tôt évanouis, d'écouter, comme le dit brutalement Reverdy, « des cadavres de bruits / Dans le silence » (*P, 182*). Mais, avant d'être des cadavres, ces bruits ou ces lumières ont été les signes d'une vie, d'une vie qu'ils ont encore le demi-pouvoir de nous transmettre.

A côté de tels signes passivement reçus et émanés d'une réalité lointaine, d'autres événements sensibles viendront, dans l'*interland* reverdien, soutenir un mouvement contraire, issu de nous et orienté vers un dehors. Au chapitre de ces sensations, chargées de nous soulever à la rencontre — à la demi-rencontre — du réel, il faudrait inscrire d'abord la gamme si riche des expériences aériennes qui sont aussi, et c'est l'une des originalités de Reverdy, des expériences *tactiles*. Car l'air ici nous touche et nous caresse, inversement nous le palpons et savourons physiquement. Surtout il vit, devenant alors le *vent*, puissance bénéfique dont le souffle peut nous emporter loin de nous-même, vers les libres contrées de l'horizon ou de l'imaginaire. Il suffit pour cela de se livrer aux « vagues d'air », de flotter « entre deux courants d'air » (*P, 325*) — et, sans bien sûr devenir air soi-même, car ce serait succomber aux dangers, plus haut analysés, d'une sorte d'angélisme volatil, de garder « assez de poids léger pour courir sur le vent et suivre ses détours » (*FV, 57*). Mieux qu'aucun autre poète d'aujourd'hui, Reverdy a ressenti « les vibrations de l'air » (*FV, 37*), « les froissements de l'air par les flocons de neige » (*LB, 256*), le grand courant de vent, engagé « sur le chemin qui mène à l'horizon » (*P, 256*). Sa sensibilité aux textures les plus subtiles de l'étendue lui permet même d'éprouver l'air comme une sorte de milieu quasi solide dont la ductilité garderait en elle la trace, ou le remous des présences les moins visibles : « Il y a des mains qui passent / Quelque chose passe dans le vent » (*P, 49*), « Dans l'air froid quelque chose passe »

(*P*, 192). Passages qui sont encore des symptômes, peut-être même des invitations à nous en aller nous aussi au gré du vent, à nous perdre avec lui dans l'immatérialité exquisement concrète de l'espace.

Nous ne sommes point encore sortis d'un univers d'aveugles : mais il arrive aussi qu'échappant à la cécité, ce mal si typiquement reverdien, l'œil s'entrouvre et se dessille : c'est alors pour chercher dans la paroi des choses un point virtuel d'insertion, une zone de délitement ou de faiblesse, une brèche susceptible de laisser se glisser en elle la ligne d'un regard. Le *trou* indiquera un accès possible à l'être : trou de la serrure, « aussi rond que le soleil éteint » (*P*, 248) et par lequel on épie la pièce voisine — celle où déjà l'on entendait marcher et parler —, mais aussi fentes ménagées sous les portes, fenêtres mal fermées, lucarnes (souvent haut placées dans la cloison et auxquelles on accède avec effort, par une échelle), ou bien encore miroirs, glaces, vitrines qui béent quasi liquidement dans l'épaisseur, plus généralement toute sorte de dépression qui semble ouvrir, entre divers objets solides, l'obscure possibilité d'un lointain (« Une porte du ciel s'ouvre / Entre deux troncs d'arbre », *P*, 327). Et de même que le *moi* se glissait dans les fêlures de l'espace, il « s'insinue », échappant à la prison de son présent, « dans les interstices du temps » (*M*, 428). Si l'obstacle à franchir n'est plus un mur plein, mais un intervalle liquide ou aérien, le trou deviendra *pont :* çà et là nous retrouverons la même promesse de dépassement, mais le même péril aussi, fait d'étranglement ou de chute. Car la fente reste toujours minuscule et profonde, à demi obstruée, et le pont, moins pont vraiment que passerelle, « passerelle tremblante du départ » (*LB*, 7), nous effraie dès l'abord par sa minceur fragile : pour le franchir, pour se retrouver de l'autre côté ou sur l'autre rive, il faudra se faire infiniment petit et léger, se *diminuer* au maximum... Si la quête reverdienne a pour but l'extase d'une immensité ouverte, cette largeur ne sera jamais atteinte qu'à travers l'exercice de la restriction, de l'autocompression, de la clandestinité la plus pénible. Reverdy est le poète de la porte étroite, peut-être même seulement du seuil de cette porte... C'est après «l'angoisse du passage le plus serré, le plus étroit», qu'on trouvera quelquefois ici la plaine absolue, «l'arrêt du calme et du repos dans la blancheur de l'étendue et le silence» (*P*, 272).

Mais trous ou ponts ne soutiennent le plus souvent que les commencements d'une aventure : derrière eux s'esquisse toute une perspective de lignes et de routes, tout un jeu d'avenues fuyantes, de fossés ou d'ornières, chargés de supporter une véritable dramaturgie rêveuse du *profond*. Point de thème plus familier ici que celui du *chemin*, inlassablement filant sous les semelles du marcheur, «chemin qui se déroule / comme une bande de papier», «tapis roulant qui tourne / donnant le vertige à mes pieds» (*M*, 455) : le destin de ce tapis roulant sera bien sûr de nous emmener vers le lointain ou vers la hauteur du paysage, mais seulement pour nous y abandonner en cours de route... Les voies que préfère Reverdy sont celles en effet qui ne conduisent nulle part, se perdant peu à peu dans l'herbe des prairies ou le sol des déserts, «allées sans direction des cimetières» (*FV*, 112), ou «pistes en détresse» qui «sur le sable fin... tournent à tous les vents» (*P*, 275). Et si la route tourne, comme si souvent ici, ce tournant à la fois nous désespère, en nous dérobant à jamais l'image d'un terme du chemin, et nous encourage à espérer, nous laissant supposer que cette fin existe derrière le tournant, et qu'avec un effort de plus nous l'aurions sans doute enfin saisie. La même ambiguïté caractérise ce frère aigu et dur du tournant (souvent associé au pointu de l'éclat sonore ou de l'étincelle) qu'est le *coin*, surtout coin de rue, bout de mur, derrière lequel glissent ici, soudain évanouies et comme absorbées par la paroi, tant de réalités fuyantes. L'*interland* reverdien réalise enfin sa forme spatiale favorite avec un lieu qui réussit à être à la fois trou et chemin, espace étroitement resserré entre deux parois contraignantes, et perspective vivante, librement ouverte sur l'ombre d'un là-bas : c'est le *couloir* (souvent compliqué par le schéma montant et cyclique de l'*escalier*), site domestique de tant de hantises. Car « au fond du couloir », peut-être, « les portes s'ouvriront » (*P*, 105) ; en son obscurité quelque chose s'esquisse — un « buste qui s'éclaire au fond du corridor » (*P*, 129) —, mais qui ne s'éclaire qu'à demi parce que, ici encore, je dois moins apercevoir que deviner. Si étroit en effet le corridor qu'il est impossible d'y marcher deux de front — comme le répète de façon obsédante un conte de *Risques et Périls* — et, même seul, d'y avancer très loin. Il ne me reste alors qu'à regarder de tous mes yeux, fixant, désespérément et vainement, là-bas, « dans l'espace au fond du couloir », un être qui ne sera jamais pour moi, et je le sais, qu'un fantôme évasif de l'être.

Mais un fantôme, n'est-ce point encore quelque chose qui est, ou qui est à moitié, qui est sans être ? « Fantôme à la poursuite de fantômes » (*LB*, 241), ainsi se définit lui-même Reverdy. Et il est bien vrai que le *fantomatique* représente chez lui un mode favori d'apparition — ou de disparition des choses : par exemple de la couleur, qu'il préfère fanée et épuisée, ou bien papillotante, hésitante entre noir et blanc, tendant toujours au *gris ;* de la lumière, dont le *terne* à la fois propose et masque une vitalité profonde puisque, à l'inverse du faux brio humain, « la nature garde son inimitable éclat même dans le ton mat des feuilles mortes » (*LB*, 242) ; de la chair surtout, qui perd peu à peu de sa solidité et de son poids, si bien qu'à la limite ne subsiste plus du corps qu'un simple plan sans épaisseur ni expression directe, défini par cette dernière et mince frontière de l'individu, le *profil*. Reverdy est le merveilleux poète de la silhouette, ligne ultime où peut s'inscrire en toute pureté l'essence la plus nue d'un être, mais d'un être menacé, et tout penché déjà vers sa disparition. Il nous suffit alors de rêver à cette « silhouette qui disparaît » « devant la porte » (*M*, 31), à ces « silhouettes furtives que nous avons laissées dans l'air aigre des coins de rue » (*LB*, 87), ou bien encore à cette « mince silhouette qui s'évanouit dans la vitrine » (*RP*, 32), pour que, à travers ces rencontres de lieux ou d'événements dont nous savons désormais la charge imaginaire, nous nous sentions vraiment placés dans l'entre-deux, au bord d'un monde, «sur le seuil de l'oubli, comme le voyageur nocturne dont on n'aperçoit plus que le profil perdu dans la noire embrasure d'une gare» (*LB,* 125). Tout profil est ici congé, émouvante annonce d'un départ, glissement un instant figé entre présence et absence. Mais il faut ajouter que c'est au moment où le corps n'est plus que silhouette et où la chair semble s'en être à peu près définitivement retirée que je puis enfin, chose si rare en ce monde sentimental de pénurie, entrer en contact avec un autre corps, un autre être. D'où la beauté de cette dernière relation fragile, de cette brûlure si brièvement et passionnément échangée, de cette harmonie suspendue au seuil du vide :

> Dans l'ombre où ton profil s'égare
> Une minute sans respirer
> Ton souffle en passant m'a brûlé (*P,* 208).

Mais le contour lui-même ne résiste pas longtemps au vœu de dissolution qui emporte irrésistiblement ici couleurs, substances, formes. Comme Verlaine, à qui il fait quelquefois songer, Reverdy déteste «les arêtes dures et précises du réel», pour leur préférer «le flou du rêve, le jeu clandestin de la pénombre» (*LB,* 103), l'infinie liberté des franges. L'ennemie, c'est la ligne, parce qu'elle enserre une réalité qui se voudrait illimitée. L'effort reverdien vise donc à corrompre cette ligne-frontière, à en réduire du dedans la certitude, à l'amener à s'épancher peu à peu hors d'elle-même, à rechercher, en même temps que «les visages en clair-obscur», «les marges des corps les plus durs» — marges qui lui seront autant de transitions vers l'impalpable et vers l'informe, bref, vers le monde de cette *imprécision ardente* en laquelle seule s'enclôt selon lui la poésie. Mais comment égarer le contour ? Il suffira peut-être de le faire bouger : le mouvement que j'introduirai en lui, ou auquel je l'exposerai de l'extérieur, l'obligeant à abdiquer lentement de sa rigueur. La volatilisation souhaitée du paysage s'annonce donc souvent par une sorte de vibration qui émeut la surface des choses :

Au coin les arbres tremblent
Le vent timide passe
L'eau se ride sans bruit
Et quelqu'un vient le long du mur (*P*, 61).

Le frisson de la feuille, de l'air, de la rivière prépare ici l'ouverture du coin et la venue du pas. Ailleurs les toits — ces frontières élues de nos deux mondes, sur lesquelles Reverdy aime si souvent à se rêver — se mettent à trembler eux aussi, « les vents lancent des feuilles mortes » (*P*, 151), « les arbres ronronnent » (*P*, 277), signes encore d'une sorte d'éveil ému de la lisière qui prélude à son évanescence. Après le frisson viennent en effet l'expansion aérienne de l'objet frissonnant, son passage à l'état de halo, puis sa métamorphose en brume, bref, la montée d'un grand principe d'indétermination sensible, d'une « ombre » qui naît « de proche en proche / Au centre de ma nature indéfinie » (*M*, 395). C'est le trouble bonheur du *brouillard* dans lequel, là-bas, « des visages flottent » (*P*, 50), « de l'ouate plus épaisse » « où tout se mêle » (*M*, 382), surtout de la *fumée* — « la fumée à cheval sur l'arête » (*FV*, 64) —, ce brouillard vivant et montant, dont le *vague* séduit irrésistiblement Reverdy, mais dont l'opacité fuyante l'écarte aussi et le rebute. Regardant monter une fumée, il doit « se contenter » « de ces formes dressées dans la nuit et qui s'en vont, brusquement déchirées, on ne sait où » (*FV*, 43).

Un déchirement et une dérive, voilà bien à quoi aboutit cette longue rêverie dissolvante. Comme chez Rimbaud cette fois — mais Reverdy est un Rimbaud feutré —, les choses échappent ici à leurs coordonnées logiques et aux données premières du *bon sens*. Les amarres se rompent, tout se met à flotter, glisser, se rencontrer selon la seule loi — la loi surréaliste — du hasard. Les sensations ne s'accrochent plus les unes aux autres, elles se présentent à nous séparées et juxtaposées, ce qui leur donne à la fois une liberté, une *simplicité* extrêmes, et un surprenant pouvoir de retentissement. Rien ne s'enfermant plus en aucun cadre, cet univers « désorbité », comme dit fort bien Maurice Saillet, voit les choses s'agiter en lui, se croiser, s'éclairer et s'éteindre, s'effleurer, s'effacer, disparaître. « L'ombre danse » (*P*, 211), la nuit glisse, « tout s'était mis à clignoter / Sans qu'on puisse s'expliquer comment » (*P*, 241). Mais ces glissements ou cette danse, cet universel clignotement de la nature n'aboutissent pas — et Reverdy se sépare ici de Rimbaud — à une véritable délivrance de l'objet : ils introduisent en lui les germes d'une effervescence, non point le principe d'un dégagement. Toute cette agitation reste brownienne, elle ne sort pas de l'immanence : l'un de ses modes favoris est significativement le *tourbillon* qui, s'il a l'avantage de bousculer anarchiquement les apparences, ne nous en fait pas moins tourner en rond. Par lui d'abord heureusement déracinés, nous sommes en fin de compte inlassablement ramenés au même endroit... Pour déboucher sur un ailleurs, il faudrait que le tourbillon devienne — cela arrive quelquefois — escalier en colimaçon, spirale ascensionnelle. Le plus souvent, pourtant, sa giration statique aggrave notre trouble ; elle évoque l'ivresse et le naufrage : ce ne sont par exemple que « des tourbillons de bruit et des tintements d'heure dans l'air qui *devient plus épais que la nuit...* » (*FV*, 64). Tous ces « plans qui se croisent » (*P*, 220), ces « allées et venues des visages sans nom » (*M*, 171), ces « reflets qui glissent » (*M*, 420), ce bouillonnement « des chances inconnues / Au carrefour grouillant des nombres » (*M*, 431), ces « chemins mêlés dans le fracas des chevelures » (*FV*, 170) — car la chevelure est ici, comme la branche, un thème physique de complication et d'entrelacement —, ces « échos perdus dans la rumeur », ces « voix éclaboussées sur la mousse des murs » (*M*, 532), tout cet embrouillamini, cette folie sensible aboutissent finalement à un vertige. Si bien que le délire heureux de la rêverie ne se sépare jamais ici d'un malaise.

Mais ce malaise n'est-il pas justement le signe que nous nous trouvons *en poésie* ? Le poème lui aussi est un chemin, un chemin qui ne va nulle part, mais qui nous oriente cependant chaque fois vers notre vérité la plus profonde. Sa structure reflète celle de l'expérience qu'il nous oblige en même temps à traverser : suite discontinue d'images, kaléidoscope de sensations, ou, comme le dit mieux Reverdy à propos d'un de ses paysages, « entrelacs de plus en plus indéchiffrable de traits et de retraits » (*LB,* 103). Le poète pense en effet « par pièces détachées » (*LB,* 132). Mais la sécession de chaque fragment d'expérience ou de langage doit être ici tenue pour fort trompeuse puisque, de trait en trait, de retrait en retrait, et par une série de sauts mentaux qui sont autant de paris et d'aventures, il nous est évidemment permis de progresser. « Il faut lire le poème comme il est écrit — *comme on passe un gué* — où l'eau s'insurge autour de ces pierres inertes qui prétendent briser son courant » (*LB,* 254). L'inertie de la pierre signifie ici la fatale maladresse du mot qui bloque en lui toute la souplesse de la rêverie : car le langage partage pour Reverdy la lourde malédiction de la matière. Mais ces pierres inertes sont vives cependant, puisqu'elles orientent le flot imaginaire : ce flot, même, ne l'ont-elles pas d'abord créé, à partir d'elles, en elles, et grâce à toutes les significations ou intentions dont elles sont porteuses ? Le langage est, lui aussi, un « courant où rien n'est clair, ni lourd, où tout se mêle, glisse, étincelle à la fois, du même mouvement » (*FV,* 69). L'impureté, l'hétérogénéité de la substance verbale y commandent finalement l'unité mobile et le dégagement du sens. Ou disons, si l'on veut, pour utiliser une autre image reverdienne, que la poésie est une danse, que d'un objet à l'autre, d'un mot à l'autre, et au cœur même de cette confusion collante et morose où nous sommes tous retenus prisonniers, elle fait naître un écho, un écho qui circule çà et là, s'amplifie et s'enfuit,

mais s'élève et se purifie au fur et à mesure de sa fuite,
une fuite qui ne conduit elle-même à rien qu'à un silence,
une lumière, une nuit :

L'écho se détache du bois touffu où tout se confond et sue
      Il est seul
sautant de pierre en pierre sous les ponts
C'est ma voix dégagée
mon nom   une lumière   les yeux fermés (*P*, 352).

Octobre 1961.

Saint-John Perse

...et toi tu te complais dans la vivacité divine.
Amers, p. 238.

Palmes !
Alors on te baignait dans l'eau-de-feuilles-vertes ; et
l'eau encore était du soleil vert (*El, 17*[1])...

Dès les premiers mots qui ouvrent le premier recueil
de Saint-John Perse, s'élève ainsi comme une action de
grâce au simple bonheur de sentir. Pleinement satisfaisante
cette sensation, car à la fois elle s'épanouit en nous et
elle nous enveloppe. On la voit ici s'ouvrir, s'exclamer
comme la feuille d'un palmier, avant de nous enfoncer
dans la fraîcheur végétale d'une eau-feu. Ailleurs, et de
toutes parts dans les premiers poèmes, se prodigueront
de tels bains, de telles exclamations glorieuses. Comme
le monde de Rimbaud, ou celui de Gauguin, à qui on l'a
quelquefois comparé, l'univers de Perse manifeste dès sa
naissance, et à un étonnant degré, les qualités primitives
de vigueur, de verdeur et de fertilité. L'objet y semble
exploser aux yeux, aux mains et à la bouche, vouloir y
surprendre et attaquer exquisement l'explorateur : « flèches lancées par la mer de couleurs » (*El*, 29), « fruits de
bois qui éclate[nt] » (*El*, 30), « enfance agressive du jour »

1. J'utilise les abréviations suivantes : *El* : *Eloges* ; *I* : *Images à
Crusoé* ; *G* : *La Gloire des rois* ; *A* : *Anabase* ; *E* : *Exil* ; *V* : *Vents*,
tous ces titres inclus dans l'*Œuvre poétique*, t. I, NRF, 1953. Puis,
Am : *Amers* ; *C* : *Chronique*, inclus dans l'*Œuvre poétique*, t. II, NRF,
1960.

(*El,* 48), tout ici — élément, matière, lumières — vient violer et combler l'attente de nos corps. Signe d'une profonde vitalité de l'être, cette crudité touche même parfois à la férocité : si violentes alors les teintes, si désireuses d'atteindre à un état superlatif de la couleur, et donc de trancher sur les teintes voisines, de les éteindre sous l'intensité de leur éclat, qu'elles paraissent quelquefois vouloir les absorber en elles : « O mes plus grandes fleurs voraces, parmi les feuilles rouges, à dévorer tous mes plus beaux insectes verts... » (*El,* 20). A travers le débat des insectes, des feuilles et des fleurs mangeuses, ce sont bien ici rouge et vert qui s'affrontent en une voration mortelle... Mais, finalement, aucune teinte ne triomphe, et le seul vainqueur reste l'enfant qui les mange des yeux. C'est lui en réalité qui, avec la mer, se gorge « de fruits d'or, de poissons violets et d'oiseaux » (*El,* 30), lui pour qui le monde entier est « fable généreuse, table d'abondance » *(ibid.).* A la jeunesse gloutonne du désir répond ainsi l'exubérance déversée des choses. L'homme est adoration et gourmandise, le monde fraîcheur, vivacité.

Prenons-y garde, cependant : cette vivacité sait rester maîtresse d'elle-même, et cette intensité ne dégénère pas en frénésie. Chez Rimbaud, dit à peu près Sartre, la sensation est comme un œuf qui serrerait la main et dont le contenu giclerait soudain aux quatre coins du monde. Rien de tel chez le Perse d'*Eloges :* quelque chose de lourd, d'un peu huileux lie le bonheur sensible et l'empêche de s'égarer en un lointain. L'univers se recourbe ; à peine la sensation a-t-elle déchargé son évidence qu'elle s'infléchit, revient sur soi, comme pour mieux s'offrir à nous. Si bien que, loin de nous projeter en un plaisir de dispersion ou de tonitruance, l'exubérance paraît ici annoncer la lenteur, préparer la caresse. Tel l'enfant de notre citation première, la conscience baigne immédiatement dans la joie d'éprouver ; elle se découvre elle-même plongée dans l'épaisseur d'un monde dont l'arrondi — ainsi celui des « hautes racines courbes » célébrant « l'en allée de voies prodigieuses, l'invention des voûtes et des nefs » (*El*, 18) ! — lui fournit un merveilleux abri. Cet abri lui-même quelquefois se calfeutre à l'excès, et s'érotise : la tiédeur touffue et glauque du sous-bois fournira plus tard à Perse l'un des climats favoris de sa sensualité. Nous retrouverons et aurons à analyser cette fascination, cette nausée de la mollesse close. Mais celle-ci existe déjà dans *Eloges,* et déjà sous sa double forme de tendresse et de fermentation : nous y voyons par exemple un voilier s'endormir « au fond des criques de vin noir », et des arbres « pourrir » dans le délice trouble de ces mêmes criques. C'est là l'extrême et encore aberrante conséquence d'un geste partout ici prononcé, celui de la fermeture. Car l'enfant ne s'expose pas vraiment à l'extérieur, il reste à l'ombre de quelques grandes divinités tutélaires, servantes rieuses aux longues jambes luisantes, mères « parfumées avec l'herbe-à-Madame-Lalie » (*El*, 66), oncles, « grandes figures blanches », comme des « Anges dépeignés » (*El*, 32). « La terre se courbait dans nos jeux comme fait la servante » (*El*, 31), et sa tendre courbure, qui exclut la fuite ou la brisure, semble alors engager à un bonheur sans terme. Car tout continue toujours et recommence, la joie n'est pas dans l'instant, mais dans la protection et le prolongement de l'instant, dans le temps qui distille lentement l'enfance : « et la maison durait sous les arbres à plumes » (*El*, 34). Volupté longue et duveteuse (« il fait si calme, et puis si tiède, il fait si continuel aussi », *El*, 46), à laquelle répond l'attitude d'un corps non point dressé vers le lointain ni tendu vers l'ailleurs, mais familièrement et comme amoureusement replié sur sa propre méditation : « Un homme seul mettrait son nez dans le pli de son bras » (*El*, 44) ; « et vous me laissez également, assis, dans l'amitié de mes genoux » (*El*, 73).

Il faudrait pourtant, pour être juste, relever dans *Eloges* les signes d'une tentation contraire : diverses rêveries semblent vouloir nous y engager à un dépassement de ce si tendre bonheur d'intimité. Telle est, par exemple, la rêverie du vent, de ces souffles alizés qui viennent brusquement secouer et crever « l'amer feuillage où, dans la crudité d'un soir au parfum de Déluge, les lunes roses et vertes pendaient comme des mangues » (*El,* 33) : étonnante pléthore trouée par un appel, il est vrai encore très tendre, de l'ailleurs. La mer, aussi, « hantée d'invisibles départs », s'étage « comme un ciel au-dessus des vergers » (*El,* 30) qu'elle domine de son altitude et obsède de sa musique. Mais les voiles surtout nous dynamisent, que l'on aperçoit « à la hauteur du toit de tôle sur la mer comme un ciel » (*El,* 13). Perse dira plus tard leur magie multiple, il célébrera toutes les vibrures de leur plan, leur blancheur, « vélin du songe » où le vent et l'idée inscriront mystérieusement leur « spéculation très chaste » (*Am,* 258). Plus violemment il en chantera l'éclat rompu, la véhémence au moment du débouché vers le large, « en vue des passes, dans l'explosion de la plus haute toile » (*V,* 325). Mais, dès *Eloges,* la rêverie sur la voile avait rassemblé ses dominantes : la toile du navire y apparaissant tantôt comme un espace de recueillement et de repli où le tremblé du monde atteint à sa plus pure transparence (« Tout l'intime de l'eau se resonge en silence aux contrées de la toile », *El,* 54), tantôt comme un lieu d'éclatement (« les toiles enthousiastes », *El,* 13) où se dénonce soudain l'irruption d'une vie inconnue. Si puissamment imaginaire, la voile, dans sa texture et dans son plan, qu'elle parvient alors à nous communiquer en même temps ces deux valeurs contradictoires : « Je ne sais rien d'aussi fort ni d'aussi nu qu'en travers du bateau, ciliée de ris et nous longeant, notre limite, la grande voile irritable couleur de cerveau » (*El,* 54). Force, nudité, irritabilité quasi mentale d'un tissu que sa couleur même semble relier à la pensée : mais cette sévérité s'attendrit sous l'effet des ris, des cils qui l'humanisent ; de frontière impatiente qu'elle apparaissait d'abord, voici la voile devenue notre complice ; elle est une limite qui ne nous limite pas vraiment, mais qui nous longe, et cet élongement nous est presque caresse... Il prendra d'ailleurs une valeur plus troublante, plus directement charnelle encore, dans les quelques lignes suivantes où l'étrangeté de la voile semble supporter à la fois une inquiétude et une tiédeur, une satisfaction de l'ici le plus rond, le plus immédiatement voluptueux, et un âpre besoin d'autre chose : « et la présence de la voile, grande âme malaisée, la voile étrange, là, et chaleureuse révélée, comme la présence d'une joue » (*El*, 55).

Mais voici du nouveau : ouvert ou clos, vibrant ou replié, le bonheur persien se satisfaisait jusqu'ici d'un intime contact avec la qualité brute des choses, il était une exaltation de la nature. Or le poète va bientôt désirer l'établir en une nouvelle dimension de l'expérience : non plus individuelle celle-ci, mais collective, point naturelle, mais sociale, et même, explicitement, urbaine. *Eloges* déployait déjà devant nous la chronique fabuleuse d'un village. *La Gloire des rois* précise et développe une rêverie de l'ordre : le monde s'y organise autour d'une autorité centrale, dont le poète se fait le laudateur. Loin du « souvenir cuisant des champs de poivriers et des grèves où croît l'arbre-à-cendre » (*G*, 105), les rêveries des jeunes hommes convergent vers le « haut nombril » musqué et d'ailleurs inaccessible de la reine-trop-grasse : onction sacrale et immobile où s'apaise leur soif, certitude « légale » d'un éternel commandement. « Ah Nécessaire ! et Seule !... il se peut qu'aux trois plis de ce ventre réside toute sécurité de ton royaume : sois immobile et sûre, sois la haie de nos transes nocturnes » (*G*, 107). La même sécurité focale et rayonnante hantera aussi les « narines minces parmi nous du Prince Très-Maigre, très Subtil », « plus maigre qu'il ne sied au tranchant de l'esprit » (*G*, 111), et dont l'aridité toute mentale assume la même indispensable fonction d'autorité que l'adiposité sacrée de la Trop-Grasse. Narine ou nombril, fertile sécheresse (le prince sec est « fécond en maximes et sentences ») ou chaste humidité (la reine trop grasse est vierge et nul fruit ne pend à « son ventre infécond »), le roi s'installe alors au milieu même d'un vaste territoire dans toute l'étendue duquel il irradie tranquillement sa loi : « Et le pays est gouverné, la lampe brille sous son toit » (*G, 125*).

Anabase, enfin, exalte dès ses premières lignes le geste royal de la fondation. « Maître du grain, maître du sel » (*A, 150*), l'homme y saisit et domine l'objet premier de sa jouissance ; il y fixe aussi son vieux désir d'errance et de délire, tente d'y oublier l'élan des palmes ou le frisson des voiles, et pour cela il essaie de se trouver à lui-même des racines, y donne « à l'idée pure comme un sel » ses « assises dans le jour » (*A, 150*). Le voici donc qui se met à trancher, cloisonner, construire, circonscrire : la fondation réclame la clôture, elle veut la délimitation des lieux et le tracé des murs ; elle exige aussi que le paysage, autrefois indistinctement lyrique, s'organise selon quelques directions majeures, que le constructeur, par exemple, discerne « le sens et la destination des bâtiments : face honorée, face muette ; les galeries de latérite, les vestibules de pierre noire, et les piscines d'ombre claire pour bibliothèques » (*A, 162*). Sa joie n'est plus alors d'enfoncement ni de surgissement, mais d'équilibre ; car tous ces bâtiments finiront par former une seule ville, ils abritent un organisme collectif où tout individu occupera dûment sa place, où les fonctions les plus diverses, les gestes les plus apparemment incongrus se répondront et se compenseront les uns les autres : joie de « la chose publique » « établie sur de justes balances ». Plus juste alors sera cette balance, et plus délicieusement aiguë l'arête de son fléau : « arrêter l'éclat d'un siècle sur sa pointe au fléau des balances » (*A, 152*), tel est le grand bonheur des fondateurs. Retenez ici cet éclat, cette pointe : nous les retrouverons bientôt dans de tout autres fonctions, d'agression ou d'aventure. Mais il est beau et profondément conforme à la logique interne d'une rêverie que le tranchant puisse se faire aussi l'immobile soutien d'un équilibre, et que toute la machine sociale s'établisse — ailleurs front, narine ou nombril — sur l'acuité d'un point focal.

La ville est donc équilibre et fixité. Sa fondation obéit à un instinct d'ordre, mais plus encore peut-être à un besoin d'installation. Cavalier ou marin, l'homme décide un jour de s'arrêter, d'attacher l'amarre ou le licol, d'oublier son errance. La vie trouve son lit, et ce n'est point hasard si bien souvent aussi dans ce lit dort une femme. C'est que, pour Perse, la femme et la cité ont contracté une obscure alliance ; par bien des côtés, la vocation charnelle répond ici au besoin de la loi. Çà et là il y aura repos et enracinement, fermeture apparente des lointains, ouverture d'une lente durée, vœu et fidélité. La chair, surtout, possède, comme la loi, une redoutable puissance involutive ; dans sa tendresse, dans son infinie plasticité, il est facile de se laisser prendre. Le merveilleux appel féminin de la douceur, auquel Perse est si évidemment sensible, risque alors d'entraîner chez l'homme amollissement et lâcheté. D'où l'ambiguïté de la notion même de bonheur, tantôt présentée comme bénéfique, tantôt refusée comme malfaisante. « Tout-puissants dans nos grands gouvernements militaires, avec nos filles parfumées qui se vêtaient d'un souffle, ces tissus, nous établîmes en haut lieu nos pièges au bonheur » (*A,* 169), chante joyeusement le conquérant d'*Anabase*. Mais ce bonheur, justement parce qu'il dure et veut toujours s'accroître, risque vite de nous enliser dans sa pléthore, de nous engluer dans sa durée. Le voici dès lors devenu danger, poison. Perse peut parler des « pays infestés de bien-être » (*A,* 172) ou « de l'aigle équivoque du bonheur » (*E,* 230) ; il peut même inciter ses cavaliers à lever « le fouet sur les mots hongres du bonheur » (*A,* 180). Pourquoi ce retournement, sinon parce que le bonheur, raison d'être de la ville et fruit naturel de la femme, a pour première conséquence notre clôture dans le bonheur ? La civilisation urbaine a perdu le sens des horizons : peut-elle accoucher d'autre chose que d'une race « d'hommes de venelles et d'impasses » (*V,* 434) ? Peut-elle fabriquer un homme qui ne soit pas « l'homme usuel aveuglé d'astres domestiques » (*Am,* 202) ? Et l'amour qu'elle mûrit en elle, est-ce autre chose que « les ruelles de l'amour » ? Perse ne paraît pas le croire. L'envahit alors un profond dégoût de cet ordre trop facile qui lui devient prison, une nausée de cette chair trop molle, trop vite refermée, qui lui demande seulement de s'enfoncer en elle... Sa poésie, dans ce qu'elle aura de plus original, voudra nous appeler à la révolte et à la délivrance : l'un de ses gestes les plus efficaces consistera à rompre le cercle des sociétés trop heureuses, à fuir la couche des femmes trop tendres, bref, à briser tous « liens avec l'étable du bonheur » (*Am*, 195).

Cet échec du bonheur, sans doute devrons-nous l'imputer à son actuelle médiocrité, à sa triste limitation bourgeoise. Mais peut-être notre situation est-elle plus grave encore : peut-être suffit-il en effet de sentir, et de sentir heureusement, pour éprouver, à la limite, un certain dégoût de ce bonheur. Ce que nous incriminerons alors, c'est le caractère douillet ou trop complaisant de notre sensation. La terre, aujourd'hui, « douceur d'agave, d'aloès... fade saison de l'homme sans méprise ! C'est la terre lassée des brûlures de l'esprit » (*E*, 248) : terre soumise et trop prévue, dont la tendresse est devenue fadeur. Cette douceur doit être fuie ; il faut s'écarter des lieux trop abrités où s'engourdit le bonheur de sentir, comme il faut, dans l'ordre des sentiments, refuser la tristesse, renoncer aux langueurs faciles de l'élégie ou de l'églogue : « Que d'autres paissent loin de mer l'églogue au fond des vallons clos — menthes, mélisse et mélilot, tiédeurs d'alysse et d'origan — et l'un y parle d'abeillage et l'autre y traite d'agnelage, et la brebis feutrée baise la terre au bas des murs de pollen noir... » (*Am*, 229). Admirable paysage de repli, où le velours d'un pelage animal semble épouser la féconde mollesse d'un terreau, tout ce vivant feutrage s'enfermant en outre dans la tiédeur d'une vallée étroite et dans le frôlement, indéfiniment prolongé, de quelques jeux vibratiles de consonnes *(b-p, r-l)*. La tentation de cet univers-nid, si profondément ressentie par Perse, et chantée par lui dès *Eloges*, il va donc maintenant la repousser, et avec brutalité : on aura remarqué, dans la végétation de ce vallon trop clos, l'abondance des plantes à infusion qui lui sont suspectes (ailleurs, ce sera encore la verveine) en raison de leurs évidentes attaches domestiques...

Ailleurs, par exemple en un célèbre passage de *Vents* (*V,* 435), c'est la mollesse, à la fois matérielle et sociale, de tout le *cossu* bourgeois qui se trouve encore dénoncée et liquidée : « une petite vigne aux champs, un verger en province pleurant ses gommes d'or », « un clos d'abeilles, peut-être, en bordure de rivière, et son arceau de vieille Abbaye », « une gloriette ou folie, en retrait d'angle », « dentelle de fer et d'or sous le masque des pampres, reliures de miel et d'or au creux des pièces en rotonde, et le duvet d'alcôve, à fond de chambre, aux derniers feux des soirs d'Été » : voyez comme tout ici se ferme et s'arrondit sur soi, s'écarte aussi, fait sécession, comme pour plus jalousement savourer le secret conservé d'une sagesse. Et ce savoir si longuement mûri au fil des siècles affleure, ici encore, sous la forme d'une tendresse toute substantielle, quasi fruitée, gomme, miel, duvet d'or. Mais c'est justement de cette caresse trop parfaite que Perse veut se délivrer : « tiédeur », « faiblesse », sensation goûtée en un « giron » (*V,* 436) de l'être, tout cela lui cause finalement un malaise. Et il charge alors un liquide familier, le lait, de soutenir cette rêverie d'affaiblissement et de tendresse, où la note matérielle du lié, de l'homogénéité, de la mollesse blanche s'associe à des suggestions morales d'infantilisme, de dévirilisation et même d'autocomplaisance : « Il y aura toujours assez de lait pour les gencives de l'esthète et pour le bulbe du narcisse... » *(ibid.).*

A d'autres moments, ce malaise s'aggrave encore et s'alourdit : nous avons l'impression alors qu'à force de se confiner sur elle-même la sensation finit par s'y étouffer, bientôt par s'y aigrir. Si rien d'extérieur ne vient jamais aérer le moelleux des vallons, des vergers, des chambres closes, leur tendresse se mettra sans doute à rancir, elle deviendra lentement une amertume. De la plénitude nous passerons ainsi à la réplétion. Et cette pléthore interne de la matière ou de la chair risquera de provoquer finalement en elles une sorte d'incubation morose, une saturation, une inquiétude un peu semblables au « tourment de bêtes onéreuses engorgées de leur lait » (*V*, 329). Cet engorgement, que rien ne pourra venir du dehors soulager, puisque nous lui interdisons d'emblée toute ouverture, toute aventure, débouchera fatalement enfin sur une nausée de la fermentation et de la pourriture. Essentielle ainsi chez Perse l'image écœurante de l'étang croupi : « A la queue de l'étang dort la matière caséeuse. Et la boue de feuilles mortes au bassin d'Apollon. Qu'on nous débonde tout cela ! Qu'on nous divise ce pain d'ordure et de mucus. Et tout ce sédiment des âges sur leurs phlegmes ! » (*V*, 436.) Ce que Perse refuse si violemment ici, c'est à la fois la boue et la mémoire, c'est la fatalité d'un temps paralysé et décomposé par son immobilité même, c'est la notion d'une matière trop jalousement conservée — et devenue ordure. La tendresse y a peu à peu tourné à la viscosité, puis à la mucosité ; elle y a abouti enfin au dégoût glissant et mort du sédiment. Une seule ressource alors : mettre en mouvement cette eau dormante et, sans l'émouvoir en profondeur, ce qui causerait en elle un trouble répugnant, provoquer sa lente évacuation. C'est le rôle, chez Perse, du grand fleuve (« les fleuves équivoques », *V*, 376), eau légèrement écœurante parce que plate, étale, apparemment engourdie, mais bienfaisante cependant parce que coulant vers la mer et donc liquidatrice de toutes les saletés terrestres. Ainsi, à Londres, à qui la Tamise sert d'égout collecteur, « la ville par le fleuve coule à la mer comme un abcès » (*El*, 82), « car toute ville ceint l'ordure » (*El*, 81). Ou, plus profondément, dans ce beau passage de *Vents,* où s'inscrivent à la fois l'attirance et l'horreur d'une fécondité trop lourde, débordante : « Laisser peser, à fond de toile, sous le gruau des pluies, le fleuve gras qui trait, en son milieu, toute la fonte d'un pays bas, comme aux plus basses lunaisons, sous la pesée du ciel gravide, toute l'entraille femelle hors de ses trompes, de ses cornets et de ses conques » (V, 363).

Ce qui obère ici la nature et le sexe, c'est, on le voit, leur infatuation, leur indiscrétion pesante, la complaisante et molle retombée de leurs principes. On trouvera ainsi chez Perse un fondamental refus des limons et des graisses (refus qui enveloppe aussi une fascination), un éloignement farouche (mais c'est aussi, nous l'avons vu, un attrait très original) pour les essences de l'huileux, de l'homogène ou du lié, bref, pour tout ce qui risque d'engluer l'originelle vivacité du monde. Dira-t-on que la reine très grasse est grasse justement, et que cela ne l'empêche point d'être reine, sacrale et bénéfique ? Mais elle est vierge aussi, ce qui, d'une certaine manière, compense, annule du dedans son adiposité... Un curieux mythe géographique traduira cette obsession : celui du *Sud,* direction de la retombée et du plaisir, qui, en opposition à l'Ouest, point cardinal actif de la conquête, rassemble autour de lui toutes les rêveries d'engorgement et de sclérose. Sud chinois peut-être, mais surtout Sud américain, ventre renflé d'un continent, sorte de poche troublement sexuelle où s'amassent tous les stupres digestifs et érotiques, où se gonfle le lit des « fleuves infatués », où s'arrondit la « courbe des golfes assouvis » et où sourd l'impatience « au flanc des vierges cariées » (*V,* 351). Et pourquoi cariées, ces vierges, sinon justement parce que trop exquises, trop soigneusement entretenues derrière l'élégance de leurs hautes grilles, trop longtemps conservées dans la « guipure blanche » (*V,* 359) et morte de leur trop vieille civilisation ? Ce Sud délicieux et trouble où retombent ainsi les plus anciennes boues de l'histoire et de la mémoire finit alors par devenir, en raison même de sa situation inférieure et de sa ségrégation, la dimension maléfique du ranci, du fermenté, donc aussi de l'abcès qui finalement les résoudra en lui : « l'ulcère noir grandit au fond des parcs où fut le lit d'été des belles » (*V,* 359).

A faire ainsi le tour des diverses répugnances persiennes, l'on rencontrera enfin un dégoût qui paraît tout d'abord opposé à l'obsession dont nous venons de dire les symptômes, mais qui procède en réalité de la même origine : c'est la nausée du sec pulvérulent, le malaise de la poudre morte en laquelle s'éventent les principes et se dissipent les structures. Le responsable en est le temps encore, ou plutôt la trop longue histoire qui pèse sur les hommes. Mais, au lieu d'alourdir, de sédimenter et de pourrir en profondeur la sensation, il l'a cette fois futilisée, détachée de sa source, puis l'a éparpillée, l'obligeant à flotter, gratuite, en un espace vain. Ainsi, dans la branche à l'excès ramifiée, l'ultime feuille oublie qu'elle a une racine : la sève s'en retire, plus rien ne la relie à l'arbre, elle s'envole et se perd dans le vent... Perse connaît mieux que quiconque la tragédie de « l'usure » et de « la cendre » (*C*, 336), cet « émiettement des vieilles termitières » (*C*, 343) qui est la loi des constructions les plus solides, ce dégoût surtout de la *paille,* herbe creuse, bribe éparse, qui illustre admirablement pour lui la vanité et la débilité d'un temps à bout de souffle. « Car tout un siècle s'ébruitait dans la sécheresse de sa paille, parmi d'étranges désinences : à bout de cosses, de siliques, à bout de choses frémissantes... comme un grand arbre tressaillant dans ses crécelles de bois mort et ses corolles de terre cuite » (*V*, 299). Dégoût de l'infime grouillant et dispersé qui répond dans l'ordre du discontinu à ce que signifiait la nausée limoneuse dans l'ordre de l'homogène. Et le poète de dénoncer alors « les hommes de paille » (*V*, 297), d'accuser « l'usure et la sécheresse au cœur des hommes investis » (*V*, 298), car l'investissement peut être aussi bien assèchement que réplétion...

Et voici que ce dégoût bientôt se moralise, que la poussière se met à recouvrir les images de l'esprit épuisé, qu'elle devient le symbole d'une pensée stérile, close sur elle-même, coupée du réel et de l'origine, vouée aux infinitésimales subtilités de l'analyse. Elle possède mythologiquement son temple, c'est la Bibliothèque, église solennelle et dérisoire où, parmi les « carrières de marbre jaune », s'abat lentement la « pruine de vieillesse » (*V*,

312). Calfeutré sur lui-même, inaéré, le savoir y tourne au radotage, la sagesse y devient littérale, s'y flétrit en codes et en gloses. Et tout cela se dépose matériellement en vétusté sur la tranche jamais essuyée des livres : « Et qu'est-ce encore, à mon doigt d'os, que tout ce talc d'usure et de sagesse, et tout cet attouchement des poudres du savoir ? comme aux fins de saison poussière et poudre de pollen, spores et sporules de lichens... toutes choses faveuses à la limite de l'infime, dépôts d'abîmes sur leurs fèces, limons et lies à bout d'avilissement — cendres et squames de l'esprit » (V, 313). Le vermoulu s'avoue ici ouvertement excrémentiel, la poudre répugne moralement comme veulerie, physiquement comme minimité, fuite, collage... Mais, surtout, ce texte magnifique qui réunit en un seul refus la plupart des dégoûts persiens nous permet de comprendre que ce qui offense le poète, c'est d'abord l'intuition d'une indépassable limite, d'un bout de l'histoire, de l'homme et de la matière, d'un terme à la fois sensible et spirituel au-delà duquel l'être ne peut plus continuer à être ce qu'il est, mais doit absolument changer, devenir autre, et pour cela sans doute renoncer à tout ce qui l'avait fait être. Refus de la clôture et de l'investissement, dégoût de la graisse érotique et de la sensation trop lourde, répugnance de la poussière et de l'usé, à travers ces divers réflexes humoraux se traduit en somme chez Perse une méfiance essentielle : celle de la durée quand, au lieu d'adhérer à un être ou de fonder un ordre, elle se voue à accumuler, à conserver indéfiniment un avoir.

C'est à partir de cette expérience négative, et contre elle, que toute l'œuvre de Perse va prendre son élan. Mais ne nous y trompons pas : cette expérience, c'est la sienne, certes, mais c'est aussi la nôtre, c'est celle de tout l'Occident civilisé.

O villes où les fruits ont pourri au marlier
    Où s'épuise le temps comme un broutement d'âne...

chantait déjà Perse dans *Des villes sur trois modes.* Mais
ces villes pourries, ces «golgotha[s] d'ordure et de
ferraille», ce sont les cités où nous vivons. En elles s'est
édifiée notre civilisation, mûrie notre culture, construite
notre sagesse, abrité notre bonheur. L'Occident a, qu'il
le veuille ou non, partie liée avec le temps, dont la
sédimentation même a produit sa culture et son histoire.
Et toutes ses valeurs les plus traditionnelles se trouveront
alors remises en question par le mouvement persien de
délivrance. Contre elles, il serait facile par exemple de
montrer que le poète en appelle à des forces neuves, à
de grands principes sans mémoire : ce sont les éléments,
dont l'éternelle originalité a tôt fait de recouvrir les piètres
monuments de la durée humaine. Pluies, qui font passer
sur les sols souillés ou épuisés l'ablution d'un grand bain
pénétrant, et par la vertu desquelles la poussière redevient
un fructueux limon, l'une de ces «boues actives» «où
s'exténue l'extrême usure reconquise» (*V*, 352) ; neiges,
qui étendent leur nappe innocente et froide, leur «plain-
chant» sur toutes les aspérités ou saletés du paysage ;
vents, qui nous dépouillent, nous arrachent, nous trans-
plantent, nous purifient par l'oubli forcé où ils nous
plongent : la nature se fait en eux lustrale, leur violence
nous rend à l'éclat nu de l'origine, rien ne saurait égaler
la profondeur de leur bienfait. Et, pourtant, vents, neiges
ni pluies ne sauraient satisfaire absolument au vœu
humain : c'est qu'ils ne sont pas produits par l'homme.
Leur venue ne dépend pas de nous ; il nous faut toujours
les attendre, ou les solliciter, comme des grâces. Or, si
Perse peut se faire leur chantre très reconnaissant, il n'est
pas, on le sait, de ceux qui aiment l'attitude passive ou
implorante. Le geste qui l'attire, c'est celui de la mobilisation, non pas celui de la prière. A côté d'un hymne aux
grands éléments lavants et salvateurs, on trouvera donc
chez lui quelque chose de plus actif, et sans doute de

plus précieux : toute une zone de rêveries, à la fois morales, formelles et matérielles, qui tenteront, contre les nausées précédemment décrites, de définir en nous l'utopie d'un homme responsable et délivré.

Il y aura par exemple le vœu d'*aridité*. Mais attention : il ne s'agira point ici de louer la pulvérulence sèche dont on sait au contraire qu'elle cause à Perse un vrai malaise. La sécheresse qu'il exalte, et qu'il dresse contre la nausée du gras, c'est celle de l'essence ou de la nudité, c'est-à-dire d'un principe tout monolithique, lié aux qualités de concentration et de rayonnement, donc parfaitement opposé au sec poudreux que nous savons à la fois dispersé, épuisé, flatulent. « Aux soirs de grande sécheresse sur la terre, nous deviserons des choses de l'esprit » (*G,* 119), écrit le Prince de *la Gloire des rois.* C'est que l'esprit s'accorde naturellement à la soif de la terre : il est pure rigueur, feu abstrait, jeu dénudé d'élans ou d'articulations. Il se plaît à régner « aux clairières en feu de la Mathématique » (*Am,* 291) ou à s'installer sur « le seuil aride du poème » (*E,* 261). Il aime aussi le vide des déserts, la pureté sans eau des sables (infinis amoncellements de grains incorruptibles — si différents de l'éparpillement louche et gras des poussières), l'impénétrable rigidité des pierres. Tout un penchant de la rêverie persienne l'attire ainsi vers la sécheresse rocheuse, vers « la pierre nue... des fonts nouveaux » (*V,* 316), pierre sans eau, mais baptismale, et vers « la colère de la pierre », souvent associée à la « querelle de la flamme » (*V,* 306), la flamme étant justement ce qui entretient au cœur de la pierre l'active intransigeance de son aridité. D'où le goût des pierres luisantes et dures, pierres à mica, schistes, quartz, silex ou obsidiennes, dont la siccité semble posséder comme une valeur visible d'étincellement et d'agression.

Que cette rêverie du sec abandonne l'ordre de la substance pour se transporter en une zone plus charnelle, et elle deviendra cet étrange songe si persien de la *maigreur.* Que le chef, que l'homme doivent être maigres, c'est là chez Perse une évidence imaginaire que nul ne semble devoir même contester. Le Prince de *la Gloire des rois*, par exemple, est maigre, «plus maigre qu'il ne sied au tranchant de l'esprit, homme aux narines minces parmi nous, ô Très-Maigre! ô Subtil!» (*G*, 111). Sa maigreur est donc à la fois incisivité et subtilité. Nous pouvons voir également en elle comme une garantie d'intégrité. Car elle le préserve de se laisser gagner par les houles infâmes de la fécondité et lui permet de se dresser, fin et incorruptible, au milieu d'une matière que sa rigidité domine. S'il s'écarte ainsi avec dégoût de la reine trop grasse, trop fluente, c'est pour rechercher l'accouplement des filles longiformes : «On dit que maigre, désertant l'abondance sur la couche royale, et sur des nattes maigres fréquentant nos filles les plus minces, il vit loin des déportements de la Reine démente (Reine hantée de passions comme d'un flux du ventre)» (*G*, 115). Sous les espèces de la maigreur sèche et de la fluence, ce sont bien, on le voit, les deux principes masculin et féminin qui s'opposent ici. Et Perse de rechercher alors à dépasser cette opposition, et pour cela à viriliser, à volontariser la femme : ce même type de filles, «plus étroites des hanches et du front plus aiguës», il l'exaltera encore dans *Amers* (*A*, 210) : sorte de filles-garçons, à demi-amazones, «les plus aigres sous la plume de fer» (*E*, 213)... Délivrées par la guerre ou le sport de la fatalité alourdissante de leur sexe, elles savent «s'aiguiser sous le casque» (*V*, 436) ou s'étirer dans le maillot de bain pour répondre au vœu de maigreur du nouvel homme. De même chez Anouilh, autre ennemi obsessionnel de la ʾretombée heureuse (de la «cuisine» du bonheur), ce seront l'extrême adolescence, ou bien encore la misère qui assureront l'intransigeance physique de la fille-garçon. Cette minceur possède souvent d'ailleurs ici une garantie et un soutien interne, c'est l'*os*, qui sous-tend avec évidence l'anatomie volontaire de la chair. L'ascétisme du sec veut en effet chez Perse que la virilité soit moins énergique que rigide, et plus osseuse que musclée : à la femme le mâle opposera

sa linéarité et son tranchant, non vraiment sa puissance.
A l'intérieur d'un dégoût analogue, le cavalier persien
ressemble fort peu au footballeur de Montherlant... Car
ce qui privilégie ici l'existence osseuse, c'est sa qualité
essentielle, sa nature imputrescible, sa valeur ultime
d'abstraction. C'est par exemple d'un « doigt d'os » (*V,*
313) que le liseur de bibliothèque soulève la poudre
écœurante des livres ; ce sont « sur des pistes osseuses »
que les « pensées courent à l'action » (*E,* 231) ; c'est
« comme un éclat d'os » que doit régner « la parole brève
du poème » (*V, 320*).

Être sage, ce sera, dès lors, tâcher d'atteindre en soi
et hors de soi, par une suite de tensions et d'efforts
contractants, à un équivalent de la pureté osseuse : couper
impitoyablement la boursouflure, éroder la rondeur inutile,
crisper l'essentiel, se faire acier et pierre, s'émacier :
« Nos routes dures sont en Ouest, où court la pierre à
son afflux. S'émacier, s'émacier jusqu'à l'os ! à bout de
vol et d'acier fin, à bout d'antennes et de rémiges, vers
ce pays de pierre et d'os où j'ai mes titres de créances »
(*V,* 364)... « Là vont toutes choses s'élimant parmi les
peuplements d'oponces, d'aloès, et tant de plantes à
plumules » (*ibid.*)... Élimement qui n'est plus ici usure,
mais ascèse : car l'effort de dessiccation qui se poursuit
à travers ces paysages et ces plantes (dites grasses, mais
en réalité épineuses et sèches), il vise désormais, on le
voit, à réaliser une sorte de tension intérieure et indépassable de l'objet, il veut atteindre à une ultime dureté de
la matière. Et l'accompagne tout normalement alors le
schème d'une avancée horizontale, d'une quête, qui, vers
la dimension mythique de l'Ouest (Ouest chinois ou
américain), voudrait elle aussi indéfiniment tendre et étirer
l'humain, le pousser jusqu'à sa dernière pointe. La logique
rêveuse exige ici que l'homme « chassé de pierre en pierre »
s'effile lui-même jusqu'au lieu le plus élimé de l'univers,
« jusqu'au dernier éperon de schiste ou de basalte » (*Am,*
302), éperon où il peut d'ailleurs appointer davantage
encore son acuité : « l'aigle encapuchonné du siècle

s'aiguise à l'émeri des caps » (*Am,* 201). L'aigu ascétique de la forme répond victorieusement ainsi à l'aridité interne de la substance et à l'ouverture héroïque de l'action. Au moment, en effet, où « les cavaliers en armes, à bout de continents, font au bord des falaises le tour des péninsules » (*Am,* 317), la pointe vient achever et consacrer la maigreur. A la minceur quasi monastique du cavalier pourra s'accorder ainsi toute une géographie rêveuse de l'érosion, hauts plateaux pierreux, caps ou falaises : si sec le conquérant et si ami des roches qu'il pourra même tirer directement de leur aridité, ou plutôt de son excès, d'une rupture interne de cette sécheresse, le schème effilé de son action : « Je vous aiguiserai l'acte lui-même, prophétise le poète, comme l'éclat de quartz ou d'obsidienne. »

Maigreur, sécheresse, acuité, ces essences bénéfiques n'ont pas, on le voit, le seul mérite de permettre à Perse un ressaisissement de soi et une délivrance : elles lui donnent aussi les moyens de s'inscrire dans le monde extérieur, lui fournissant des instruments d'action, bientôt des armes. La maigreur marche mieux que la graisse ; le sec résiste mieux que l'humide à la corruption ; pour s'enfoncer enfin dans le tissu du monde, quoi de plus efficace qu'une dure acuité ? Dans cette glorification du mouvement, qui est, comme l'a fort bien dit Albert Henry [1], à la base de toute l'entreprise persienne, l'ascétisme physique trouvera sa justification la plus directe, aider à la mobilité. Point en effet de minceur sans un certain tranchant de la forme émincée, et qui dit tranchant dit aussi possibilité de rupture, appel à la cassure et à son goût mystérieux : « il est, dans la cassure des choses, un singulier mordant, comme au tesson du glaive ce goût d'argile sèche et de poterie de fer qui tentera toujours la lèvre du mieux-né ! » (*Am,* 202.) Cette saveur de sécheresse, de terre cuite et de métal, ce mordant, cette allégresse quasi affamée de l'entaille, voilà ce que recherchera partout le conquérant. L'œuvre de Perse

1. *NRF,* avril-mai 1959.

exalte donc la guerre — mobilisation, soulèvement, conquête ; elle fait l'éloge de ses instruments les plus cruellement aigus, lances, flèches, épées ou éperons. Une puissante rêverie de l'arme blanche s'y lie en profondeur à la plupart des thèmes que nous venons de parcourir : tantôt le tranchant des lames s'associe à l'effilement des péninsules et à la griffe des oiseaux de proie : « Les cavaliers au fil des caps, assaillis d'aigles lumineuses et nourrissant à bout de lances les catastrophes pures du beau temps » (*A,* 170), illustrent magnifiquement ce privilège guerrier d'un fil qui appartiendrait à la fois à la forme d'un paysage et à l'essence nue d'un acte.

Tantôt alors l'acuité de l'arme s'inspire de la rigueur pierreuse : « Savions-nous que déjà tant de lances nouvelles poursuivaient au désert les silicates de l'été ? » (*A,* 167.) Quelquefois le « fil » de l'épée se marie immédiatement à la vivacité cinglée du temps, à l'éclat de l'instant : « Les dieux qui marchent dans le vent ne lèvent pas en vain le fouet. Ils nous disaient — vous diront-ils ? — qu'un cent d'épées nouvelles s'avive au fil de l'heure » (*V,* 323). Et le luisant de l'arme prend alors valeur illuminante, fulgurante ; on admire « la ville sous la foudre, comme au clair de l'épée » (*V,* 325), « la ville plus vive aux feux de mille glaives » (*E,* 258). Ou bien, et plus humainement, c'est la maigreur du combattant, ou de la combattante, qui se confond avec la ligne de son arme : comme dans le spectacle excitant de ces « guerrières, ô guerrières par la lance et le trait jusqu'à nous aiguisées » (*E,* 242). L'aiguisement aboutit alors à une pointe où s'assemble et s'annule tout l'avoir antérieur : « à la pointe de vos lances », déclare le poète aux pluies, j'établis « le plus clair de mon bien » (*E,* 239), un bien désormais donc sacrifié, entièrement livré à l'aventure. Et ce bien ponctuel-lement contracté au bout des lances nous avoue alors sa vraie nature, qui est spirituelle : la rigueur physique du glaive, c'est encore la nudité, la nudité tranchante de l'esprit. La pensée n'est pas en effet — ou elle n'est pas toujours —, pour Perse, enveloppement ni préhension, mais pointe ; elle ne cherche pas — ou du moins pas le plus souvent — l'heureuse organisation de ce qui est, mais bien au contraire sa cassure, son éveil éclaté à ce qui n'est pas encore. Comme la lame, l'esprit est fulgurance, division, subversion, agression. L'idée, dit Perse, est « plus nue qu'un glaive au jeu des factions » (*E*, 239). Et le Français de 1945, cet homme déchu, tombé « dans les abîmes de l'opprobre », sera, en raison même de cette déchéance, un merveilleux serviteur historique de l'idée : son intelligence, sa rébellion et jusqu'à cette honte qui l'ont arraché de force au conformisme et à la loi, tout le situe « à la pointe même du glaive de l'esprit » (*V*, 425).

Rien ne sera donc plus joyeux que l'acuité, car elle autorise à la fois le dégagement et l'incision. Perse la préfère sous sa forme active, mais même immobile il en exalte la vertu : « Là où l'entaille fait défaut, que nous ravisse l'aplomb lui-même sur son angle » (*V*, 365). Rien de plus caractéristique que ce goût du contour-falaise et que cette manie angulaire. Car l'*angle*, si fréquent dans cette rêverie, c'est d'abord ce qui récuse, à l'intérieur même de la forme, la répugnante rondeur des enveloppes, mais c'est aussi ce qui établit avec le reste du paysage, avec le plan qui supporte l'objet angulaire, la tangence la plus dure, le contact à la fois le plus intransigeant et le plus fragile. Toute chose posée en équilibre sur son angle peut rayer sa surface de soutien, mais tout en restant elle-même merveilleusement apte à basculer sous la plus petite poussée, à changer d'apparence et de statut, à se retrouver autre chose... Perse rejoint donc oniriquement l'angle à la dureté, en évoquant par exemple « une Crau de pierres sur leur angle » (*V*, 413). Il s'enferme avec joie dans « une chambre d'angle », vraie proue d'intimité « qu'environne un océan de neiges » (*E*, 275) ; il imagine le coureur à demi élancé, oblique, « le pied déjà sur l'angle de sa course » (*V*, 327) ; il évoque le trouble qui saisit les vieilles civilisations lorsque, lasses de leur horizontalité et de leur paix dormante, elles se laissent soulever, déséquilibrer par le vertige des doctrines subversives : « Les grandes invasions doctrinales ne nous surprendront pas, qui tiennent les peuples sur leur angle comme l'écaille de la terre. Se hâter, se hâter ! l'angle croît !... (*V*, 327.) Angle-écaille qui supporte, on le voit, tantôt une rêverie de l'entaille, tantôt un vœu d'instabilité et de déséquilibre. L'angle s'animalise-t-il, et le voici devenu griffe ou bec, bec d'oiseau de proie : en vertu d'une belle logique imaginaire — et d'un merveilleux accord phonétique —, le poète pourra se dire « manieur d'aigles par leurs angles » (*E*, 213), le groupe *aigle-angle-aigre* ayant un peu ici la même valeur poétique d'expression que, plus haut, le groupe *acier-acuité-émacié-minceur*... Mais, plus profondément encore, ce qui séduit Perse dans la réalité angulaire (et dans celle de l'*arête,* qui lui est apparentée), c'est son rapport à la rêverie de la *rectitude :* car qu'est-ce qu'un angle, après tout, sinon la soudaine brisure d'une droite, sinon le lieu de crise où une rigueur se mue brusquement et rigoureusement en une autre rigueur égale à la première, simplement différente en sa direction ? L'essentiel est ici que le changement d'orientation ne ressemble jamais à une inflexion ou à une faiblesse, qu'aucune sinuosité ne vienne moduler la forme ni enchanter le dessin. La géométrie persienne épouse admirablement ainsi le reste de ses obsessions : « La ligne droite court » en effet, pour lui, « aux rampes où vibre le futur, la ligne courbe vire aux places qu'enchante la mort des styles » (*V*, 440). Dimension fléchée de l'avenir, et donc, pour Perse, de la noblesse, la droite doit s'opposer en effet normalement au courbe, signe d'une durée trop infléchie sur soi, ligne enchantée et maléfique de la caresse, du sexe, de l'éternel retour.

Ainsi se définissent rêveusement toute une physiologie de l'ascétisme, toute une géométrie de l'héroïsme. Mais l'effort imaginaire qui oppose aux tentations troubles de la plénitude le schème d'une conscience dépouillée et contractée pourra s'exercer aussi en une dimension parallèlement délivrante de l'expérience, celle du *vide* lui-même et de l'absence qui en est la traduction morale.

Car c'est le plus souvent au loin, dans le désert, «dans la fumée des songes, là où les peuples s'abolissent aux poudres mortes de la terre» (*A*, 177), que la rigueur persienne aime à dresser ses lames, ses angles ou ses aigles... Ce vertige de l'abolition, prenons garde d'ailleurs qu'il peut s'installer dans le tissu de notre monde même, cossu et familier, dont il corrompt brutalement alors les données les plus élémentaires. Perse aime ainsi les maisons sans meubles, les grandes pièces vides, «lieux vastes et nus», brûlés de blancheur, «salles de chaux vive» (la chaux vive activant ici la viduité) où l'âme peut librement s'agiter et retentir, s'interrogeant sur son espace vrai et fomentant «en [son] plus haut point» «une grande querelle» (*G*, 114). Il recherche «les chambres désertes des grandes conques de pierre» (*Am*, 202), «les grandes casemates d'ombre au pied des sémaphores» (*E*, 222) «les citernes, les vaisseaux creux», bref, tous les «lieux vains et fades où gît le goût de la grandeur» (*E*, 208) : entendons que cette grandeur s'attache ici à cette vanité, qu'elle qualifie la parfaite viduité du lieu abandonné, et que la fadeur en constitue de son côté l'expression sensible, qu'elle est en lui le goût de son abandon même, et comme la saveur de sa négativité.

Ajoutons que ce goût et cette grandeur n'existent encore ici qu'à l'état gisant, latent, dans le vide qui les a recueillis en lui, et que, pour les en faire plus tard surgir, sera nécessaire plus d'une opération rêveuse. Que la conque, la casemate ou la citerne ne se contentent plus d'enfermer en elles un vide résonnant, mais veuillent faire déboucher leur creux interne sur l'espace extérieur des choses, et la rêverie persienne s'arrêtera sur ce lieu pour elle si troublant : le *seuil*. Ce qui sensibilise à un tel point le seuil dans cette poésie, c'est probablement son ambiguïté et son double visage : car il est à la fois tourné vers le dedans et le dehors... S'il forme d'abord l'espace de l'accueil, s'il donne accès à la chaleur d'une intimité recluse, il peut aussi, en un renversement de son signe moral, présenter cette même intimité à l'appel du grand vide extérieur, la livrer à toutes les tentations de l'horizon. Frontière aiguë et ligne de passage, qui peut évidemment se franchir dans les deux sens... Ainsi, le roi d'un pays qui vous attend au terme d'un long voyage est «assis à l'ombre sur son seuil», «assis, de bon conseil aux jeux du seuil» (*G,* 122). Mais, à côté de cette évocation paisible, qui fait du seuil l'un des champs favoris de la sociabilité, Perse pourra exalter «les souffles du large sur tous les seuils» (*C,* 321), «la fumée du seuil» (*Am,* 289), «la force errante sur mon seuil» (*E,* 212), «la clameur muette sur mon seuil» *(ibid.).* Seuil-rivage que viennent battre toutes les vagues du vide et de l'ailleurs, et qui se fait alors leur complice, l'actif introducteur aux sables de l'exil.

  «Debout sur la tranche éclatante du jour, au seuil d'un grand pays plus chaste que la mort» (*A,* 187), «dressé sur le haut seuil en flamme à l'horizon des hommes de toujours» (*C,* 322), le voyageur va donc finalement franchir cette ligne magique que sacralisent davantage encore pour lui les rêveries associées de la lame, de l'altitude et du feu. Geste qui peut faire songer à celui de l'enfant prodigue gidien, mais qui possède un écho combien plus grave : car le seuil franchi n'ouvre pas vraiment ici une carrière nouvelle à l'avidité libérée du désir ; bien plutôt masque-t-il la victoire d'une solitude, le retour à une vocation négative, l'expansion d'un vide intérieur, expansion qui comportera toujours des risques. Au chapitre des dangers il faudra inscrire ceux, les plus immédiats, qu'entraîne une rupture délibérée avec la société des hommes et l'univers formel des lois : car l'âme numide, nomade, errante, voyageuse, qui n'accepte la clôture d'aucun seuil ni la règle d'aucun lieu, c'est aussi l'âme insoumise, dissidente, violente, à demi révoltée, celle chez qui la sécession prépare à la scission. Ame subversive donc, et même «scabreuse», et cela d'autant plus facilement que l'acuité, pour Perse, est victorieusement parente de la subtilité, et que celle-ci engendre la dialectique destructrice, qu'elle sécrète même cet insecte angulaire, rongeur, proliférant, la «sauterelle verte du sophisme » (*V*, 305)... Exilé, voyageur ou conquérant, le héros persien menace ainsi de par sa présence même les évidences les plus généralement admises du sacré. Passer le seuil, c'est se purifier sans doute et devenir vraiment homme ; mais c'est en même temps rompre un tabou, commettre un sacrilège, effectuer le « déchirement de notre nuit » et « le resplendissement de l'autre » : après « la pierre du seuil lavée d'amour et lieu terrible de la désécration » (*Am*, 297), l'univers religieux en effet s'interrompt, la conscience se retrouve seule, dangereusement exposée à tous les vides ; « sans preuve ni témoin » (*E*, 275), l'homme accède aux déserts de la liberté.

Mais cette liberté, à quoi au juste vise-t-elle ? D'abord, sans doute, à un dépassement constant de ses limites. Toute une part de la poésie persienne relève de ce qu'il est convenu de nommer littérature engagée : mais cet engagement, celui de la guerre ou de la résistance, n'y est en réalité qu'un infini dégagement... Car l'acuité nouvelle de l'insurgé, du sage ou du guerrier, elle sert essentiellement, nous le savons, à soutenir l'élan d'une impatience, à faciliter le mouvement tout romantique qui vise toujours à un plus loin, et à un au-delà de ce plus loin. La guerre ainsi dénude l'exilé, mais elle renverse aussi les villes, déracine et transplante les soldats, bouleverse le monde au vent de la conquête. Or, point de thème plus explicitement, plus monotonement répété chez Perse que ce besoin d'un autre espace, d'un ailleurs. Mais cet ailleurs, que dissimule-t-il en vérité ? Une plénitude, un être ? Bien plutôt, croyons-nous, un vide et une absence d'être. Ce que veut atteindre ici la quête, l'anabase persienne, ce n'est rien, ou plutôt, sans doute, est-ce le rien : un rien qui peut humainement revêtir le masque affectif de la monotonie — et c'est l'image d'un temps sans vibration, « l'éternité qui bâille sur les sables », « l'ennui des sables aux limites du monde » (*A*, 170) — ou qui peut plus dramatiquement s'offrir à nous sous les espèces du vertige, dans la fuite des deux dimensions, verticale et horizontale, de l'infini que sont le gouffre et le désert : « Voici la chose vaste en Ouest et sa fraîcheur d'abîme sur nos faces » (*C*, 336). Mais le pire danger, c'est qu'après l'avoir émaciée et desséchée, après l'avoir de toutes parts corrodée par son assaut, le vide finisse par intérieurement évider, presque par abolir la conscience qui s'est enfoncée en lui. Ceux qui ont prétendu « régner sur l'absence » (*A*, 171) ou « consommer » l'absence, ceux qui se sont crus les « princes de l'exil », tous ceux-là, à mesure qu'ils remontent « les fleuves vers leur source, entre les vertes apparences », « sont gagnés soudain de cet éclat sévère où toute langue perd ses armes » (*E*, 275). Les voici désormais voués à un mutisme, forcés à un dépouillement où se perd jusqu'à la signification de leur nudité ou de leur silence : hôte du « haut pays sans nom illuminé d'horreur et vide de tout sens » (*V*, 413), le moi persien ne risque-t-il pas alors de s'effacer dans l'absolu même de cette insignifiance, de disparaître dans l'extase de cette viduité ? Tout au bout du désert, au fond de l'océan, ce qui attire le conquérant persien, n'est-ce pas finalement, comme un vertige, l'image éblouissante de son annulation ? « Et au-delà, et au-delà, qu'est-il rien d'autre que toi-même — qu'est-il rien d'autre que l'humain ?... Minuit en mer après Midi... Et l'homme seul comme un gnomon sur la table des eaux... Et les capsules de la mort éclatent dans sa bouche... Et l'homme en mer vient à mourir. S'arrête un soir de rapporter sa course. Capsules encore du néant dans la bouche de l'homme... » (*V*, 420.)

Ces « capsules » de mort ou de néant, ce serait cependant commettre une très grave erreur sur Perse que de l'en croire l'ardent ou même le résigné consommateur. L'attraction du rien ne fonde pas chez lui un nihilisme ; elle l'introduit moins encore à un mysticisme. A quoi lui eût en effet servi de faire un si violent effort pour extraire de sa clôture, de son sommeil ou de son infatuation toute la «vivacité divine», si cette même vivacité il devait aussitôt la laisser s'égarer en quelque léthargie d'inexistence, ou se vaporiser en une asthénie spirituelle, dans l'engourdissement d'un quiétisme? Le projet persien est d'éveil, non pas d'anéantissement ni de dilution. Et lorsque le héros s'enfonce trop profondément ici aux domaines du vide, lorsque, dans sa marche vers l'Ouest, il atteint la zone dangereuse, la région limite où sa sécession risquerait de devenir irrémédiable et de lui interdire ensuite tout retour, il voit se dresser devant lui «l'éclair soudain, comme un Croisé! — le Balafré sur [son] chemin, en travers de la route, comme l'Inconnu surgi hors du fossé qui fait se cabrer la bête du Voyageur. Et à celui qui chevauchait en Ouest, une invincible main renverse le col de sa monture, et lui remet la tête en Est. "Qu'allais-tu déserter là?"...» (*V*, 421). Et ce rappel à l'ordre suffit à persuader le voyageur de revenir au réel et à la société : tournant la bride de son cheval (ou l'aile de son avion), il redescend docilement vers les tendres territoires orientaux. De même, dans *Anabase,* s'établit le rythme d'un itinéraire qui fait se succéder équitablement marches et stations, calme fécond des sociétés et ivresse stérile des déserts. Nous y passons du haut plateau à la vallée, de la route à la tente, du cheval à la femme : corps et âmes restent cependant toujours prêts au redépart.

Une telle alternance est bien évidemment heureuse ; Perse pourtant vise à la dépasser. Il ne se livre en réalité si violemment à tous les principes de sécheresse que pour retrouver en eux un nouveau contact fécond avec la vie. D'où, au cœur même de son trajet, un merveilleux renversement imaginaire qui, visant à engendrer le contraire par le contraire, découvrira dans la viduité et le non-être la source, l'évidence sensible, ou comme le dit fort bien Maurice Saillet, la «gloire» soudain révélée de l'être. «J'ai fondé sur l'abîme et l'embrun et la fumée des sables», clame glorieusement l'exilé (*E*, 208) : entendons que le sable, l'embrun et la fumée, ces soutiens physiques du néant, lui ont servi à «fonder», à créer en lui et autour

de lui quelque chose de nouveau, quelque chose qui soit...
Le non-être exalte alors directement à l'être : « Et soudain,
tout m'est force et présence, où fume encore le thème
du néant », exulte l'exilé (*E*, 212). « Solitude, ô foison ! »
s'écrie encore le poète d'*Amers* : et cette expression,
d'une si belle concision, peint à merveille le retournement
imaginaire qui, de la rareté la plus extrême, fera sortir la
prolifération. Le dernier recueil de Saint-John Perse
confirme enfin ce dessein : le poète y dit sa volonté
expresse de susciter « hors des légendes du sommeil toute
cette immensité de l'être et ce foisonnement de l'être,
toute cette passion d'être et tout ce pouvoir d'être » (*C*,
333). Ces « légendes du sommeil », c'est bien contre elles
que se livrait tout l'effort persien de ressaisissement et
de dégagement. Maigreur, acuité, angularité, sécheresse,
viduité, toutes ces essences bénéfiques dont nous avons
successivement estimé la valeur, et qui constituent, prises
ensemble, le climat d'une certaine virilité ascétique, elles
visaient simplement à conjurer dans l'homme la fatale
léthargie de l'être. Mais, à travers elles, c'est de fonder,
de justifier une abondance qu'il s'agissait en réalité : ainsi
« dans le foisonnement du dieu » l'homme doit-il se redé-
couvrir « lui-même foisonnant » (*V*, 360). Voilà, croyons-
nous, la note la plus heureuse que fait résonner en nous
la poésie persienne : le chant y atteint à sa plus vraie
beauté et à son originalité particulière lorsqu'il étale devant
nous des images qui nous suggèrent une ouverture active
de la sécheresse, un élargissement fécond de l'acuité, une
union substantielle et comme une complicité morale du
plus stérile et du plus fertile. Ce sont quelques-unes de
ces images, dans lesquelles l'apparent non-être se montre
soudain débordant d'être, qu'il nous faut maintenant
examiner.

Regardez la *pierre*, par exemple : nous avons déjà
reconnu sa puissance de contraction, sa valeur de dessica-
tion et de refus. Mais elle n'est vraiment heureuse que
lorsque cette rigueur, travaillée du dedans ou du dehors
par l'active poussée d'une tendresse, semble laisser

s'ouvrir en elle les voies d'un épanouissement. Ainsi, la grâce d'un paysage provençal mariera exactement douceur et sévérité, ardeur du roc et lumineux parfum des plantes : « Et la sévérité du soir descend, avec l'aveu de sa douceur, sur les chemins de pierre brûlante éclairés de lavande... » (*C*, 341.) La lavande, le soir assouplissent ici de l'extérieur l'aridité abstraite du rocher. Mais plus probant, plus joyeux encore cet assouplissement quand il paraîtra provenir de l'intérieur, de la substance secrète de la pierre, et que du cœur même de la sécheresse semblera s'élever alors comme un aveu physique de *notre* fertilité : « Ou bien assis, la main au sol, comme main de pâtre dans le thym, à tous ces fronts bossués de pierre blanche, nous affleurons nous-mêmes à tout ce blanc d'amande et de coprah de la pierre de crête : douceur de spath et de fluor, et beau lustre du gneiss entre les schistes laminés... » (*C*, 337.) Douceur de la pierre caressée, et par là même caressante, en qui la montée intérieure et l'affleurement d'un être semblent s'accompagner d'un amollissement matériel du pierreux, d'une métamorphose du minéral en végétal (la pierre devenant fruit, amande ou coprah), et s'achever en une exquise symphonie, elle aussi effleurante et tendre, de vocables...

Mais voici que se précise encore cette rêverie de l'avènement rocheux : car sous nos yeux le caillou semble s'animer en profondeur d'une existence active : « et déjà d'autres forces s'irritent sous nos pas, au pur solstice de la pierre » (*V*, 384), forces d'une fermentation toute chimique qu'évoquent ici la décomposition de l'atome et la ronde des « chiffres défrayant une ardente chronique » — mais qui peuvent se traduire ailleurs par l'épanouissement de certains signes, par le surgissement d'une écriture déposée d'elle-même aux pans lisses des roches : « Là nous prenons nos écritures nouvelles, aux feuilles jointes des grands schistes... » (*V*, 368). Et ce graphisme, trahissant sur le roc l'illuminante apparition d'un être, semble même parfois y dessiner les traits d'un visage humain : « Plus d'un masque s'accroît au front des hauts calcaires éblouis de présence» (*V*, 369). Mieux encore, cet accroissement quasi organique de la pierre, cette épiphanie de l'homme dans la pierre vont y aboutir, comme chez Nerval et dans le pythagorisme, à la manifestation charnelle d'une conscience pierreuse, à l'ouverture d'un *œil* qui nous regarde, et qui est aussi, bien entendu, *notre* œil regardant et regardé : «Et la mer lave sur la pierre nos yeux brûlants de sel. Et sur la pierre asexuée croissent les yeux de l'Étrangère...» (*Am*, 200.) La chasteté lavée et sèche de la pierre est ainsi sauvegardée par la rêverie même qui y fait s'entrouvrir des paupières de femme, il est vrai d'étrangère, donc de femme déjà quasi virilisée, ou, si l'on veut, d'une certaine façon désexuée par l'aridité de son exil... Enfin, culmination de cette rêverie, l'œil ouvert dans le roc le plus dur — «dilatation de l'œil dans les basaltes et dans les marbres» (*C*, 324) — n'y apparaît plus simplement comme le signe d'une naissance humaine, mais comme un avènement de la vie elle-même, de sa vivacité, et donc du dieu qui éternellement la vivifie : «Et Dieu l'aveugle luit dans le sel et dans la pierre noire, obsidienne ou granit» (*C*, 325) ; retenons ce privilège fécond du sel, que nous allons bientôt analyser dans toute son ampleur. Il est normal de le trouver lié à l'essence aride de la pierre au moment où celle-ci devient soudain générosité et effulgence, source immédiate d'absolu : «Les temples brillent de tout leur sel. Les Dieux s'éveillent dans le quartz» (*Am*, 318).

Attention, cependant : cette source pierreuse reste sèche. Même fécondisé, même gravide, le rocher ne s'écoule pas ici en une eau tendre : fertile certes, mais à condition de demeurer aride, et même d'une aridité intransigeante. Ce que recherche en effet Perse, ce n'est pas une défaite de la sécheresse, mais au contraire une triomphale exaspération de son principe débouchant de lui-même, et par une sorte de paradoxe naturel, dans le triomphe du principe opposé. Toute cette œuvre poursuit en somme les images sensibles, et tente de poser la possibilité morale d'une sécheresse fertile, d'une aridité féconde, d'un vide qui soit créateur d'être : et c'est pour cela qu'elle chérit si profondément ce produit synthétique, cette sorte de poussière active, déjà associée, nous l'avons vu, à la rêverie pierreuse, le *sel*.

Point, il nous semble, de matière plus purement, plus heureusement persienne que le sel, au point que vivacité semble presque s'égaler ici à salacité... Blancheur, brio, intransigeance, il possède d'abord tous les attributs visibles du *pur :* mais sa saveur surtout le rend unique, qui fait de lui l'antithèse née de la douceur, l'antidote parfait de la tendresse. De par son tranchant gustatif, de par son amertume, de par sa sécheresse, si parfaitement anhydrique, il peut alors devenir le réceptacle, voire même le symbole d'une autre aridité plus pure encore, celle de la pensée. « Aux délices du sel sont toutes lances de l'esprit » (*A,* 151), et les mathématiques, en effet, ce bel édifice d'intelligence, « suspendent » leur rigueur « aux banquises du sel » (*A,* 152) ; « l'idée » elle-même, « pure comme un sel », tient « ses assises dans le jour » (*A,* 150). Regardez encore comment, en une opposition dont nous connaissons maintenant la valeur, le voyageur pourra savourer à la fois les plaisirs de l'esprit et ceux de la chair, le sel sec et le végétal humide, « les virulences de l'esprit aux abords des salines et la fraîcheur de l'érotisme à l'entrée des forêts » (*V,* 305). Le secret de ce produit miraculeux, c'est peut-être en effet sa *virulence,* l'étonnante puissance et la variété de son action. Car qui dit salacité dit aussi agression gustative, scandale, fin secouée des léthargies. Le sel constitue en somme la matière même de l'éveil : et s'il révolutionne les sommeils, s'il oblige la vie inconsciente à abdiquer en lui ses mécanismes ou ses complaisances, bref, s'il est le grand questionneur de l'être, il possède aussi des pouvoirs bien plus actifs et bien plus positifs, fournissant ou promettant de fournir plus tard une réponse aux inquiétudes mêmes qu'il ne cesse allégrement de susciter.

Puissance de choc, de salubrité et d'ascétisme (« ainsi va toute chair au cilice du sel », *E,* 216), il est en effet également ferment : s'il décape comme un grésil toutes les formes de l'usé, il enveloppe obscurément aussi en sa sécheresse, en sa brutalité même, des germes de reviviscence. Voici donc réalisée en lui la fondamentale association persienne de l'aigu et du fécond : et l'on voit qu'elle s'y opère grâce à une heureuse spécialisation des diverses dimensions de la durée. Car le sel a pour présent l'agressivité, mais pour âme la virtualité ; sa perspective vraie c'est l'avenir, et son climat non point vraiment l'amertume, mais l'attente. Il accompagne ainsi les lents enfantements : « la nuit salée nous porte dans ses flancs » (*Am,* 249) ; il épouse la fermentation souterraine de l'espoir, et ce sont « les grands illuminés du sel et de la houille, ivres d'attente et l'aube dans les mines » (*V,* 391) ; et le voici qui bientôt s'anime, se déclare, se met à frissonner — « tout le sel de la terre tressaille dans les songes » (*A,* 178) —, puis à claquer et à jaillir plus positivement encore : c'est « la crépitation du sel et le lait de chaux vive » (*E,* 209), « l'exclamation du sel et la divination du sel lorsque la mer au loin s'est retirée sur ses tables poreuses » (*Am,* 237). L'existence saline se charge alors de toutes les violences sèches de l'action : « l'étalon qui a goûté le sel » (*Am,* 213) bondit en un espace neuf ; la toile du bateau se soulève ; associée en son envol à une autre image de la vie acérée : « la voile fut de sel et la griffe légère » (*Am,* 217). Dès son enfance, Perse ne s'était-il pas mis déjà sous le signe du sel ? « Je me souviens du sel, je me souviens du sel que la nourrice jaune dut essuyer à l'angle de mes yeux » (*El,* 21). Et, plus tard, fendant en libre conquérant l'espace, « Prodigue sous le sel et l'écume de Juin », il choisit de savourer non pas la plante trop doucereusement domestique, mais la substance même qui assoiffe : « Nulle verveine aux lèvres, mais sur la langue encore, comme un sel, ce ferment du vieux monde » (*E,* 231).

Mais ce ferment, alors, pourquoi ne pas l'introduire dans le domaine qui en réclame le plus activement l'insémination, celui de l'érotisme ? Dans la chair féminine demeuraient fixés, on s'en souvient, le soupçon d'un amollissement possible, le danger permanent d'une retombée ou d'une faiblesse. Mais voici ce danger conjuré, puisque nous en connaissons désormais l'antidote... Il suffira, pour satisfaire Perse, que la femme demeurée femme, c'est-à-dire lisse, accueillante, pleinement homogène, accepte de s'ouvrir à l'interne alacrité du sel. L'on aboutira alors à un plein bonheur sensuel, celui que chantent par exemple les extraordinaires lignes suivantes : « Et mon cœur t'ouvre femme plus fraîche que l'eau verte : semence et sève de douceur, l'acide avec le lait mêlé, le sel avec le sang très vif, et l'or et l'iode, et la saveur aussi du cuivre et son principe d'amertume... » (*Am,* 226.) Gloire d'une chair parfaite désormais, parce que rassemblant en elle les attributs les plus divers, et pouvant satisfaire aux vœux apparemment les plus contradictoires : verdeur, fraîcheur, fécondité y chantent d'abord à travers la tendre vibration des *f* et des *r ;* puis les sifflantes (*semence, sève*) donnent un avenir à toute cette douceur étale ; et c'est alors l'activation quasi chimique de la lactance, le réveil du lait, substance innocente et grasse, par l'acide, porteur d'insurrection, puis le mariage de la vivacité saline avec l'ardeur circulante du sang, enfin c'est l'irruption de matières à la fois éclatantes et âcres, or et iode, qui complètent de leur puissance d'effusion cette véritable métamorphose humorale de la femme...

Tout se termine donc sur une amertume heureuse dont le cuivre est ici, comme souvent chez Perse, l'assez étrange propagateur : lié rêveusement « à l'odeur du corps mâle », (*Am,* 234), irrité, « échauffé » dans « la lubricité des eaux » (*Am,* 237), il s'attachera, sans doute à cause de l'âpreté même de son goût, à toutes les entreprises expressément sexuelles, « obole de cuivre » déposée sur la langue des courtisanes, ou statue rituelle, « idole de cuivre vierge, en forme de poisson, que l'on enduit au miel de roche ou de falaise » (*Am,* 236) — et l'on notera au passage ce nouveau mariage de l'amer et du tendre, et du tendre produit, en un raffinement de l'imagination, par la sécheresse et le tranchant eux-mêmes... Dans l'ordre du minéral, le cuivre est donc parent du sel, mais avec une spécialisation plus étroitement érotique. Car si ce dernier a le don de nous régénérer, s'il provoque à la fois en nous l'âpre soif du désir et la joie soulevée de la chair en qui ce désir va s'enfoncer, sans aucun risque de s'y engourdir, ni même de jamais s'y satisfaire, c'est qu'il relève d'un mode où l'acte est toujours vif et la fatigue inconnue, le monde du commencement en lequel ne se séparent point excitation et pulsation, lactance et radiance : « J'entends battre du sang la sève égale et nourricière — ô songe encore que j'allaite ! Et ma lèvre est salée du sel de ta naissance, et ton corps est salé du sel de ma naissance... Tu es là, mon amour, et je n'ai lieu qu'en toi » (*Am,* 249). Don réciproque du sel — « Tu as goûté le sel aux paumes de l'amant » —, qui signifie un accomplissement intime : il marque le retour à une originalité de l'être, l'accès retrouvé à une intégrité perdue. Morale suprême : cette reconquête, ce réinvestissement de ma propre vivacité natale s'opèrent à travers le don charnel de moi à l'autre, par le contact physique de son sel, par la grâce de sa vivacité également perdue et reconquise, et reconquise en moi, dans la verve salée que je lui communique, mais que je tiens de lui, et de lui seul... Échange de vivacité, où la vivacité se crée par sa circulation même, où chaque amant se crée en l'autre et recrée l'autre en soi...

« Salace et souple » (*Am,* 229), la mer, ce grand prodige, comblera donc en nous un double vœu d'excitation et de fraîcheur. En elle s'épanouira notre « âme de sel vert » (*Am,* 273) : et cet épanouissement, ce prolongement fertile du salé y prendront visiblement pour forme la joie, si souvent ici chantée, des *bulles.* De toutes parts, dans cette rêverie, on les voit en effet sourdre de la profondeur, s'élever dans l'épaisseur, éclater aux surfaces : dispensant « une fraîcheur d'écume et de grésil dans la montée des signes » (*V,* 324), elles nous inondent de leur double essence, brûlante et tendre, de leur « lait d'écume et de chaux vive » (*C*, 327). Écume, sel aérien : pour Perse elle brûle, elle installe au cœur de la mer qu'elle ensemence un principe permanent d'ébullition et de soulèvement, une ardeur volatile, « un grand feu d'écume pétillante » (*V*, 438). Et Perse d'exalter alors cette interne ventilation de l'être, de rêver au lavage joyeux qu'y opèrent les bulles, à ce « bienfait d'écume en toute chair, et chant de bulles sur les sables » (*Am*, 226). Car la bulle n'est pas ici rêvée, comme chez les baroques par exemple, dans son unité close et transparente, dans sa fragilité ni son éclat : elle est toujours chez Perse multiple, véhémente, encore engagée dans le tissu d'une matière que son dynamisme a justement pour fin de soulever. Il aime la saisir au plus dense de cette matière, en son origine même, au moment exact où elle semble sourdre d'un invisible processus d'éclatement ou de fermentation. Car si elle sort parfois d'une turbulence, d'une agitation interne de la vague — et c'est alors pour nous éclabousser comme une fleur de sel —, elle peut aussi bien se produire à partir d'une inertie et d'une apparente léthargie de l'eau, en une accumulation putréfiée de l'épaisseur, « dans les courants chauds et les laitances grasses, dans la fréquentation des vases somptueuses » (*I*, 83). Ces somptuosités de l'infatué ou du pourri, on se souvient à quel point elles fascinaient et écœuraient Perse : mais l'en voici délivré désormais par la logique même du pourrissement, qui décompose le croupi et l'oblige ensuite à se dégager, à s'exhaler en bulles. La bulle pourra donc naître naturellement au cœur de la matière fermentée. A l'inverse du sel, fils salubre de la sécheresse, elle acceptera de se former dans les pires complicités du gras : « sous les palétuviers qui la propagent », écrit Perse dès les *Images à Crusoé*, « des poissons lents parmi la boue ont délivré des bulles avec leur tête plate » (*I*, 83)... Délivrance doucement écœurante, mais qui finit, en se multipliant, par aérer la boue et l'eau, par les animer d'une vie profondément allègre, par les soulever d'une exaltation aussi puissante que la joie saline ou volatile : « le fleuve est plein de bulles, et le soir est plein d'ailes » (*G*, 124).

Mais si le sec se fait ainsi ferment et profusion, si le gel engendre si naturellement la bulle, pourra-t-il en être de même avec cette autre forme persienne de l'aridité qu'est le *tranchant* ? La lame s'ouvrira-t-elle aussi aisément à la tendresse ? Et son fil se fera-t-il ampleur ? Cela nous semble difficile à croire, et pourtant Perse réussit à rêver cette opération paradoxale : il réussit même à nous en faire poétiquement éprouver la vraisemblance. Écoutons-le par exemple nous suggérer une mystérieuse aigreur de ce tranchant et décrire cette « acidité des armes » (*Am*, 265), qui les rattache à toutes les rêveries de l'amertume, donc de la possible fécondité. Après « l'orgueil » aigu de la conquête, voici venir en effet le moment de « l'honneur », du pacte et de la fertilité, « et cette clarté de l'âme florissante dans l'épée grande et bleue » (*C*, 333) : entendons que l'épée devient alors tige, que sa rigidité soutient une montée de l'âme, et que son bleu éclaire une dilatation de l'être. Le fil même de l'arme blanche, sa part apparemment la plus intransigeante, ne semble-t-il pas pouvoir se velouter ? Sous « l'éclat » humide de « la mer », ne devient-il pas « la soie du glaive » (*Am*, 189), soie presque amie des larmes de Strogoff ?... Si légère alors cette soie, si délicieusement froide et caressante qu'en un texte d'une extraordinaire puissance suggestive Perse peut en comparer le contact à l'affleurement du premier flocon de neige posé sur les gratte-ciel de New York, « premier affleurement de cette chose fragile et très futile, comme un frôlement de cils », chose vibrante, hésitante, appel vivant et aérien, nuage exhalé et retenu, « cette buée d'un souffle à sa naissance, *comme la première transe d'une lame mise à nu...* » (*E*, 266). Que cette « transe » enfin s'approfondisse, et elle permettra à Perse de rêver directement le schème contradictoire d'une acuité féconde, d'une arête brusquement explosée en vie et en lumière : ainsi dans cette évocation, à la fois concrète et allégorique, des victoires issues du microscope, « au feu des glaives de l'esprit, comme lances de gel au foyer des lentilles, comme *au tranchant* du verre *décharge* d'aubes nouvelles » (*V,* 385).

Le mot « décharge » peut ici nous instruire : car il nous suggère que ces aubes, ainsi surgies d'un tranchant de verre ou de lame, y avaient été précédemment chargées, accumulées. Rigidité, linéarité, acuité ne sont pas seulement rêvées par Perse, nous le soupçonnons dès lors, comme des schèmes d'autocontraction ascétique ou d'agression, d'incisivité externe : ils enveloppent également en eux la notion d'un certain contenu que recouvrirait leur sécheresse, et qu'au moment voulu elle libérerait. Le verre enferme ainsi en lui l'éclat d'un jour futur ; la lame est l'étui d'une âme... Et c'est pourquoi Perse évoque si souvent l'image contraignante du *fourreau* ou du carquois, rigidité creuse d'où va surgir une vivacité, peut-être même un vol, un « faisceau d'ailes au carquois » (*V,* 310), image qui, en se transportant dans le domaine végétal, y devient le thème si souvent caressé de la gaine, ou de la *cosse.* Elle nous frappe pour la première fois dans les *Images à Crusoé :* on se souvient que l'ancien naufragé y a regagné Londres où, dans la ternissure et la souillure de la grande ville, il mène une existence nostalgique. Mais il a emporté avec lui quelques souvenirs de sa vie sauvage, dont un arc, qu'il a suspendu aux murs de son salon. Arc : c'est pour l'imagination persienne la ligne tendue et agressive d'une arme, mais c'est également un bois naturel qui se dessèche à la chaleur du feu. Et voici qu'en une rêverie essentielle ce bois soudain se rompt, déversant hors de lui toute une générosité conservée de graines, tout un peuple étouffé et fécond de souvenirs : « Tu regardes onduler les nageoires douces de la flamme. Mais un craquement fissure l'ombre chantante : c'est ton arc, à son clou, qui éclate. Et il s'ouvre tout au long de sa fibre secrète, comme la gousse morte aux mains de l'arbre guerrier » (*I,* 91). Inséparable de la rigidité du bois — ou de l'acier — est donc cette « fibre secrète » qui en forme, pour ainsi dire, l'espace intérieur, l'âme et la promesse, la virtualité. Ce sera encore la rêverie sur les haricots, ou les petits pois, toutes «coques de bois dur vivant leurs fèves minces et leurs lentilles rondes, comme menuaille de fétiches» (*V, 358*). Le dur y est imaginé comme l'enserrante paroi où s'abritent et mûrissent les germes ponctuels d'une tendresse; ici encore, comme dans le rêve du sel, mais avec en outre une division spatiale de l'objet, un présent aride ne se sépare pas d'un foisonnement à venir. Dans la coque alors, ou dans la bogue, cette «bogue de lumière» et de sécheresse où s'enferment aussi «les grands Ascètes épineux» (*V, 393*), on a l'impression que c'est la durée elle-même qui s'est repliée, et qui incube. Perse, nous le savons, prétend abdiquer toute mémoire et nous jeter dans la viduité d'un univers lavé : mais au milieu du désert le plus sec, et parmi l'oubli le plus pierreux, voici que tendrement, quasi organiquement, continue à couver la chaleur d'une vie à la fois future et ancienne. Et ce n'est point hasard si cette incubation se produit sous l'abri paradoxal d'un métal guerrier. Nous sommes arrivés au lieu le plus persien qui soit, à «ce point d'écart et de silence où le temps fait son nid dans un casque de fer» (*V, 329*).

Et ce casque, le héros va vouloir le retourner, le secouer; il tentera «d'agiter le futur dans ses cosses de fer» (*V, 381*), de rendre en somme ce futur présent, de l'accoucher, en l'obligeant à crever les enveloppes dures en lesquelles il s'abrite. C'est alors le moment de l'éruption, celui où l'étroitesse, la volontaire constriction se muent soudain en une ampleur active. Merveilleux renversement des valeurs sensibles et morales, par lequel l'ascétisme se met à engendrer directement l'ivresse. Ainsi la femme aimée, mince et acide, étendue en la minceur amère d'un navire, nous ouvrira soudain, par le prodige extensif de son amour, toute une largeur d'horizon, d'oiseaux, d'abeilles envolées : «Étroits sont les vaisseaux, étroite notre couche. Et par toi, cœur aimant, toute l'étroitesse d'aimer, et par toi, cœur inquiet, tout l'au-delà d'aimer. Entends siffler plus haut que la mer la horde d'ailes migratrices...

(Ainsi j'ai vu un jour, entre les îles, l'ardente migration d'abeilles... attacher un instant à la haute mâture l'essaim farouche d'une âme très nombreuse, en quête de son lieu...)» (*Am,* 274). Ce qui fascine Perse, c'est bien évidemment ici le lien dialectique de l'étroitesse et de l'au-delà (l'un nié, mais pourtant contenu par l'autre), c'est l'alliance de la femme et de l'aile (et pourtant la femme est maigre, et n'a pas d'ailes), c'est le mariage du mât rigide et l'essaim qui se rassemble un court instant autour de lui avant de retourner à son errante dispersion. Le même rapport unira la cosse à la graine, et à ce peuple indéfini qui en jaillit de « spores, de semences et d'espèces légères » (*E,* 245) : non point la paille de jadis, creuse et futile, mais un joyeux éparpillement de fertilité, « beaucoup de graines en voyage, et sous l'azyme du beau temps, dans un grand souffle de la terre, toute la plume des moissons » (*A,* 195).

L'image du grain, encore trop statique et close, même quand l'émeut et balaie le vent, est d'ailleurs bientôt relayée par celle de ce grain vivant, et en outre volant, l'*insecte :* « insectes durs comme de la corne » (*V,* 355), « insectes très arides » (*E,* 122) en qui se prolonge la vocation de sécheresse de la terre, mais aussi bestioles agitées et sonores, qui « crépitent » « dans le quartier aux détritus » (*A,* 162), car ils soutiennent en eux — et surtout la mouche, favorite de Perse — la vie joyeusement libérée des putréfactions. On les voit alors s'exhaler, s'en aller, se perdre « par nuées », « au large comme des morceaux de textes saints » (*V,* 356), dans l'ampleur, par eux fécondée, des choses. Que l'insecte se veloute, se dore, qu'il semble se charger d'une promesse de douceur, et ce sera l'abeille, en qui l'imagination du miel tempère la dangereuse acuité de l'apparence : abeille non domestique, bien entendu, mais « abeille sauvage du désert » (*V,* 307), celle dont le vol évoque « les essaims fugaces de l'esprit » (*Am,* 194) ou « les grands essaims sauvages de l'amour » (*V,* 331). Éclatante d'ailleurs de gloire et de lumière, au point que le héros peut s'en couronner et « marcher, le

front nu, lauré d'abeilles de phosphore » (*E,* 292). Le
grain, ainsi devenu insecte ou abeille, connaît enfin son
dernier avatar et son achèvement pleinement aérien avec
l'*oiseau,* le plus souvent rêvé par Perse comme faisant
partie d'une bande d'oiseaux, et lié, jusque dans sa
fonction la plus errante, à quelque soutien fixe qui en
constitue à la fois le lieu d'origine et le point de
rassemblement ; ainsi « l'arbre balancé qui perd une pincée
d'oiseaux, aux lagunes du ciel... » (*El,* 72). L'oiseau-
semence, « cette pure semaille de menus oiseaux noirs
qu'on nous jette au visage, comme ingrédients du songe
et sel noir du présage » (*Am,* 201), peut alors occuper sa
place, qui est royale, dans cette mythologie de la promesse,
de l'éparpillement fertile, et de la profusion.

Ce qui, dans ce bonheur d'épanchement, attache le plus
spécialement Perse, ce n'est pourtant pas, du moins le
croyons-nous, l'ivresse d'une dilatation infinie. Il se laisse
certes fasciner par les grands mouvements libres, errances,
conquêtes ou migrations, qui portent sur toute l'étendue
des terres et des mers les signes d'une renaissance ; mais
il rêve avec plus d'intensité encore à l'origine de ces
mouvements. Sa rêverie s'applique avec le plus de force
sur le point, faudrait-il dire le nœud, ou l'articulation
sensible, qui voit se produire en lui le renversement, si
souvent déjà commenté par nous, du sec au fertile, du
contracté à l'épandu, du passé aboli à l'avenir encore
nul : ce point, qui s'identifie aussi à une pointe, ce lieu
d'un central et paradoxal retournement, c'est pour Perse
celui de l'*instant,* et de la force qui à la fois l'anime et
le détruit, l'*éclair.*

L'instant, c'est ici l'acuité du temps, comme la pointe
était celle de l'espace et la sécheresse celle de la relation.
La durée s'y contracte dans la secousse du spasme ou
de l'accès. La conscience y nie le plat bonheur d'un temps
étale, voué à une médiocrité sans accident. Condamnant

en elle accumulation ou répétition, elle y brûle tout son acquis. Mais plus encore qu'éréthisme ou que destruction, l'instant est pour Perse imminence : en lui s'annonce vertigineusement le geste par lequel le vide vire au plein et le non-être à l'être. Pour que cette révélation ait lieu, il nous faudra donc « alerter » (*Am*, 145), aiguiser l'instant, l'affiler, le réduire à la fois à son minimum d'extension et à son maximum de légèreté, bref, nous porter à « cette pointe extrême de l'instant où la promesse elle-même se fait souffle » (*V*, 404) : et nous découvrirons alors que cette pointe est une culmination, le « faîte de l'instant » (*V*, 443), bref, une altitude à laquelle nous devrons nous hausser par un effort de tout notre être afin d'accéder aussi à notre centre et à l'espace vrai de notre accomplissement. « Nous qui mourrons peut-être un jour disons l'homme immortel au foyer de l'instant » (*Am*, 318). Le moment persien ne résume donc en lui la durée que pour nous arracher aussitôt à elle et nous faire accéder à une certaine expérience de l'éternel. Mais le propre de cette extase (à laquelle a conduit toute une ascèse) est justement de s'évanouir à peine commencée. A peine la conscience a-t-elle saisi, en elle, comme un absolu intemporel, le geste fulgurant qui lui permet de renverser un rien en quelque chose, que ce quelque chose se met à vivre, et qu'il réclame pour cela l'espace d'une durée nouvelle... « Faîte », l'instant est aussi « foyer », donc point de rayonnement, centre d'excroissance temporelle ; ou disons, si l'on veut, que son ambiguïté fait de lui à la fois le site d'une éternité et la source d'un futur.

La meilleure façon d'approcher le mystère de l'instant, ce sera donc sans doute d'épouser, s'il se peut, l'activité interne de la force qui en manifeste l'essence, tout en d'ailleurs l'abolissant en elle, l'*éclair*. Celui-ci illumine en effet et consume le moment ; il est chez Perse la figure sensible de l'acte, dont il illustre parfaitement l'ambiguïté. Car, d'un côté, sa nature électrique manifeste la sécheresse de l'instant : il est l'« éclair famélique » (*A*, 181) et amer (Perse évoque quelque part « l'orage aux yeux de gentiane », *Am,* 210). Son spasme se déplace en outre selon une ligne droite et rompue, dont le zigzag relève des schèmes, bien connus de nous, de rigidité ou d'angularité. Mais cette siccité est également féconde et ne déchire l'instant que pour l'offrir à de nouvelles aventures. « L'éclair, dit Perse, m'ouvre le lit de plus vastes desseins » (*E,* 231). Et ce lit s'ouvre parce que la foudre décharge, elle aussi, en un éclat très bref toute une richesse précédemment chargée, accumulée en elle : « aux sables de l'exil sifflent les hautes passions *lovées sous le fouet de l'éclair...* » (*E,* 231). Consomption et assomption, la fulgurance est donc aussi giclée, ce qui explique sa fréquente valeur érotique : chez Perse, « l'éclair salace » (*E,* 246) parcourt de son « travail » amoureux (*C,* 341), pénètre de ses « saillies » (*Am,* 240), parsème de ses « semences » toute l'aridité du monde, ce qui lui permet enfin de porter des fruits : « Et nos actes s'éloignent dans leurs vergers d'éclairs... » (*C,* 342). Mais le mystère de l'éclair, qui est aussi le mystère de l'amour (« Arbre fourchu du viol que remonte l'éclair » [*Am,* 246], dit Perse avec une admirable concision), ne réside pas vraiment dans cet éloignement, dans ce voyage. « J'ai découplé l'éclair, jubile le poète, et sa quête n'est point vaine » (*Am,* 246) : et nous pourrons en effet toujours admirer en lui une flamme fertile, une ardeur fraîche directement inscrite dans sa « grande onciale de feu vert » (*E,* 246). Mais la quête à laquelle il nous engage est, plus que de sa conséquence, celle de son commencement. Comme nous voulions en effet nous situer à la pointe extrême de l'instant, nous sommes tentés ici de nous enfoncer à la racine même de l'éclair, en ce commencement du commencement où gît toute l'obscurité illuminée de l'acte. Qu'y a-t-il en deçà de la fulguration, que se produit-il juste avant qu'elle ne fulgure, et comment épouser cet éclat, que Perse déclare habiter (« Ils m'ont appelé l'Obscur et j'habitais l'éclat », *Am,* 164) et qui est comme un éclat au cœur même de l'éclat ? Ces questions définissent une recherche dont, en un texte essentiel, Perse nous définit très expressément la fin : « Car notre quête n'est plus de cuivres ni d'or vierge, n'est plus de houilles ni de naphtes, mais comme aux bouges de la vie le germe même sous sa crosse, et comme aux antres du Voyant le timbre même sous l'éclair, nous cherchons, dans l'amande et l'ovule et le noyau d'espèces nouvelles, *au foyer de la force l'étincelle même de son cri !...* » (*V,* 382.)

Et cette étincelle reste bien sûr insaisissable, puisqu'elle se contente d'étinceler : l'instant n'est rien qu'un seuil soudain franchi, et comment fixer le cœur d'un acte, l'âme d'un éblouissement, comment en revenir à cet arrière-point qui fonde et justifie le point... Cioran a bien souligné, en un article excellent[1], la brusquerie des révélations persiennes et la violence temporelle de ce monde situé sous le signe du tout-à-coup. L'extase s'y appuie sur le discontinu de l'expérience (ou plus exactement sur l'engendrement sensible des contraires), ce qui la rend bien évidemment à la fois irruptive et fuyante. Ces schèmes de déchirement, de contraction, de fertilité, d'originalité que nous offre l'éclair, mais seulement l'espace d'un éclair, l'idéal serait peut-être alors de les transporter dans le domaine d'une continuité sensible, en somme de transplanter la fulgurance dans l'ordre nouveau, et durable, d'une douceur : ordre aussi valable pour Perse, redisons-le, que celui de l'âpreté, car « tant de douceur au cœur de l'homme, se peut-il qu'elle faille à trouver sa mesure ? » (*A,* 177). Or, deux très beaux passages d'*Amers* vont justement nous permettre de suivre le déroulement de cet improbable transfert par lequel l'éclair découvre enfin son calme lieu, et la douceur se trouve une mesure.

Ce qui rend cette opération possible, c'est que la foudre y devient vitalité charnelle, la chair formant pour Perse, on le sait, l'espace même (autrefois maléfique, maintenant bienfaisant) de l'homogène et de la liaison. Le premier de ces textes est d'inspiration végétale : on y retrouve le rêve, cette fois satisfait, d'une origine qui serait déchirure

---

1. *NRF,* 1er décembre 1960.

et cependant tendresse. «Et par toi, dit le poète à la femme, l'eau nocturne garde présence et saveur d'âme, comme aux enveloppes *blanches, sans souillure,* des grandes palmes pharaonnes, *au lieu très pur et très soyeux de leur arrachement* » (*Am,* 257). Tendre soie, blanche enveloppe dénudée où resplendit le cœur du végétal, elle demeure à l'origine même de la palme, sans que l'abolisse l'éclat d'aucun traumatisme créateur... Le deuxième texte que nous avons retenu se situe tout près de celui-ci (à la page suivante) ; il poursuit la même rêverie, mais la promène en une gamme plus diverse d'expériences, avant de l'installer au cœur de la substance apparemment la plus avide et la plus effervescente qui soit, le feu : «Tu m'es la transparence d'aigue du réveil et la prémonition du songe, tu es l'*invisible même de la source au lieu de son émission,* comme l'invisible même de la flamme, son essence, au lieu très pur et sans offense où *le cœur frêle de la flamme est une bague de douceur...* » (*Am,* 258.) Le rêve d'un commencement absolu s'enfonce ici jusqu'aux plus lointaines contrées de la tendresse : immatérialité de l'avant-songe, invisible fluence d'une source qui ne serait encore que pré-source, cœur de la flamme qui ressemble à un cercle vivant et velouté, tout cela nous situe dans le secret d'une sorte d'infra-présence, chargée de produire en elle la présence sans la couper du vide, de l'absence qui doit la précéder et l'engendrer. Le mystère est ici dans le bonheur d'une origine non convulsée, dans la réussite d'un acte qui serait à la fois rupture et liaison intime avec le rompu, un de ces actes dont Perse dira si bien qu'« il tranche » et « ne rompt » (*Am,* 247).

Et sans doute pourrions-nous le quitter sur la perfection d'une telle rêverie. Mais ce serait injuste, car le même équilibre, ici humainement réalisé à travers l'objet magique qu'est la femme, il parviendra encore à l'étendre, à l'approfondir, à lui donner un soutien matériel en même temps qu'une ampleur et une justification cosmiques : il l'inscrira pour cela au cœur d'une réalité naturelle, d'un élément auquel il confère une puissante charge imaginaire, la mer. On le sait, et il s'est souvent lui-même proclamé le poète de l'exaltation marine. Ce qui rend compte de cette préférence, c'est sans doute le fait que la mer résout rêveusement en elle la plupart des contradictions jusque-là posées par l'expérience. Elle est un élément synthèse. Cioran, encore, a fort bien dit[1] que Perse la dote des attributs et avantages dont jouit habituellement la divinité : « Dans sa productivité infinie..., elle sera absolu étalé, merveille insondable et pourtant visible, dévoilement d'une apparence sans fond. Le poète aura mission d'en imiter l'ondulation et l'éclat, de suggérer comme elle la perfection dans l'inachèvement... » Nous ajouterions : d'imaginer en elle l'amertume liée à la douceur, l'acte épaissi en substance, l'acuité devenue continuité. Car la mer s'offre d'abord à nous comme une « prolixité sans nom » (*Am*, 297) et sans terme. Éternellement roulée et déversée en elle-même, elle est comme « une lactation très lente, au sein même de l'Être, sa constance » (*Am*, 261). Sa permanence recèle donc une féminité (elle sécrète une « salive sainte » et « une sève de toujours » [*Am*, 203]), féminité elle-même liée en profondeur à une sorte d'interne viscosité de la matière, qui s'affirme ici par les admirables images viscérales de la plèvre glissante, du corps serpentesque, de « l'immense vulve convulsive aux mille crêtes ruisselantes » ou de « l'entraille divine... un instant mise à nu » (*Am*, 302). Essentiellement continue, elle relève de l'ordre organique du gluant : tout en elle se déroule, se compénètre, se mélange de façon à former une sorte de tissu pâteusement indéchirable où s'absorbent aussi, ouverts, perméables les uns aux autres, les divers moments de la durée.

Mais cette lubricité toute femelle enveloppe la pointe mâle d'une aspérité. D'abord parce que la mer, c'est aussi l'amer, comme nous en avertit un jeu de mots très nécessaire. Dans la continuité onctueuse de la vague se glisseront le sel, l'iode ou le cuivre, tous les principes

1. Art. cit.

chimiques de la scission et de la déchirure. « Brûlés d'orties de mer et de méduses irritantes » (*Am,* 179), nous voici en elle livrés à une acidité rongeuse, excitante, puis jetés aux plus scabreuses aventures, plongés « en sa tumeur obscène » (*Am,* 194) comme en une « cuve de fiel noir » (*Am,* 27). Et ce fiel, parent de l'excrément (« la mer aux senteurs de latrines », *Am,* 279), y aboutit, à force de fermentation et d'amertume, à la décharge sèche d'un éclat érotique : « là siffle la pieuvre du plaisir ; là brille l'étincelle même du malheur » (*Am,* 179) : sifflements et étincelles qui, couvrant la mer d'une sorte d'infini et mobile manteau d'écailles, la préparent au surgissement viril. Car « cette aube immense appelée mer » est aussi « élite d'ailes et levée d'armes » (*Am,* 225). C'est en elle que s'apprête la guerre, que s'affûte l'épée et que mûrit l'éclair. Mais, et voici le miracle maritime, au lieu d'y fulgurer dans la brièveté vide de l'instant, la lumière absolue de l'éclair s'y prolonge, s'y enfonce dans l'extension soyeuse d'une durée et dans la sécurité d'une matière. La mer, ce sera « la clarté pour nous faite substance » (*Am,* 291), « la fulguration durable » (*Am,* 297), « l'heure infiniment durable sous l'éclair » (*ibid.*). Au lieu de « l'effraction sans suite » (*Am,* 243), elle nous donnera donc une rupture qui soit aussi une succession — ou, pour reprendre une forte expression déjà citée, elle multipliera l'acte « qui tranche et qui ne rompt » (*Am,* 247). Elle le peut puisque son immensité son infinie plasticité lui permettent d'épouser successivement, et parfois même simultanément, les formes les plus diverses du vécu. N'est-elle pas en même temps épaisseur et transparence, écoulement et éclaboussure, déchirure et densité ? « Car ton plaisir est dans la *masse* et dans la propension divine, mais ton délice est à la *pointe* du récif, dans la *fréquence* de l'*éclair* et la fréquentation du glaive » (*Am,* 160). Et lorsqu'en une très belle image Perse tentera encore une fois de rendre compte du mystère de ce double plaisir, qui n'est en réalité qu'un seul délice, il évoquera de nouveau l'ambiguïté de cet objet pour nous très familier, en qui le tranchant épouse exactement et continûment le tendre. La mer, dit-il finalement, c'est «le plus clair de l'Être mis à jour, comme au glissement du glaive hors de sa gaine de soie rouge» (*Am*, 291). Voluptueux et dur avènement : nous pouvons laisser Perse sur cette clarté à la fois aiguë et glissante, sur ce jour dénudé, en qui s'éclaire et monte, pour son bonheur et pour le nôtre, le plus vif de la vivacité.

Novembre 1960.

René Char

Je n'ai ni chaud ni froid : je gouverne.
Cependant n'allongez pas trop la main
vers le sceptre de mon pouvoir. Il
glace, il brûle... Vous en éventeriez la
sensation.

Centon. Poèmes et Prose choisis,
p. 153.

L'air ouvrait aux hôtes de la matinée sa turbulente
immensité. Ce n'était que filaments d'ailes, tentation
de crier, voltige entre lumière et transparence. Le
Thor s'exaltait sur la lyre de ses pierres. Le mont
Ventoux, miroir des aigles, était en vue (p. 107[1])...

Tel est le climat dans lequel René Char s'éveille tout
d'abord aux choses et à l'être. Comme celle de Rimbaud,
son aventure commence par l'allégresse d'un matin : en
face de nous, en nous, le monde semble surgir avec
l'éclat d'une neuve innocence. Cet éclat, notons-le, n'est
point intensité : rien de violent dans l'aurore de Char,
rien de cru ni de capiteux comme dans les aurores d'un
Saint-John Perse... D'emblée tout ici se veut sec, et
sèchement vibrant : le seul miracle, c'est que le tissu le
plus familier des choses s'emplisse soudain d'agitation.
Brusquement agrandi, creusé, et comme épanoui en
profondeur, l'espace se voit de toutes parts traversé,
animé, prolongé par d'infinis parcours aériens : les

1. Sauf indication contraire, les références entre parenthèses renvoient à l'édition des *Poèmes et Prose choisis* de René Char, Gallimard,
1957.

guêpes vont « aux ronces » et les oiseaux aux branches ;
filaments d'ailes, cris, voltiges tendent dans l'air d'un
réseau merveilleusement évanescent et à chaque moment
retissé de relations vivantes. L'ivresse y naît d'un
multiple contact des choses avec elles-mêmes, et la
fraîcheur d'une sorte d'inlassable intercommunication de
la nature. Comme si souvent chez Char, c'est le commerce, sympathique ou hostile, des êtres entre eux, ce
sont leur lutte ou leur amitié qui créent au-dessus d'eux
les chances d'une réalité nouvelle. Ici, par exemple, la
turbulence animale du matin se résout finalement et
allégrement en limpidité, en une limpidité qui ne connaît
elle-même aucun repos. Nous la sentons s'assécher
encore, s'aiguiser à la dureté chantante de la pierre, à
l'acuité dressée de la montagne, au bec de l'oiseau de
proie. Le matin est en effet naissance et ouverture, ce
qui le voue à être toujours plus activement, plus infiniment matinal : moins matin à vrai dire qu'exaltation,
qu'élan vers le matin.

Quant au *moi,* face à cette effervescence des objets,
il connaît un non moins merveilleux avènement : car
l'éveil signifie pour lui redécouverte, recommencement
absolu de ce qu'il est, saisie soudaine et un peu étonnée
de son essence. L'instant matinal en sort en effet de rien,
que de lui-même : étant à lui-même sa propre cause et
sa propre fin, il marque une rupture avec tous les instants
qui l'ont précédé, il congédie le temps, efface le passé.
La première grâce de l'éveil, c'est bien l'oubli, la
délivrance du lent, du lourd sommeil dont on s'éveille :
« loin derrière eux, leur mère ne les trahirait plus, leur
mère si immobile » (p. 17). Enfant sans mère ni mémoire,
je peux alors me livrer à la libre expansion de ma
fraîcheur (« point du jour déployant le plaisir comme
exemple », p. 13) et à la mobilité de mon désir : « Nous
sommes une fois encore sans expérience antérieure,
nouveaux venus, épris. La rose ! » (P. 192.) A peine nés,
nous voici jetés vers les choses, qui naissent en même
temps que nous : lancé dans la nouveauté d'un espace à

peine épanoui, d'une étendue toute faite pour le vol, la jouissance et le saccage, « je m'éveille lavé, je fonds en m'élevant, je vendange le ciel novice » (p. 198). Mais le même désir peut aussi bien se retourner vers la terre elle-même dont ne l'écarte alors aucun hiatus, aucune dissonance, l'espace d'aucune question : « leur avidité rencontrait immédiatement son objet. Ils douaient d'omniprésence un temps qu'on n'interrogeait pas » (p. 17).

Telle est cette expérience originelle du matin, évoquée dans tant de poèmes de Char et célébrée par tant de ses héros — ainsi *les Matinaux*. C'est peut-être parce que son aventure se fonde dès l'abord sur elle, parce qu'il a pu établir, dès l'aube et dès l'enfance, une relation si heureuse, si spontanément comblante avec le monde des objets, que sa poésie reste toujours — et même en ses moments de vide ou de rébellion — si *positive*. Il a le don de sentir ou de rêver immédiatement les choses, de les posséder dans leur jeunesse, dans l'instant fulgurant où elles naissent et nous font naître à elles, où leur existence nous apparaît comme infiniment ouverte. Mais il s'agit aussi de savoir vers quoi, sur quoi cette existence va s'ouvrir : car la durée ne peut évidemment pas se contenter de jaillir ni de naître, il lui faut aussi *durer*, c'est-à-dire non point seulement commencer, mais encore continuer à être... Au moment de la turbulence matinale succèdent d'autres heures, moins fulgurantes, plus étales, plus monotonement glissantes. Le temps n'y explose plus, mais il y coule. L'ordre des jours y relaie l'anarchie des aurores. Le paysage matinal s'apaise donc, ses éléments les plus effervescents reviennent vers le sol où ils trouvent leur place et leur loi. Saisir l'objet, ce ne sera plus dès lors exploser avec lui ni vibrer à l'unisson de sa jeunesse : ce sera épouser le lent développement horizontal qui l'insère peu à peu dans un monde mûri. Pour lui rester fidèle, il nous faudra tenter d'adhérer rêveusement à sa continuité et à son épaisseur ; il faudra nous rendre solidaires de sa destinée terrestre. A la turbulence fiévreuse du matin succède ainsi, pour Char, un ordre plus lisse de solidarités. L'acquiescement ne s'y exalte plus, il ne vise plus, dans la hauteur, à une translucidité des choses, mais il s'y efforce doucement, et d'ailleurs non moins heureusement, de descendre dans leur tissu profond.

Comme exemple de cette seconde espèce de bonheur sensible, je transcris les lignes si satisfaisantes où se compose le paysage de ce que Char nomme une *contre-terreur* (la terreur étant ici la déchirure due aux hommes et à la dure âpreté de leur combat) :

> La contre-terreur c'est ce vallon que peu à peu le brouillard comble, c'est le fugace bruissement des feuilles comme un essaim de fusées engourdies, c'est cette pesanteur bien répartie, c'est cette circulation ouatée d'animaux et d'insectes tirant mille traits sur l'écorce tendre de la nuit, c'est cette graine de luzerne sur la fossette d'un visage caressé, c'est cet incendie de la lune qui ne sera jamais un incendie, c'est un lendemain minuscule dont les intentions nous sont inconnues, c'est un buste aux couleurs vives qui s'est plié en souriant, c'est l'ombre, à quelques pas, d'un bref compagnon accroupi qui pense que le cuir de sa ceinture va céder (p. 51-52)...

Parfaite symphonie de la tendresse, où choses et êtres conspirent pour étendre sur toute l'ampleur d'un paysage la nappe d'une seule douceur. Tout ici se creuse, se recourbe, afin de mieux préparer accueil ou caresse. Le vallon, grâce à sa profondeur et à sa « pesanteur bien répartie », nous offre l'abri d'une intimité parfaite : intimité d'ailleurs peu à peu remplie, « comblée » par la descente d'un brouillard qui, tout en nous rendant sensibles à la lente continuité des heures, réussit à noyer les formes, à en estomper la discontinuité ou le tranchant, bref, à colmater nos déchirures. Les sons s'atténuent, eux aussi : plus d'oiseaux criards ni d'abeilles giclantes, mais des feuilles endormies dont seule la forme — « ces fusées engourdies » — suggère encore la vocation d'élan. Au cœur de ce monde ouaté, la vie continue cependant, mais comme ralentie et paresseuse. Quelques indications de dureté, active ou ponctuelle — trait d'insecte, grain de luzerne —, servent seulement à faire ressortir l'exquis velours, tout le suave des surfaces : ces traits se tendent sur «l'écorce tendre de la nuit», cette graine se pose au creux le plus délicat d'une chair, «sur la fossette d'un visage caressé». Point de danger d'embrasement ; l'équilibre de l'heure nocturne éteint en nous l'idée d'un avenir, tout comme l'ardeur de l'heure matinale y effaçait celle d'un passé. Tout aboutit dès lors à un triomphe d'amitié : la courbure d'un buste fleurit en un sourire ; de façon plus familière, plus gentiment humoristique, il n'est pas jusqu'à l'arrondi final d'un corps heureusement penché qui ne dise, par la tension presque excessive de la ceinture qui entoure un ventre, la plénitude gonflée de son bonheur...

Ce bonheur tendre, c'est dans le monde duveteux du végétal qu'il s'épanouira le plus souvent. La vie s'y fait en effet épaisseur repliée, calme latence. Le temps y passe, certes, mais selon le rythme d'une maturation presque insensible, «d'un travail d'amour» (p. 180), d'une «patience millénaire» sur laquelle «nous sommes appuyés». A la fois appui et abri, l'herbe est une substance mère dont la densité aérienne sait recouvrir — campagnol, taupe, orvet, grillon — tout un peuple naïf et désarmé. En cas de danger, c'est vers elle qu'on se retourne. «Reviens à ton nid de laine», dit le lézard au trop hardi chardonneret, «Seules les herbes sont pour toi, / Les herbes des champs qui se plissent» (p. 123)... La même fonction de protection réunit en effet le nid et la prairie, la laine arrondie de l'un et le velours plissé de l'autre. Dans le pré, le fouillis infini des repliements et des courbures, la multiplication en somme du geste qui nous intimise aboutissent à la création d'un tapis matériel de tendresse. L'herbe permet à la fois le blottissement et la caresse : elle est la plus exquise expression d'une vie passée à fleur de terre. Et par là même ennemie des hauteurs : l'antithèse du pré, c'est l'aile ; l'adversaire amical de l'arbre, c'est l'oiseau. Cette vocation de clôture l'harmonise à toutes les inflexions. « Jadis l'herbe, à l'heure où les routes de la terre *s'accordaient dans leur déclin*, *élevait tendrement ses tiges* et allumait ses clartés » (p. 83). Douceur éclairante donc, non étouffante, qui lui permet d'être le « boîtier du jour » (p. 55), mais d'un jour qui resterait prisonnier de son lacis et n'aurait plus la liberté de risquer à l'aventure sa lumière. C'est que la prairie captive finalement ce qu'elle abrite, et assagit ce qu'elle a captivé. A son niveau humble et familier, le vol, la rébellion ou le départ ne sont plus que de dangereux vertiges. Il faut, dit-elle, se confier à l'horizontal ; il faut descendre dans l'obscur secret d'une substance qui nous renvoie aux profondeurs les plus originelles, les plus suavement protégées : « A en croire le sous-sol de l'herbe où chantait un couple de grillons cette nuit, la vie prénatale devait être très douce » (p. 42).

Char, cependant, n'est pas un poète du prénatal. Il cultive fort peu la nostalgie, et l'on peut même dire que ce qu'il y a en lui de plus positif, de plus original, proteste avec vigueur contre les trop capiteuses séductions de la tendresse. L'herbe est exquise, certes : mais sa suavité risque aussi de nous amoindrir et engourdir, de détruire ce qu'il y a en nous de plus précieux, c'est-à-dire notre aptitude à naître, ou à renaître, à surgir de temps à autre, neufs et lavés, hors de toutes les complicités de la matière et de la durée. L'un des plus graves périls de l'existence, n'est-ce pas de laisser vieillir sa sensation ? Prolongée, la joie la plus effervescente retombe, s'assourdit, et l'on se retrouve alors dans l'hébétude, cette demi-mort vivante. Rien ainsi de plus écœurant, pour Char, que « les présages assoupis dans le silence des fleurs » (p. 88), que « l'hébétude des navires à l'ancre » (p. 87), que la « léthargie des forteresses » (p. 257) — à la torpeur égoïste desquelles son imagination oppose l'éveil et le tranchant de cette demeure-sentinelle, la tour dressée, « la tour que l'avenir convoite ». La narcose de la sensation s'associe, on le remarque ici, au thème maléfique de la clôture. Ne s'endort que l'existence circonscrite, retenue, celle que l'on a privée par avarice ou excès de prudence de la dimension nécessaire à toute joie sensible, l'ouverture. A l'horreur narcotique — souvent signifiée ici par la monotonie cotonneuse et suspendue des *neiges* — se lie ainsi la méfiance des volets, des vitres, des maisons, des villes qui referment sur vous leur piège. « Paris est aujourd'hui achevé. J'y vivrai. Mon bras ne lance plus mon âme au loin. J'appartiens » (p. 181). Appartenir, c'est bien s'avouer paralysé et étouffé, c'est être victime du sot instinct d'attachement — de « l'énigmatique manie de faire des nœuds » (p. 241) — et de la solidarité grégaire (« la sagesse est de ne pas s'agglomérer », p. 237) : mais, en profondeur, le mal d'appartenance ne fait qu'un avec le fatal besoin d'installation.

Engourdissement et clôture, ces deux échecs toujours possibles de la sensation, proviennent tous deux en effet du même instinct, qui est de vouloir indéfiniment conserver par-devers soi la joie sentie, de tenter de la faire éternellement sienne, de chercher à s'établir en elle comme en une demeure. « Chez qui s'établit, se rend », « la tentation se déprime » (p. 87), la vie perd son levain. Un profond pessimisme de la continuité vécue amène ainsi Char à privilégier l'acte éclatant du commencement et de la naissance au détriment des pourtant nécessaires lendemains. « Seule est émouvante l'orée de la connaissance. (Une intimité trop persistante avec l'astre, les commodités sont mortelles.) » (P. 250.) Mortelles, parce que, et paradoxalement, à la fois alourdissantes et usantes... L'une des grandes catastrophes de la durée, c'est en effet l'érosion, la dégradation fatale des fraîcheurs primitives, leur ravalement à l'ordre résigné du terne ou de l'éteint. C'est « l'usure de la naissance », telle qu'elle se prolonge à travers « les détours du labyrinthe » (p. 74), les absurdes va-et-vient d'une vie prisonnière. Mais la sensation trop commodément vécue, celle que l'on tente toujours de revivre comme un *avoir*, comme une chose agréablement attendue parce qu'on la connaît et qu'elle vous appartient, non point comme une chose inespérée et surprenante, comme un risque, cette sensation prendra, tout en s'usant, un poids, une lourdeur qui achèveront de l'étouffer. La répétition est ici rêvée comme une sorte d'accumulation négative, à la fois sédimentation et asphyxie. Tel est le cas des gens que « leur inerte richesse » « freine et enchaîne » (p. 233), voyageurs victimes de leur lest, hommes qui parfois même nous signifient par leur être le plus physique, par le tissu intime de leur corps, une louche fatalité d'enlisement. Rien ainsi de plus dégoûtant, pour Char, que l'appesanti ou le collant : lui répugnent également « la glu du rivage » (p. 64), une peau visqueuse, une tête « aux sèves poisseuses », une chair trop lourdement adipeuse, ce Dubois par exemple avec « sa graisse spartiate de mouchard » (p. 61). Alors que la maigreur affiche en elle une vocation de liberté, un don permanent de dégagement et de renaissance, la graisse, on le voit, qui signifie l'écœurant besoin de jouir et de conserver en soi sa jouissance, se charge d'une véritable disqualification morale : elle dit humoralement la pourriture, elle annonce la trahison.

Hébétude, clôture, usure, adiposité, lourdeur : à travers les aphorismes de Char se dégagent assez bien ainsi, violemment honnis et dénoncés, les divers traits d'une existence négative. Leur maléfice, redisons-le encore, se situe cependant dans la suite très naturelle d'un bonheur de sentir : la vie éteinte relaie et caricature la vie tendre, qui était elle-même l'apaisement d'une joie matinale. S'il fallait assigner un responsable à cette fatale léthargie de l'être où vivent la plupart des hommes d'aujourd'hui, le seul choix juste serait donc celui du *temps* lui-même, ou plutôt de son écoulement trop lent, de son sommeil. Et le remède s'offre dès lors très simplement à nous : la sagesse sera de secouer le temps, de l'empêcher de s'endormir, de l'obliger à renaître sans cesse, et pour cela d'abolir impitoyablement en lui toute tentation de prolongement ou de rémanence. Cet effort devra être exercé au

cœur même du bonheur sensible, dès le premier moment
de la joie matinale :

> J'ai pesé de tout mon désir
> Sur ta beauté matinale
> Pour qu'elle éclate et se sauve (p. 30)...

Les vrais matins se laisseront ainsi détruire ; ils accepteront
de se volatiliser et de s'enfuir, de nous illuminer le seul
et éphémère espace d'un matin, afin de préserver au-delà
d'eux un avenir intact de chances matinales. La première
qualité des *matinaux,* c'est la fragilité : « êtres que l'aurore
semble laver de leurs tourments, semble doter d'une santé,
d'une innocence neuves, et qui se fracassent ou se
suppriment deux heures après » (p. 268). La conscience
authentique se condamnera donc à sans cesse mourir,
pour sans cesse revivre. L'être est pour Char, comme
pour Descartes, une sorte de création continuée, un réel
que chaque seconde nouvelle doit recommencer et soutenir
dans sa réalité : avec la différence toutefois que le créateur
qui, de moment en moment, nous fait persévérer dans
l'être n'est plus ici une volonté transcendante dont nous
attendrions en victimes le décret, mais bien la force, en
nous vivante, du *désir* qui nous pousse sans cesse à
changer, et en changeant à changer le monde autour de
nous, à lui apporter à chaque minute ce don d'inattendu,
cette provision foudroyante d'innocence sans lesquels ne
peut exister entre l'homme et les choses aucune relation
valable. Char laisse donc à d'autres le soin de célébrer
le voluptueux approfondissement des corps ou des matières, les délices obscures de la lenteur, « l'*incorporation
mélodieuse,* les chairs qui ne personnifient plus que la
sorcellerie du sablier. Tu condamneras la gratitude qui se
répète » (p. 75). Et tu condamneras aussi toutes les formes
de rêverie qui risqueraient de paralyser en nous la vertu
d'élan et d'ouverture : « Certains se confient à une
imagination toute ronde. Aller me suffit » (p. 12). A la
rondeur, qui nous ramène insidieusement à un point de
départ, est bien préférable en effet la rectitude, la ligne

droite d'une route sur laquelle nous marchons, sans but, pour le simple plaisir de mourir à chaque pas et de renaître au pas qui le suivra. La vie s'avance ainsi de refus en refus, de découverte en découverte. Le présent, c'est « la cible au centre toujours affamé de projectiles », le « port naturel de tous les départs » (Introd. à *Rimbaud*, p. XVI), et le savoir, la « connaissance aux cent passages » (p. 90).

Voici définie, avec insistance et force, une éthique de la mobilité : mais plus poétiquement importantes et neuves les rêveries en lesquelles cette morale s'enracine. Georges Mounin a par exemple remarqué, dans son beau livre, le goût de Char pour les fleuves et pour les eaux courantes : l'écoulement capricieux de la rivière nous est en effet ici la merveilleuse image d'un temps fluide et transparent. Chaque seconde nous y apporte une eau nouvelle, une fraîcheur que nul encore n'a savourée : « Quand on a mission d'éveiller, on commence par faire sa toilette dans la rivière. Le premier enchantement comme le premier saisissement sont pour soi » (p. 237). Ce qui enchante ici c'est l'éternelle reprise de la véhémence, c'est une infinie variété de mouvement et de murmure que Char évoque avec le bonheur d'un grand poète baroque :

> Rives qui croulez en parure
> Afin d'emplir tout le miroir,
> Gravier où balbutie la barque
> Que le courant presse et retrousse,
> Herbe, herbe toujours étirée,
> Herbe, herbe jamais en répit,
> Que devient votre créature
> Dans les orages transparents
> Où son cœur la précipita ?

Écroulements, balbutiements, tourbillons ou glissades, étirement secoué de l'herbe (et voyez comment celle-ci, ailleurs si domestique, se laisse ici bousculer par le courant), vibration sans fin d'une limpidité en laquelle frémit comme une fureur d'orage : telle est la demeure paradoxale de la truite. S'installer passionnément dans le torrent, habiter l'inhabitable, ce sera aussi la suprême utopie du poète (« la poésie, dit Char, est de toutes les eaux claires celle qui s'attarde le moins aux reflets de ses ponts » p. 94), la suprême sagesse. Il faudra vivre, « rapides poissons musclés, dans la cascade » (p. 267), dans « la frénésie des cascades » (p. 87) — qui égale pour Char la frénésie coulante de l'amour —, comme si la violence et la fraîcheur de l'eau devaient infuser alors leur vertu jusqu'au plus secret de notre corps lui-même, lui conférant élasticité, jeunesse, intégrité.

Car l'eau qui court est sans mémoire : elle nous lave, au sens propre, de tout ce que nous étions. Chacun de ses passages y efface le passage antérieur, chaque afflux y délivre de ce flot qui s'éloigne. La volubilité de la rivière nous accorde ainsi la grâce, quelquefois affolante, d'une sorte d'avènement perpétuel. La Sorgue, écrit Char, « roule aux marches d'oubli la rocaille de ma raison » (p. 103) : cette rocaille, souvent le petit gravier qui luit au fond de l'eau, c'est le dernier vestige de la vie immobile, éclat dur qui persiste au cœur du ruissellement universel, se laissant par lui balayer et parcourir, comme pour mieux témoigner de sa puissance. La magie des eaux courantes tient ainsi à leur discontinuité glissante, à une existence de secousses joyeuses qui évoque le rire, le coup de poing, qui mime les sursauts de la liberté la plus animale, la plus matinale. La rêverie qu'elles font naître est, par exemple, celle, tout originelle, que développent ces lignes admirables des *Premiers Instants* :

> Elle effaçait d'un coup la montagne, se chassant de ses flancs maternels. Ce n'était pas un torrent qui s'offrait à son destin, mais une bête ineffable dont nous devenions la parole et la substance... Quelle intervention eût pu nous contraindre ? La modicité quotidienne avait fui, le sang jeté était rendu à sa chaleur. Adoptés par l'ouvert, poncés jusqu'à l'invisible, nous étions une victoire qui ne prendrait jamais fin (p. 102).

Effacement sans drame du passé et désaveu de sa propre origine, sauvagerie de la démarche, folie d'une sorte d'hémorragie de transparence où sombrent les fausses prudences de la vie : tout cela n'existe ici que pour nous conduire à cet épanouissement final, cette caresse usante, ce tendre élimement, ce « ponçage », par lequel la fluidité de l'eau semble réussir à triompher en elle des derniers îlots subsistants de dureté pour se muer inlassablement en élasticité et en lumière. Site exquis du passage glissé et de l'ouverture, le ruisseau — ce sera ailleurs la vague où se dessine peut-être mieux encore la loi de successivité — devient ainsi finalement, pour Char, l'instrument d'un véritable épurement substantiel, l'outil d'une métamorphose.

Ce même principe de l'« antistatique », qui s'identifie peut-être à l'absurde, mais que Char décide cependant d'élire parce que c'est celui qui le rapproche le plus des « chances pathétiques » (p. 55), se vérifiera encore en un domaine plus subtil, plus léger, celui de l'impalpable : les êtres exemplaires sont, en effet, « de vapeur et de vent » (p. 64). Rivière aérienne, mais rivière sans lit, sans cours, sans source, sans débouché prévu, puissance omniprésente et polymorphe, le vent nous oblige lui aussi au départ. Quel changement pourtant de la Sorgue familière au mistral déchaîné ! Le murmure d'appel y devient cri et véhémence ; la caresse s'y fait secousse, et le contact arrachement. Le vent se lie à la rocaille, au plus dure de la terre, pour nous entraîner malgré nous « jusqu'aux plaines de l'air et l'unique silence » (p. 162). Il a, comme chez Saint-John Perse, pour fonction première de bousculer les ordres établis et d'ouvrir l'horizon d'une vraie vie, mais sans y propager les germes d'aucune fécondité, car il se veut d'abord refus et sécheresse : le volatil égale ici l'instable, l'anarchique. La fugacité venteuse réveille en nous l'instinct de liberté, le besoin de *notre* liberté et de celle *des autres :* « Je veux être pour vous la liberté et le vent de la vie » (p. 85), dit le poète à la femme aimée, car l'amour est justement l'un de ces souffles qui emportent et qui, même fidèles, même attachés au même objet, nous renouvellent sans cesse en profondeur. D'où le serment de l'amant à sa maîtresse : «Hors de toi, que ma chair devienne la voile qui répugne au vent» (p. 67). Le privilège du vent, c'est surtout que, brûlant tous les obstacles, multipliant changements et expériences, couvrant, durant l'intervalle d'un soupir, les plus vastes espaces, il réussit à accélérer vertigineusement le temps. La rivière restait encore, dans son rythme, dépendante du tissu aquatique qui la constituait, prisonnière d'une souplesse continue dont il lui fallait ménager l'écoulement. Mais le vent n'a plus ni masse ni matière ; aucune lourdeur n'empêtre son élan. Capable, comme le génie des fables, de parcourir «une année en une nuit» (p. 75), il se lie de par sa vitesse même à l'essence la plus brève, la plus frénétiquement éclatée de la durée : ainsi dans le poème des *Trois Sœurs* où nous le voyons se marier à ces autres images de vivacité, de chance ou de dispersion enfuie, les *dés* qui roulent («les dés vifs du bonheur»), l'*abeille* qui jaillit et bourdonne, l'*arbre* qui parfume :

> La seconde crie et s'évade
> De l'abeille ambiante et du tilleul vermeil.
> Elle est un jour de vent perpétuel,
> Le dé bleu du combat (p. 68)...

Quelque chose empêche cependant Char de s'abandonner absolument au vent, et à ses frères plus paisibles, vapeurs, nuages ou fumées : c'est leur légèreté foncière. Celle-ci heurte chez lui un vœu d'intensité, de dureté physique et morale, lié lui-même à un besoin d'impact et de densité, à la recherche d'une lucidité responsable, consciente. A la limite, le vent n'est-il pas en effet gratuité, ne nous engage-t-il pas à disperser au loin tous nos efforts, à congédier les coordonnés solides qui faisaient jusque-là les cadres, l'appui de notre vie ? «Mes repères, proteste alors Char, sont de plomb, non de liège, ma trace est de sel, non de fumée» (p. 267)... Le vent a certes raison de vouloir toujours nous entraîner ailleurs, mais tort de le faire avec tant de dissipation. Conserver la joie d'une mobilité aérienne, tout en la dotant du *plomb,* du *lest* que ne pouvait pas lui donner la futilité venteuse, tel sera le vœu profond de Char : vœu qui va l'amener à rêver avec tant de tendresse à cette sorte de vivant caillou du ciel, l'*oiseau.*

Pas n'importe quel oiseau, d'ailleurs : le séduira seulement le plus rapide, le plus aigu, celui qui saura fendre l'air avec la vitesse la plus merveilleusement incisive. Le vrai oiseau, c'est l'oiseau-flèche, l'oiseau-cime, celui qui se situe à la pointe d'une trajectoire ou au paroxysme d'un moment. Ainsi l'alouette, culmination de l'aube, cette « extrême braise du ciel et première ardeur du jour », qui « reste sertie dans l'aurore et chante la terre agitée » (p. 176) ; ou bien encore la mouette, synchrone aux caprices les plus brefs de la durée (« il suffit qu'ils aient existé au même instant qu'une mouette », (p. 119) ; surtout le martinet, pur exemple d'un dynamisme rêvé de l'aridité et de l'orage (il « dessèche le tonnerre », p. 105). La grande vertu qui fait de lui l'archétype même de l'oiseau, c'est la *minceur :* si ténue en effet, mais si dure aussi, si véhémente la ligne de son vol qu'elle échappe au regard qui voudrait la fixer : « il n'est pas d'yeux pour le tenir, il crie, c'est toute sa présence » (p. 105). Toute la légèreté aérienne s'est concentrée dans l'étroitesse de ce cri et de ce corps (« nul n'est plus à l'étroit que lui », p. 105), pour y devenir une vigueur ponctuelle et fusante. Char célèbre donc « le sublime bien-être des très maigres hirondelles », « avides de s'approcher de l'ample allègement » (p. 20). Point de vol ici, point d'exaltation, point d'espace même sans une maigreur essentielle, et sans un continuel aiguisement de cette maigreur. Le même rêve d'acuité qui conduit Char à si souvent louer les épines, les échardes, ou le sommet déchirant des arbres (« Est-ce l'abord des libertés, / L'espérance d'une plaie vive / Qu'à votre cime vous portez, / Peuplier à taille d'ogive ? » p. 126), l'amène à épouser la fulgurante avancée du vol, la courbe des « météores hirondelles » (p. 55). Leur trajectoire tranche en effet l'espace, coupe le ciel : derrière le bec, organe le plus actif de la flèche animale, tout dans l'oiseau s'effile et s'efface. Sa voix même, « l'épée de son chant » (p. 14), affirme son essence acérée. Minceur infiniment perçante, il ne pourra être touché, et donc tué, que par une acuité analogue à la sienne et retournée contre lui : le martinet mourra, « un mince fusil va l'abattre » (p. 105) ; pour atteindre l'éblouissante alouette, il suffira d'opposer un éclat à son éclat : « fascinante, on la tue en l'émerveillant » (p. 176) ; la piquante hirondelle se laissera piquer par l'arme du faucheur :

> Un faucheur de prairie
> S'élevant, se voûtant,
> Piquait les hirondelles,
> Sans fin silencieux (p. 187).

Le plus souvent, pourtant, ces « voyageurs du ciel profond » (p. 126) s'échappent et se fondent dans l'ampleur aérienne : si aiguë alors la pointe de leur essor, si violemment avide d'espace et de liberté qu'elle semble précéder et comme abandonner derrière elle le mouvement qu'elle avait pour fonction d'inaugurer. Comme un avion franchit le mur du son, comme le poète a « un métier de pointe » (p. 275), Char affirme que l'oiseau le plus royalement oiseau, que « l'aigle est au futur » (p. 278).

Dans le présent de notre regard, ce que l'oiseau inscrit cependant, c'est une trace, la ligne d'un trajet : un « trait » dessiné « sur la corniche de l'air » (p. 22). Ce trait constitue la suite, et la preuve, de l'incision aérienne ; en lui, en sa finesse désormais continue, se fixe quelque chose de l'acuité volatile. Tout autant que l'essor, la linéarité protestera contre l'adiposité, la répétition ou la lenteur. Échapper à l'acquis, ce peut être rester en équilibre sur un fil, ou se laisser glisser dans le vertige d'une rectitude. Il n'est pas étonnant dès lors que l'imagination de Char aime à s'attarder sur les objets droits et menus, ceux en qui de surcroît l'essence linéaire s'affectera — tout comme la qualité ponctuelle de l'oiseau — d'une double suggestion de dureté et de fragilité. Le *roseau* est ainsi à la terre ce que l'oiseau était au ciel : une ligne vibrante (« chers roseaux voltigeants », p. 187), déchirante et vite déchirée, sans pesanteur mais sans faiblesse. La poésie va « nue sur ses pieds de roseau » (p. 223) ; le poète est « un tombereau de roseaux qui brûlent » (p. 220), l'embrasement marquant ici la fin victorieuse et éclatée du trait fragile. Quel plaisir dès lors, quelle satisfaction imaginaire quand nous voyons se rencontrer les deux ténuités, terrestre et aérienne, quand l'une sert d'abri à l'autre, que l'oiseau rejoint le roseau pour se cacher en lui : « oiseaux qui confiez votre gracilité, votre sommeil périlleux, à un amas de roseaux, le froid venu, comme nous vous ressemblons ! » (P. 277.) Les petites branches rompues, les brindilles forment alors paradoxalement rempart, comme dans le titre d'un recueil de Char. Et le même paradoxe, mais dissocié, devenu à la fois opposition et mariage, nous le retrouvons dans l'image admirable qui permet à Char de rêver la rencontre vivante, presque la réciproque caresse du plus dur de la terre et du plus subtil de l'air :

Chimères, nous sommes montés au plateau.
Le silex frissonnait sous les sarments de l'espace (p. 36).

« Cette image où s'unissent le caractère inentamable des choses et le ruissellement du devenir, l'épaisseur de la présence et la scintillation de l'absence[1] », Maurice Blanchot a bien raison, dans un beau commentaire, d'en souligner la qualité fondamentale. Mais ce qui m'intéresse plus spécialement en elle, c'est l'étrange contagion des deux principes, silex et espace, dont elle pose pourtant — ne serait-ce qu'en les projetant en début et en fin de phrase — le radical éloignement. Car l'espace communique son frisson au silex par l'intermédiaire du sarment — qui est, comme oiseau ou roseau, une sorte de concrétion aérienne. Cette vibration de la surface réveille sans doute en profondeur l'essence électrique, la vie tranchante de

1. *La Part du feu,* p. 116.

la pierre. Et celle-ci redonne alors au ciel, par le même frisson qui l'a émue, un peu de son intransigeance et de sa dureté. Par la médiation linéaire du sarment, comme ailleurs du roseau ou de la brindille, solidité et ruissellement, absence et présence réussissent ainsi à vivre ensemble, mieux, à passer directement les uns dans les autres...

A cette rêverie linéaire il faudrait sans doute rattacher l'un des goûts les plus curieux de Char, celui qui l'amène à célébrer si souvent cette minceur animalement fuyante : le *serpent*. Dans tout son bestiaire, peu de figure plus sympathique, plus fréquemment louée et réhabilitée que celle de ce « prince des contresens » (p. 175). C'est que, « nerveux et souple encore que fragile » (*le Soleil des eaux,* introd.), il possède l'émouvante qualité de toutes les sveltesses. Jamais installé dans l'existence, puisque honni des hommes et de Dieu (« n'étant d'aucune paroisse, il est meurtrier devant toutes », p. 194), incapable donc de s'alourdir dans la stupide satisfaction de ce qu'il est, il se voit obligé à faire glisser sa maigreur par toutes les fentes, « comme le jour cligne à travers le volet » (p. 194), toutes les ambiguïtés, « par le lien qui unit la lumière à la peur » (p. 175) : lien infiniment ténu, mais qui suffit pourtant à lui servir d'abri et d'alibi. Rien ici du serpent valéryen défini par le recourbement et le venin, le don d'autoquestionnement. La ressource profonde du serpent provient pour Char de son bannissement lui-même ; elle tient à l'inconfort d'une situation qui le voue inexorablement à l'exil et à la fuite, au passage. Il semble même que l'écartement auquel on le condamne l'oblige à se resserrer toujours davantage sur lui-même : coincé dans les bas-côtés de la vie, n'ayant jamais la latitude de s'étaler au centre, dans le foyer d'un monde, il est fatalement un « serpent marginal » (p. 175). Sa vraie place, liminaire, c'est le plus mince de la périphérie, le voisinage de la suprême ligne, celle de la frontière, à laquelle il se met d'ailleurs à ressembler : « Restez fleur et frontière, / Restez manne et serpent » (p. 69) peut alors nous conseiller une sagesse qui relie en profondeur la fécondité à l'étroitesse. L'essentiel étant de ne pas consommer sa manne, de ne pas épaissir sa ligne, de ne pas cueillir sa fleur (ou de l'empêcher de devenir un fruit), bref, de jusqu'au bout continuer à boire « A la Santé du Serpent ».

Il arrive cependant un moment où ni la fluidité, ni l'acuité, ni la linéarité la plus fragile et la plus humble ne suffisent à satisfaire le besoin éperdu de neuf qui habite la conscience matinale. Ruisseaux ou vents, oiseaux, roseaux, arbres aigus, serpents, ce sont là formes encore trop stables, et que voudrait animer extatiquement la frénésie. Char appellera donc l'orage, il réclamera sa vertu révélante et destructrice (« J'aimais ton visage de source raviné par l'orage », p. 12) ; il constatera, en un aphorisme d'une beauté mystérieuse, l'accord, dans le passage, du plus déchaîné et du plus authentique (« Les pluies sauvages favorisent les passants profonds », *la Parole en archipel*, p. 153) ; il découvrira la zone d'étrange transparence qui s'étend au cœur du trouble exaspéré (« c'est quand tu es ivre de chagrin que tu n'as plus du chagrin que le cristal », p. 60). Mais surtout il recherchera la force qui dotera l'objet de « couleurs impulsives » (p. 283), qui fera de lui le lieu d'une intense mobilisation énergétique, et qui finalement le désintégrera, le jettera, déchiré mais victorieux, aux quatre coins de l'univers.

Point donc pour lui de rêverie plus essentielle que celle de l'*éclatement*. L'explosion possède en effet un double mérite imaginaire : elle rompt un être ancien qui menaçait de persévérer et de durer, par conséquent de s'engourdir, de succomber à sa torpeur et de s'enfoncer dans le non-être ; elle lui substitue une infinité de fragments libérés, qui constituent autant d'êtres nouveaux, avides de se livrer à tout l'inédit de la conscience et du désir. Car « dans l'éclatement de l'univers que nous éprouvons, prodige ! les morceaux qui s'abattent sont vivants » (p. 285), et vivants, ajouterions-nous, d'une vie beaucoup plus fervente et positive que l'ancienne vie désintégrée. Faisant éclater la forme, nous lui redonnerons donc la mobilité qui lui manquait, nous réveillerons en elle une énergie qui, tant par son intensité que par son déploiement, par les nouvelles perspectives spatiales ouvertes devant elle, promet l'objet aux plus dynamiques lendemains. L'explosion signifie en somme pour Char une accélération et une multiplication de conscience : elle permet au *moi* de « jaillir en bouquet » (p. 284). Quant au prix dont nous devrons payer cet enthousiasme — la destruction de notre enveloppe, le bris de notre unité passée —, est-ce vraiment un prix, n'est-ce pas plutôt un gain ? Le fait le plus brutal, celui de l'éruption, affirmera le mieux ici la toute véhémence de l'être :

> Violente l'épaule s'entrouvre ;
> Muet apparaît le volcan.
> Terre sur quoi l'olivier brille,
> Tout s'évanouit en passage (p. 69).

Ouverture de l'épaule (cette partie dressée du corps), éclat à la fois éternel et instantané de l'olivier, évanescence des lumières, ces divers thèmes bénéfiques sont réunis ici en profondeur par celui, plus original encore, du volcanisme. Toute création vraie, d'ailleurs, n'est-elle pas volcanique, ne procède-t-elle pas d'une *fureur* obscurément liée à un *mystère ?* Braque est un « cœur qui éclate en couleurs » (p. 114) ; Char rompt ses limites comme « une grenade dissidente » (p. 13). Quant aux pépins éclatés de cette grenade, nous les recueillons et savourons nous-mêmes, car ce sont ses poèmes. Nul doute en effet que la structure de mainte modulation imaginaire, que le rythme essentiellement discontinu de ces morceaux juxtaposés de « matière-émotion », que la répartition spatiale de ces petits blocs autonomes de langage crispés les uns à côté des autres sur un même fond de silence, sans aucune nappe de son ou de sens qui superficiellement les réunisse, bref, que l'allure même du poème ne répondent ici à une rêverie de l'explosé. L'invention verbale, comme chez tous les grands poètes, vérifie ainsi formellement un vœu profond.

Cette thématique de l'éclatement nous permettra d'interpréter mainte prédilection sensible : exploseront de préférence les objets les plus visiblement vitaux, ceux qui recèleront en eux une ardeur capable de provoquer du dedans leur déflagration. Et existe-t-il d'ardeur plus effervescente, plus imaginairement convaincante que celle du *soleil* ? De façon fort méditerranéenne, le vœu de dispersion se lie donc à la rêverie solaire. Car si le soleil nous prodigue douloureusement son acuité et sa brûlure (« la lucidité est la blessure la plus rapprochée du soleil, p. 54), il nous accorde surtout l'éclat, l'infinie diffusion d'une joie enflammée. Soleil ainsi, « moulin à soleil » (p. 13) la femme aimée, projetant généreusement sur nous « les richesses d'un cœur qui [a] rompu son étau » (p. 13). Et soleil aussi, dans l'ordre végétal, le « soleil », mieux nommé *tournesol,* qui mime, de par la violence de sa teinte, la largeur de son cœur, l'effilé de ses pétales et la détonation lointaine de ses graines, l'explosion de quelque feu cosmique. Un peu comme Van Gogh, Char aime à poser son œil sur cette étrange fleur, à qui il prête un don formel de dissipation, donc une qualité libératrice et subversive. Car le tournesol ne cesse jamais de faire tourner en lui le soleil, ni de diffuser vers nous l'or d'une vérité multiple. Ennemi de la clôture, du repos domestique, il s'allie au sentiment profond : « celui qui se fie au tournesol ne méditera pas dans la maison. Toutes les pensées de l'amour deviendront ses pensées » (p. 89)... Le tournesol annonce donc le risque, l'ouverture, il est le piège de l'oiseau, et c'est pourquoi le prudent et terrestre lézard tentera d'écarter de lui son ami le chardonneret : « N'égraine pas le tournesol, / Tes cyprès auraient de la peine » (p. 123) ; ils auraient de la peine parce qu'ils affichent en eux tout au contraire le vœu d'une droite, d'une sûre fidélité. Dans le même poème, d'ailleurs, le tournesol s'oppose à une autre fleur, parente de lui par sa forme, mais ennemie par sa valorisation imaginaire, la marguerite. Car si l'éclatant tournesol disperse, la blanche, la familière marguerite a pour fonction de rassembler.

Les pétales de l'un sont rêvés comme centrifuges, ceux de l'autre comme dirigés vers un foyer : « l'arc-en-ciel / S'unifie dans la marguerite » (p. 123)...

Accélérons encore ce vœu d'éclatement solaire ou floral, dotons chaque jaune pétale dispersé d'une vie autonome, faisons chanter et bourdonner le volcan muet de tout à l'heure et nous aboutirons à la rêverie voisine, mais plus fiévreuse encore, des *abeilles*. Le monde n'est plus alors qu'un unique, qu'un frénétique parcours :

> La fenêtre et le parc,
> Le platane et le toit
> Lançaient charges d'abeilles,
> Du pollen au rayon,
> De l'essaim à la fleur (p. 186).

Et cette effervescence a tendance à toujours se diriger vers un dehors, une zone extérieure et aérienne du paysage : parente du « serpent marginal », « l'abeille frontalière » « va pondre » ainsi « son miel sur la passade d'un nuage » (p. 201). Avec abeille ou frelon, ce frelon par exemple par qui « s'évade » « le chemin tracé dans le rocher » (p. 23), l'ivresse de l'explosion redevient donc une exaltation, elle rejoint la joie volatile, et tente d'atteindre avec elle à l'espace d'un égarement absolu, ou d'une hauteur originelle. D'où le prix d'une rêverie comme celle-ci : « J'étais une ruche qui s'envolait aux sources de l'altitude avec tout son miel et toutes ses abeilles » (p. 60). La conscience se résume alors en la frénésie d'un *point* entouré, escorté, bousculé en son ascension par une infinité d'autres points également stridents et ivres : « Dans le fourmillement de l'air en délire, je monte, je m'enferme, insecte indévoré, suivi et poursuivant » (p. 278). Cet insecte, d'ailleurs, cette pointe vivante, ne supportera pas longtemps l'étreinte de la définition formelle où il « s'enferme » encore : il veut lui aussi éclater et se diviser, se multiplier au gré de l'infini délire de l'espace. De crise en crise, de rupture en rupture, en allant toujours vers le plus petit, le plus activement exaspéré, nous atteindrons enfin à l'unité minimale de conscience, celle qui situe sa vibration — et, avec elle, son désir d'exploser et de se diviser encore — aux limites mêmes du néant :

> Tu as été créé pour des moments peu communs
> *Modifie*-toi *disparais* sans regret...
> *Essaime la poussière*
> Nul ne décèlera votre union (p. 212).

Le *grain de poussière,* telle est la fin triomphale de l'ardeur explosive. Insaisissable, intensément vivant, il récuse toute forme, tout arrêt, tout essai de définir ou d'équilibrer le vrai, toute tentation d'*habiter l'être...* Il nous élève au contraire à l'ordre infiniment ouvert de l'homogène : d'une homogénéité qui n'obéit pas à l'ordinaire loi de retombée et de ravalement, mais qui s'exalte sans cesse dans la croissance et le bonheur d'un *toujours davantage :* « Lyre sans bornes des poussières, / Surcroît de notre cœur » (p. 96). Chanté sur une telle lyre, il est normal que le poème cherche à se *pulvériser* aussi : il n'aura pour cela qu'à se laisser toucher matériellement par la poussière. Grâce à son origine fulgurée, grâce à l'ivresse explosive dont l'a doté la réussite de sa quasi indéfinie division, celle-ci suffit à le désagréger. Son simple contact provoque, en une admirable rêverie, la dissolution du poème, l'extinction du langage et jusqu'à la désintégration physique du poète :

> Une poussière qui tombe sur la main occupée à tracer le poème, les foudroie, poème et main (p. 202).

Après la poussière, il n'y a plus en effet que le silence et que l'absence, que le rien.

Telle est la situation à laquelle aboutit l'entreprise libératrice menée par René Char. Sans toujours nous conduire jusqu'aux vertiges du pulvérisé, elle nous situe dans le fait ambigu de la fragmentation [1]. Pour volontaire en effet, pour ardemment poursuivie que celle-ci puisse nous apparaître, elle n'en entraîne pas moins, une fois obtenue, un malaise. Car s'il peut être pleinement satisfaisant pour l'imagination de regarder, par exemple, «face à ces eaux, de formes dures », «passer en bouquets éclatés toutes les fleurs de la montagne verte », et si le brisement parallèle du temps semble se résoudre alors en une calme éternité, si «les Heures épousent des dieux » (p. 278), c'est sans doute que les fleurs et les instants épars sont ici réunis en profondeur par la dure souplesse de l'eau et par l'originelle verdeur de la montagne : le plus souvent, quand ne se prête à lui aucun soutien moral ou matériel, le bouquet éclate, se disperse simplement, se perd. L'éparpillement reflète alors la seule division du monde, il devient, comme chez un Mallarmé, l'image du hasard, ou comme chez un Camus, ami de Char, le signe d'une multiplicité impensable, la preuve d'un absurde. Le fragment n'est plus rêvé alors comme le refuge instable d'un moi suractivé : il apparaît comme le résultat d'une intime cassure d'être, celle-ci entraînant à son tour un déchirement de conscience. Son nombre, sa forme, et jusqu'à ce tranchant autrefois si avidement convoité, tout rappellera désormais en lui la première blessure de sa séparation, une blessure qui n'en finit pas de nous blesser. «La quantité des fragments me déchire », écrit laconiquement Char. Gaëtan Picon a, en une belle étude [2], souligné cette douleur du discontinu qui apparaît à travers tant de poèmes de René Char ; il a commenté son obsession de la distance séparante («le rameau était distant de ses bourgeons», p. 80), de la non-communication des êtres («le requin et la mouette ne communiquaient pas », p. 80), bref, sa hantise d'une unité originelle au regard de laquelle notre monde n'est plus qu'un chaos sans signification et

1. Sur la dialectique du fragment chez Char, on lira deux excellentes études, de Georges Poulet et Georges Blin, dans le numéro spécial de *l'Arc* (été 1963).
2. *L'Usage de la lecture*, p. 128.

sans bonheur. Car l'essentielle douleur du fragment, c'est de se souvenir encore de l'ensemble dont on l'a par force séparé ou auquel il ne s'est pas encore réuni, c'est de savoir qu'il n'est qu'une parcelle, fatalement incomplète, de la réalité : « Sommes-nous voués, se demande le poète pulvérisé, à n'être que des *débuts de vérité ?* » (P. 57.)

Nous voici donc placés au cœur d'une contradiction, de *la* contradiction sur le fait, sur la méditation et la résolution de laquelle Char a fondé toute sa poétique. Cette contradiction s'exerce, si l'on y réfléchit bien, à un double niveau de l'expérience. Elle est celle d'abord qui oppose les uns aux autres les divers fragments ainsi séparés de l'être, chacun divergeant de son côté dans l'isolement d'une aventure. Le monde nous apparaît alors contradictoire parce qu'il lui manque un chef d'orchestre. Les diverses significations que nous tirons de lui ne s'accordent pas les unes avec les autres : encore heureux quand elles ne se heurtent pas, n'engagent pas entre elles (et nous avec elles...) un mortel combat. Mais ce déchirement, qui affecte la nature objective des choses et se situe dans leur tissu vécu, me semble commandé par une opposition plus essentielle encore, et qui tient, elle, à la seule ambiguïté de notre vœu. Car nous avons *voulu* la dispersion, et donc l'incohérence, nous avons recherché le départ et l'errance, nous avons cultivé la mobilité, la fragilité, le vol ou l'explosion comme les moyens les plus sûrs d'atteindre en nous à une vérité de l'être. Si le poète finit comme « un géant désagrégé », c'est parce qu'il avait été d'abord « seigneur de l'impossible » (p. 75) ; la hauteur même de son dessein obligeait son triomphe à ne pas se distinguer pour lui d'un désastre... Nous sommes alors renvoyés aux images anciennes de l'unité et de l'accord interne, aux figures d'une forme stable et d'une vie équilibrée, en somme à tout ce que le désir matinal avait voulu détruire. C'est donc dans notre projet lui-même que réside finalement ici la contradiction : car il est sûr que pour sauvegarder la totalité de l'être, l'être comme unité et comme ensemble, il nous faudra l'épouser dans sa continuité, le saisir dans toute l'épaisseur lisse de sa masse, bref, descendre en lui et consentir à l'*habiter* ; mais il est non moins certain que pour sauver l'activité de l'être, l'être comme initiative, comme éveil, nous devrons l'alléger et le soulever, le violenter ou le briser, le livrer aux métamorphoses de l'espace, le rendre foncièrement *inhabitable*... Char résumera ce dilemme dans l'injonction suivante, admirablement concise : « Épouse et n'épouse pas ta maison » (p. 40).

Cette situation risquerait d'entraîner un inconfort si n'intervenaient pour la résoudre les ressources de la rêverie. Il semble même que la difficulté qu'elle lui présentait ait excité et finalement favorisé en Char le jeu de l'imagination : comme s'il avait en elle rencontré le noyau central de résistance, l'apparemment irréductible, ou, comme il le dit mieux lui-même, l'*impossible* contre lequel et sur lequel fonder toute son entreprise. Tout l'effort poétique consiste en effet à démontrer ici que l'impossible est en réalité possible, et même fort heureusement vivable, à condition d'en interroger l'énigme par les voies de l'imagination. Car celle-ci se voue de par son essence même à la conciliation et au dépassement ; elle transforme naturellement les antipathies en sympathies, Gaëtan Picon encore a fortement noté ce point. Char se rêve-t-il lui-même — et c'est assez souvent — dans sa fonction métaphysique de poète, il se voit aussitôt dans le rôle d'une sorte d'Unificateur Suprême. Il vaut la peine de relever ici quelques-uns de ses aphorismes esthétiques, en interrogeant les images, fort diverses, à travers lesquelles se traduit pour lui cet impératif poétique de la réunion.

Les unes — et c'est une solution assez mallarméenne — évoquent la présence, au cœur de la diversité sensible, d'une sorte d'unité-noyau qui, ayant disposé en sa surface une architecture mobile de facettes, se trouverait par là capable d'accrocher, puis de résorber en elle les aspects les plus antinomiques de la réalité. Le poète, par exemple, « crée le *prisme, hydre* de l'effort, du merveilleux, de la rigueur et du déluge» (p. 224)... Ces essences, fort contradictoires, se trouvent ici réconciliées par la rêverie cousine d'un corps à mille têtes ou d'un verre à mille faces. L'unité choisit de se fixer en un foyer profond de conscience, laissant à la mobilité calculée de sa périphérie le soin de capter de l'extérieur l'incohérence du réel. Le même schéma aboutit, en se contractant, à la figure du poète, «*point diamanté* actuel de présences transcendantes et d'orages pèlerins» (p. 224) — ou inversement, en se dilatant, à l'image d'un reflet plus étale, attaché non plus à la contraction transparente d'un cristal, mais à l'identité horizontale d'un tissu : «Terre *mouvante,* horrible, exquise et condition humaine hétérogène se saisissent et se qualifient mutuellement. La poésie se tire de la *somme exaltée* de leur *moire*» (p. 222). Au lieu d'attirer superficiellement en elle, puis de résoudre en son unité centrale — prisme, diamant, hydre ou moire — l'infini chatoiement du multiple, la conscience poétique pourra aussi, en un geste fort différent, se mobiliser intérieurement, devenir active, voyageuse, aller elle-même trouver et toucher les fragments ennemis du paysage ; vouée à une fonction de transition, elle tendra alors des liens entre les antinomies de la réalité. «Toi qui ameutes, dit Char au poète, et qui *passes entre l'épanouie et le voltigeur,* sois celui pour qui le *papillon* touche les *fleurs* du chemin» (p. 201). Grâce à la poésie, les principes opposés du vol et de la floraison deviennent ainsi, et fort concrètement, *contigus...* Autre conjugaison rêvée de l'un et du multiple : le moi revient à lui et se referme en lui, mais en conservant cette fois-ci en son foyer la même souplesse qui le rendait apte à caresser hors de lui fleur et papillon, épanouie et voltigeur. L'unité devient alors le lieu d'une circulation multiple ; par elle, à travers elle, les objets les plus divers entrent en relation, se font écho les uns aux autres : «En poésie, c'est seulement à partir de la communication et de la *libre disposition des choses entre elles à travers nous* que nous nous trouvons engagés et définis, à même d'obtenir notre forme originale de nos propriétés probatoires» (p. 220). Le poète est un donneur de liberté dans l'exacte mesure où il sait être un centre infiniment ouvert d'échange et de passage. Quant au poème, preuve physique du poète, il reflète la même structure : il sera lui aussi réseau, «tunnel dérobé», «chambre d'harmonie», il évoquera des «pistes captieuses» et des «existants s'entr'appelant» (p. 260). Le poète, ajoute Char, est «le passeur de tout cela qui forme un ordre», et un dernier remords, un dernier assaut de la contradiction que cette rêverie du poème tentait justement de résoudre, lui font ajouter, de manière bien significative : «et un ordre insurgé» (p. 260)...

Ce mythe du regroupement pourra s'appuyer sur les spectacles les plus familiers de la nature. Nous savons par exemple déjà le goût qui porte Char vers les fleurs, et les fonctions oniriques fort diverses qu'il leur prête. Un bouquet de fleurs éclatées illustre pour lui l'heureuse fragmentation des choses. Inversement, regrouper les fleurs en un bouquet pourra suggérer l'acte de leur réunion. C'est le geste de la gerbe, allégoriquement évoqué dans les lignes suivantes, où Char commente un épisode de sa vie de maquisard : « L'avion déboule. Les pilotes invisibles se délestent de leur *jardin nocturne* puis pressent un feu bref sous l'aisselle de l'appareil pour avertir que c'est fini. *Il ne reste plus qu'à rassembler le trésor éparpillé.* De même le poète... » (p. 46). Il arrive même que la gerbe, le trésor ici assemblé, concentre son essence vivifiante en une seule fleur, que l'on peut tenir alors pour le vivant noyau ou pour la clef d'un univers parfaitement intelligible. C'est, on s'en souvient, le cas de la marguerite en qui s'unifie l'arc-en-ciel et qui s'oppose au tournesol dissipateur. La rose pourra tenir une fonction semblable. Ainsi dans cette admirable rêverie sur les ruines des Baux, où le poète fournit à un monde brisé, épars, apparemment anachronique, la vraie dimension — amour et futur — qui le restituera aux perspectives unitaires d'un sens : «les ruines douées d'avenir, les ruines *incohérentes* avant que tu n'arrives,

homme comblé, *vont de leurs parcelles à ton amour.*
Ainsi se voit promise et retirée à ton irritable maladresse
la rose qui ferme le royaume» (p. 82). Fleur magique,
dont la chair, touffue mais aérée, peut dire à la fois en
effet l'offre multiple, l'accueil tendre proposé aux pires
de nos ruines, et le repli sur l'unique soi-même, l'intime
fermeture d'un domaine secret. Ce double geste, éparpillement et harmonie, fleur éclatée et fleur regroupée,
caractérise de son ambiguïté le climat affectif où devra
naître tout poème : car le bonheur final de la réunion y
sera nécessairement précédé par la souffrance de l'épars.
Le vrai poète, c'est l'homme qui accepte de souffrir, qui
veut même souffrir maintenant afin de, plus tard, pouvoir
peut-être se découvrir heureux. Point de définition plus
belle, et, en ce qui le concerne, plus juste, de la poésie
que celle ici posée par Char : «Être poète, c'est avoir de
l'appétit pour un *malaise* dont la consommation, parmi
les tourbillons de la totalité des choses existantes et
pressenties, provoque, au moment de se clore, la *félicité*» (p. 226).
    Cette félicité si particulière, Char n'est évidemment
pas le seul ni le premier à l'avoir éprouvée. Il se
reconnaît lui-même des ancêtres : ainsi Rimbaud, autre
prophète de l'éclatement et de la vigueur (et autre génie
de la fuite : «Tu as bien fait de partir, Arthur Rimbaud...»). Deux grands noms reviennent cependant le
plus souvent sous sa plume quand il veut nommer ses
intercesseurs préférés, ceux dont l'exemple sera le mieux
capable de guider une entreprise poétique de réconciliation universelle : ce sont, on le sait, ceux du peintre
Georges de La Tour et du philosophe Héraclite. Partis
tous deux d'une intuition très précise du multiple et du
déchirement des choses, ils parviennent en effet tous
deux, par des moyens fort différents, à réparer cette
cassure. Char les remercie également d'avoir «rendu
agile et recevable [sa] dislocation» (p. 217). Comprendre
cette poésie, entrer dans sa part la plus secrète, ce sera
donc, il me semble, tenter de retrouver les voies par

lesquelles une conscience disloquée a pu y regagner son agilité première : et non plus désormais en théorie, dans une rêverie de ce que *doit être* le poème, mais dans le tissu concret de celui-ci, dans la pratique de l'acte familier et quotidien de poésie. Les chemins de cette réconciliation sont fort divers, et leur regroupement suffit à définir certains paysages imaginaires, certains «régimes» de l'imagination. Je me propose de distinguer ici deux de ces paysages d'unité, dont la séparation correspond, il me semble, à un clivage de la rêverie : et je placerai l'un, comme il se doit, sous la lumière de Georges de La Tour, l'autre sous le signe contracté de l'Éphésien.

Ce qui, chez Georges de La Tour, assure la réconciliation des choses, c'est le déversement éclairant d'une tendresse. Dans ces tableaux, objets ou êtres demeurent séparés, posés les uns à côté des autres, installés chacun par son espace — et un espace de quelle admirable densité : pourtant les baigne et réunit une même nappe de lueur, un même climat sensible d'espérance. Dans *le Prisonnier,* par exemple, dont Char a si bien parlé, «la maigreur d'ortie sèche» de l'homme et la «robe gonflée» de la femme, ces deux pôles, physiques et moraux, d'un difficile dialogue, finissent par se rencontrer et entrer en rapport, par «donner naissance à l'inespéré mieux que n'importe quelle aurore» (p. 56). D'une telle naissance, due à la simple juxtaposition des tentatives les plus adverses — «poignard de la flamme» par lequel se répand l' «huile» de la veilleuse (p. 98) —, maint poème de Char nous fait aussi le don. Le principe d'unité y sera seulement la copule, le *et.* Admettant sa contradiction essentielle, la conscience en développe également les deux termes, qu'elle pose l'un à côté de l'autre et assume avec la même loyauté. Elle accepte d'être à la fois instant *et* durée, fulgurance *et* gourmandise :

Éclair et *rose,* en nous, dans leur fugacité, pour
notre accomplissement, *s'ajoutent* (p. 283).

Phrase qui, dans son nombre même, réussit à mimer la
contradiction qu'elle expose, puisque tout en signifiant la
« fugacité » de cette rencontre et en la suggérant par sa
brièveté de maxime, elle nous oblige aussi, grâce au
verbe repoussé jusqu'à l'ultime bout de la sentence, à en
épouser rêveusement le mûrissement et le trajet, à en
ressentir la qualité miraculeusement épanouie. La même
juxtaposition s'accompagne ailleurs d'une plus exacte
description des rôles antithétiques, les deux pôles du
mariage heureux recevant alors, en termes de dynamique, leur définition parfaite :

L'*oiseau* et l'*arbre* sont conjoints en nous. L'un va
et vient, l'autre maugrée et pousse (p. 252).

Ce qui nous conduit naturellement à l'admirable *Épi-
taphe :*

Enlevé par l'*oiseau* aux éparses douleurs,
Et laissé aux *forêts* pour un travail d'amour (p. 180).

où l'oiseau illustre encore la vertu d'arrachement et de
dissipation (et même, en une contraction seconde, d'arrachement *à* la dissipation…), tandis que l'arbre continue
à porter en lui l'image d'un destin compact et continu.
Mais il arrive aussi que la cohabitation de nos deux
principes s'inscrive physiquement dans le paysage : au
moment en effet où la forêt s'interrompt, son épaisseur
devient lisière, ligne ouverte sur l'univers de l'aventure.
Du *et* nous passons alors au *côte à côte,* de la juxtaposition à la contiguïté : quasi musicalement le plein se
découpe sur son antithèse sensible :

— *Façade* des forêts ou *casse* le nuage —,
Contrepoint du *vide* auquel je crois (p. 265).

Mais Char, s'il « croit » au vide, ne « croit » pas moins,
prenons-y garde, à la densité recueillie de la forêt.

En d'autres rêveries, la cohabitation des deux essences ennemies est assurée de manière plus souple, plus mobile : la conscience s'y rend, par exemple, sensible à leur écartement plus qu'à leur coexistence. Pour couvrir la distance rêvée qui les sépare, pour les saisir en même temps l'une et l'autre dans toute leur antinomie, il lui faut alors se dilater, s'étirer intérieurement jusqu'aux extrêmes limites de sa capacité d'appréhender. Au simple constat du *et* succède l'ambiguïté de l'*entre* : le moi y connaît une extension qui est à la fois souffrance (possibilité interne de rupture) et délice (vérification de sa souplesse intime et de son agilité). Ainsi placé entre les deux carreaux de vitre, l'un « voué aux tourments » et « l'autre, la vitre de l'heureux », le poète affirme joyeusement son don mobile de *tangence* :

> Je vous aime mystères jumeaux,
> *Je touche* à chacun de vous ;
> *J'ai mal* et *je suis léger* (p. 147).

Légèreté du dégagement, et mal de la déchirure, le même que nous retrouvons dans la *Chanson du velours à côtes*, écartelé, quant à lui, entre l'appartenance diurne et la suggestion nocturne :

> Il était entre les deux un mal qui les déchirait. *Le vent allait de l'un à l'autre ;* le vent ou rien, les pans de la rude étoffe et l'avalanche des montagnes, ou rien (p. 95).

Le vent, rien : comprenons la conscience poétique, claquant *çà et là* comme un velours alternativement obscur et clair, ou comme une montagne tantôt surgie et tantôt descendante. Les deux principes, ici réunis grâce au va-et-vient d'une sorte de vide vivant, pourront même être mariés plus subtilement encore par l'ingéniosité rêveuse : l'un pourra entourer de sa mobilité la rigidité de l'autre, se liant à lui comme une guirlande (« Frais soleil dont je suis la liane » [p. 278], dit Char), ou bien même il lui prêtera le cadre, lui fournira le champ à l'intérieur duquel paradoxalement s'épanouir. Nous n'aurons toujours pas quitté le constat d'une contiguïté, mais du *et* ou du *entre* nous serons passés aux combinaisons d'une sorte d'involution mutuelle. Ainsi le vol de l'hirondelle, dont nous connaissons la sécheresse aiguë, pourra infléchir doucement sa rectitude : dans la courbe ainsi dessinée d'une liberté peu à peu devenue caresse, puis enceinte, s'inscrira l'image domestique d'un jardin. Mais nous y pressentirons aussi — car même dans l'apaisement la contradiction doit maintenir son germe — tout un avenir orageux d'insurrection :

Dans la boucle de l'hirondelle un orage s'informe, un jardin se construit (p. 89).

Orage, jardin se construisent ici à travers une sorte de maturation temporelle du vol : les mêmes combinaisons que provoque une imagination heureuse de l'espace peuvent en effet nous être aussi données en une rêverie de la durée. Le *et* s'y fait *à la fois,* l'*entre* y devient *tour à tour.* «Tour à tour coteau luxuriant, roc désolé, léger abri, tel est l'homme, écrit Char, le bel homme déconcertant» (p. 269). Ce qui nous déconcerte en lui, ce n'est plus désormais la juxtaposition, mais l'alternative : la manifestation, successive et discontinue, de la légèreté et de la pesanteur, de l'ascétisme et de la gourmandise, du besoin de risque et du goût de repos. Le temps étale ainsi *à la suite* l'opposition que l'espace nous faisait saisir *à la fois :* mais son pouvoir va peut-être plus loin, car il réussit quelquefois à enfermer en un seul geste sensible le principe successif de l'alternance. Refermée sur elle-même — mais sans y être encore crispée ni détruite, comme dans les rêveries héraclitéennes —, la contradiction y devient doucement ambiguïté. Méditez par exemple ce si beau, si mystérieux soupir :

Seigneur Temps ! folles herbes ! marcheurs puissants (p. 258) !

La même durée nourrit ici par en dessous la folle vitalité des herbes, et soutient la marche du passant qui les fend, les détruit de son pas large. Tout le bonheur d'avancer en un champ d'herbes hautes se signifie pour nous en ces six mots : mais il rejoint aussi, en ramenant cette joie à son origine — qui est le simple mouvement d'un corps, l'avancée quasi musculaire d'un temps —, le bonheur parallèle que nous pouvons rêver en une prairie montée en graine, et délirante, temporellement délirante, de hauteur... Le singulier initial et la majuscule qui qualifient le Temps dominent enfin, seigneurialement, les pluriels en lesquels s'éparpille la contingence seconde des hommes et des herbes. Il peut arriver même que la durée, ici souverainement ambiguë, soit ressaisie par l'imagination comme une puissance de métamorphose : activité qui ne se contenterait plus de manifester, successivement ou simultanément, les deux grandes orientations de notre vie rêvée, mais qui les ferait, par passage continu, évolution coulée, glisser l'une dans l'autre. Une simple patience temporelle suffit alors à muer la volatilité en épaisseur, à faire que l'oiseau s'attache à l'arbre, qu'il en devienne organiquement la fin et le produit, le *fruit :* « Ma toute terre, comme un oiseau changé en fruit dans un arbre éternel, je suis à toi » (p. 285).

Or il est un domaine en lequel un tel vœu va prendre sa valeur suprême : c'est celui d'une expérience qui se voudrait à la fois fulgurante et durable, subversive et féconde, souverainement ouverte et libre, attachée cependant à la lente courbe d'un destin. Cette expérience que Char place peut-être au-dessus de toutes les autres est celle de l'*amour*. Voici en effet un événement-foudre qui nous saisit, libère et bouleverse, qui renouvelle en un instant les données les plus sûres de nos vies, mais afin d'aussitôt nous attacher à une autre vie... En ce sentiment apparemment paradoxal, les deux grandes tentations de Char s'affrontent donc avec une sorte de fureur. Car aimer, c'est se livrer à l'ivresse matinale de l'instant, c'est oublier, dans la miraculeuse jeunesse de l'amour, tout le passé, la vie éteinte et close : mais c'est se lier aussi à un *être aimé* aux côtés de qui engager une nouvelle aventure temporelle. L'amour le plus fou construit tout autant qu'il détache et relie du même mouvement qu'il brise. Tout l'effort de l'imagination et de la volonté poétique consistera donc à greffer dans le tissu de cette nouvelle durée amoureuse quelques-unes des qualités d'éclatement et d'ouverture qui avaient favorisé le moment initial de la révélation. La femme idéale se construit par touches contrastées : tendre et tiède pour épouser le flot le plus doucement horizontal de l'existence et assumer le poids de la continuité terrestre, mais aiguë, pointue, abrupte pour réveiller inlassablement cette tendresse et l'empêcher de devenir torpeur :

Tu vas nue, constellée d'échardes,
Secrète, tiède et disponible,
Attachée au sol indolent,
Mais l'intime de l'homme abrupt dans sa prison (p. 29).

Mais, ici encore, nous pourrons préférer à la satisfaction du *et* ou du *mais* la joie totale d'une identité, d'une simultanéité rêvée des deux contraires. Ainsi dans cette admirable évocation d'un amour neuf et solide comme une fenêtre en bois :

Fermée comme un volet de buis
Une extrême chance compacte
Est notre chaîne de montagnes,
Notre comprimante splendeur (p. 166).

La rêverie se pose ici sur un objet habituellement néfaste — une fenêtre close — pour en faire le signe positif d'une réussite d'existence. Et ce qui a rendu, me semble-t-il, possible ce renversement des valeurs imaginaires, c'est une méditation très concrète sur la matière, la texture même de cet objet, sur son bois, ou plus précisément et plus rustiquement son *buis*. La lourde impénétrabilité de la planche cesse d'y signifier l'obtus et la clôture, pour y dire le *compact*, la densité doucement révélée du sentiment. La chance, ordinairement éparse et volatile, s'y enracine aussi en une épaisseur odorante de vie. Le même poids substantiel se transporte alors dans l'énormité dressée de la montagne, d'une montagne qui serait aussi une « chaîne » et nous enserrerait. La splendeur enfin, le plus souvent chez Char jaillie et éclatée, s'y referme sur soi, s'y « comprime » en une intimité vivante, y devenant une sorte d'ardeur des profondeurs. Buis et montagne composent ainsi un parfait paysage d'*intensité*. Nous y échappons au négatif de la répétition, de la monotonie automatique et endormeuse pour y découvrir la « chance » d'une vivante sédimentation du sentiment. Ou, comme le dit mieux et plus simplement Char à la femme aimée : « Vous êtes le présent qui s'accumule » (p. 85).

S'il veut symboliser cette mystérieuse et merveilleuse accumulation du présent sur lui-même — qui finit par constituer une durée — en un seul objet familier, Char choisira évidemment un fruit, et le plus exquis, le plus pudiquement méridional qui soit, l'*amande*. Comme Ponge a célébré la gloire dorée de l'abricot jusqu'à décupler la saveur de tous les abricots réels que nous suçons après avoir lu son poème, Char a pénétré l'essence secrète des amandes. En cette coque dure et pourtant duveteuse, en ce tendre bois vert recourbé sur lui-même se reproduit en effet le miracle, pour lui si précieux, d'un temps à la fois patient et éveillé, d'une finesse ruisselante, toute voisine de celle de l'amour :

> La rigueur de vivre se rôde
> sans cesse à convoiter l'exil.
> *Par une fine pluie d'amande*
> mêlée de liberté docile
> ta gardienne alchimie s'est produite,
> ô Bien-aimée (p. 31-32) !

Ascétique et rigoureuse, libre mais docile, irradiante mais caressante, succulente et fermée, telle est l'amande, « l'amande croyable au lendemain neuf » (p. 34). Car elle semble se replier jalousement sur elle-même : retranchée

du contact et de la tentation, parfaite image de la solitude :
« Je suis seul parce que je suis seul, amande entre les
parois de sa closerie » (p. 181). Mais cette solitude n'est
qu'un leurre, puisqu'elle prépare à un éclatement de sa
paroi, au jaillissement d'un bourgeon neuf, donc à une
libre communication de sa richesse. L'amande, qui abrite
une lenteur et une nuit, laisse mûrir ainsi en elle la giclée
future d'un matin. Son destin c'est d'être le lieu, ou plutôt,
comme le dit Char, la « base » d'une insoumission (« base »
étant pour lui la même chose que « sommet ») :

> L'heure la plus droite c'est lorsque l'amande jaillit
> de sa rétive dureté et transpose ta solitude (p. 58).

Chez Georges de La Tour aussi, chaque visage est une
amande dont la lueur « transpose », entendons entrouvre
et fait rayonner vers un dehors une solitude essentielle.
Sans négation d'aucune sorte, sans bris de clôture ni de
conscience, le monde y découvre la vertu d'amitié.

Du côté d'Héraclite, au contraire, le paysage se construit
comme un antagonisme actif, il devient drame. Il gouverne
non plus un projet de tendresse, mais un vœu de
contraction. C'est que l'unité ne s'obtient pas pour
Héraclite, ni pour le Char héraclitéen, en une simple
cohabitation des antithèses : contiguïté, alternance, involution mutuelle ni même ambiguïté ne leur paraissent des
schèmes suffisamment puissants pour faire se dresser au-
dessus de l'épars l'évidence d'une identité. Ils ne s'es-
timent satisfaits que lorsque le divers s'est crispé sur lui-
même, lorsque chaque élément indépendant de la gerbe
des choses a trouvé son contraire, s'est affronté à lui, l'a
éprouvé et violé, l'a nié, et s'est nié en lui. A la facilité
des juxtapositions imaginaires Héraclite substitue la surprise du choc, les vertiges d'une négation active et mutuelle
qui voudrait déboucher sur un avènement, sur l'accou-

chement d'un être neuf. La violence du heurt, qui en constitue le centre, et comme le noyau, situe alors chaque aphorisme en un climat d'énigme, presque de prophétie. Le laconisme du langage assure enfin la fulgurante sécheresse du contact.

Toute la vertu poétique d'Héraclite tient donc à une certaine philosophie de la *rencontre :* thème qui occupe aussi, et ce n'est point hasard, une place centrale dans la mythologie personnelle de Char. Comme les contraires héraclitéens s'attirent afin de se pénétrer et briser les uns les autres, ce ne sont ici que *chemins* destinés à nous conduire vers l'inquiétante merveille d'un autrui, de l'être à la fois frère et ennemi dans l'épreuve duquel nous accomplirons et détruirons notre existence : «sentiers invisibles» (p. 15), «chemin du secret» qui «danse à la chaleur» (p. 60), qui «vole» autour de la femme aimée comme «un parterre de souris se chamaillant» (p. 61), lieux vibrants, aimantés, à peine dessinés à travers l'aridité du maquis ou des roches pour y marquer le champ, tout linéaire, d'une réunion. Comme Cayrol, Perse ou Reverdy, peut-être comme tout poète, Char aime l'ouverture du chemin, le tournant de la route. Il les foule d'un pied léger, chaussé d'espadrilles, y croisant quelquefois un être très simplement miraculeux :

> A l'époque de la cueillette, il arrive que, loin de leur endroit, on fasse la rencontre extrêmement odorante d'une fille dont les bras se sont occupés durant la journée aux fragiles branches (p. 11).

«Pareille à une lampe dont l'auréole de clarté serait de parfum», cette demi-fée, devant qui l'on s'écarte avec respect, nous prodigue d'abord l'arôme irradié de sa présence. Puis, à mesure que nous nous approchons d'elle, que l'intervalle d'elle à nous se rétrécit, cette ambiance parfumée paraît s'ouvrir, se creuser comme pour nous accueillir : la transparence d'air qui baignait la passante, qui lui permettait de garder pour elle seule son secret, se fend soudain, et nous voici admis au plus nu d'elle-même, à sa part la plus intimement, la plus heureusement créatrice :

> ... votre visage... si libre qu'à son contact le *cerne
> infini de l'air se plissait, s'entrouvrant à ma rencontre,*
> me vêtait des beaux quartiers de votre imagination
> (p. 13).

Toute rencontre brise en effet un «cerne», découvre une double liberté, épand autour d'elle «les richesses d'un cœur qui [a] rompu son étau» (p. 13), nous rend des «moulins à soleil» (p. 13).

Cette rupture, notons-le, est aussi un éclatement d'intimité. Tout sentiment profond nous pulvérise. Et de fait quelque chose d'orageux, de dangereusement électrique précède toujours et entoure pour Char les jonctions heureuses. C'est que, comme les surréalistes, il tient la rencontre pour une chance qui serait aussi un signe. Il voit en elle le produit d'une mystérieuse et nécessaire étincelle de hasard. Breton poursuit Nadja à travers le Paris le plus fantastiquement réel, mais Char rencontre Madeleine dans les couloirs du métro juste au moment où il rêve à la Madeleine de La Tour. De telles conjonctions s'entourent d'un climat d'étrangeté, quelquefois même d'une suggestion de galvanisme : «Je te découvrirai à ceux que j'aime, *comme un long éclair de chaleur,* aussi *inexplicablement* que tu t'es montrée à moi, Jeanne» (p. 161). Cet inexplicable, qui fulgure en nous comme une grâce, réussit donc à illuminer la vie : comme de deux silex heurtés jaillit une étincelle — et un parfum de poudre —, de deux ingénuités brusquement mises en contact sortira «l'angle fusant d'une Rencontre» (p. 70). Rapport à la fois aigu et éclatant, sécheresse devenue feu d'artifice. Mais cette fusée, issue de la nudité acérée de la rencontre, est aussi bien capable de nous foudroyer à l'instant où nous nous sentions comblés par elle. D'où la beauté de ce conseil étrange :

> Ne cherchez pas dans la montagne ; mais si, à quelques
> kilomètres de là, dans les gorges d'Oppedette, vous

rencontrez la foudre au visage d'écolier, allez à elle,
oh, allez à elle et souriez-lui car elle doit avoir faim,
faim d'amitié (p. 88).

Et pourquoi sourire à cette foudre enfantine, pourquoi
lui donner notre amitié, sinon parce que l'amitié elle-même
nous foudroie ?

Telle est l'essence périlleuse de la rencontre : l'autre
nous y accorde sa «part de mystère» (p. 166), et c'est
aussi le secret dont nous avions besoin, la «signification
qui nous manquait» (p. 191) ; mais cette signification se
révèle mortelle et nous ne la saisissons qu'en nous y
détruisant. Entre éveil et annulation il y a donc tangence.
Tout le charme d'autrui réside dans l'abolition qu'il nous
promet. La séduction sera pour Char vertige, approche
fascinée d'un incommunicable — qui nous sera pourtant
communiqué par l'acte où nous nous dissoudrons. Plusieurs allégories illustrent ce thème primordial. Ainsi, dans
Compagnie de l'écolière, une jeune fille, livrée d'abord à
la magie de l'un de ces «chemins qui marchent», s'y
laisse aborder par un «vagabond étranger». Celui-ci tient
entre ses dents une fleur. Quand il s'éloigne, la voici toute
transformée : «Sous les osiers vous étiez grave / Vous
ne l'aviez jamais été / Vous rendra-t-il votre beauté / Ma
fille ma fille je tremble.» Mais à quoi tenait le prestige
de cet étranger, quel irrésistible secret pouvait donc bien
dissimuler cette fleur insolemment mordue ? Rien d'autre
qu'un néant, une future négation de moi, dont l'image me
fascine et me transforme, m'accomplit en me renouvelant :

La fleur qu'il gardait à la bouche
Savez-vous ce qu'elle cachait
Père un mal pur bordé de mouches
Je l'ai voilé de ma pitié
Mais ses yeux tenaient la promesse
Que je me suis faite à moi-même
Je suis folle je suis nouvelle
C'est vous mon père qui changez (p. 121).

Merveilleuse et paradoxale conclusion : le père change en demeurant ce qu'il était, c'est-à-dire en n'acceptant pas la vérité de la rencontre, ni la révélation annulante du mal : mais la fille reste fidèle à elle-même en changeant, en se laissant bouleverser par la folie de ce contact, par la magie d'une promesse qui la détruit et renouvelle. La même moralité se dégage encore de l'apologue intitulé *le Mortel Partenaire,* poème fort normalement dédié à Maurice Blanchot, puisqu'il s'y agit d'une expérience familière de la négation. La rencontre y unit cette fois et déchire deux boxeurs maladroitement enlacés : ils semblent même avoir renoncé à se cogner l'un l'autre, au moment où le premier prononce à l'oreille de l'autre «des paroles si parfaitement offensantes, ou appropriées, ou énigmatiques, que de celui-ci fila, prompte, totale, précise, une foudre qui coucha net l'incompréhensible combattant». Ici encore l'énigme du contact—de la parole chuchotée dont on ne sait si elle est «appropriée» ou scandaleuse, ou, ce qui est le plus probable, les deux en même temps—y provoque un foudroiement de celui qui a provoqué le contact, qui l'a «mis», comme on dit en termes d'électricité. Une fois de plus, la jonction passionnelle électrocute. «O dédale de l'extrême amour» (p. 191).

Ces dédales prennent cependant leur évidence la plus convaincante, ils nous apparaissent comme des chemins rectilignes au moment où Char engage en eux non plus des allégories ou des paraboles, mais ses rêveries les plus profondes : par exemple celles de l'étroitesse ou de l'acuité. Il est ainsi normal, heureusement fatal, que le requin tranchant cherche pour lui à rejoindre la mouette aiguë, que le martinet, si pure ligne ailée, succombe à la fascination du «mince fusil» (p. 105) qui va l'abattre, que l'éclatante alouette s'empiège à l'étincelle du miroir qui la perdra. En tous ces couples amoureux et ennemis, le rapport est bien celui —similitude, antithèse, abolition— que nous avons décrit. Mais il atteint sans doute à sa perfection dans l'arène espagnole, avec la danse, à la fois nuptiale et mortelle, qui a pour partenaire taureau et torero. D'où cet admirable poème, lui aussi d'une rigueur, d'une intensité peut-être inégalées :

Il ne fait jamais nuit quand tu meurs,
Cerné de ténèbres qui crient,
Soleil aux deux pointes semblables.

Fauve d'amour, vérité dans l'épée ;
Couple qui se poignarde unique parmi tous (p. 173).

Unique parce que son accouplement y est celui, épée et cornes, des deux acuités les plus dangereusement fraternelles. Voici l'archétype même de la rencontre : toute grande tauromachie nous impose les figures d'un déchirement devenu tangence et danse, d'une acuité esthétiquement muée en amitié, d'une sorte d'appariage sensuel fondé sur l'antagonisme le plus éclatant des lumières, des vertus et des règnes. D'un côté une animalité massivement et sauvagement ruée, de l'autre l'humanité la plus élégante, la plus fragile, la plus finement cambrée ; et des deux côtés la même *noblesse,* c'est-à-dire la même sincérité d'engagement. A l'ombre épaisse de la bête répondent la silhouette, la lumière filigranée de l'homme. Chacun se fait alors pour l'autre un « mortel partenaire » : il l'attire à lui, le caresse, le trompe pour le nier. Et lorsque après mainte feinte, mainte mort mimée ou prophétisée, cette négation se réalise enfin, lorsque le taureau s'écroule sous l'épée, la conclusion est celle que nous devions attendre : un double éclatement positif de bruit et de lumière. La nuit de l'agonie hurle, le noir du taureau devient un déchirant soleil, un feu fulguré par le double élan des cornes : la mort crie, éclaire : elle *vit*.

Nous voici au bout, ou si l'on veut au cœur de notre chemin : car le but final de la rencontre n'était point de détruire les deux êtres qui s'étaient en elle rencontrés, mais de produire, à partir de cette destruction même, le dégagement d'un nouvel être. La *métaphore,* en poésie, n'agit pas autrement, qui accouple deux termes dans l'énergie de la plus violente et laconique contraction, afin de les faire s'annuler et de produire, au-dessus d'eux, une signification supérieure. Toute poésie est donc en un sens tauromachie : assassinat rituel, mutuel, de certains objets ou concepts par force réunis, afin que se dégage d'eux, comme du taureau agonisant, une sorte de lumière noire. L'obscurité résultante du poème n'est rien d'autre alors sans doute que l'éblouissement de l'impossible réalisé, de l'antithétique brusquement devenu identité. « J'aime qui m'éblouit, dit Char, puis accentue l'obscur à l'intérieur de moi » (p. 238). Peut-être faudrait-il même supprimer ici le *puis,* et comprendre que c'est le noir qui illumine, parce que justement il « renferme l'impossible vivant », parce que « son champ mental est le siège de tous les inattendus, tous les paroxysmes » (p. 65). Au moment en effet où « les contraires — ces mirages ponctuels et tumultueux » — se sont ponctuellement et tumultueusement niés, se produisit un « impact », un renversement physique des perspectives, un basculement des « abîmes qui portent de façon si antiphysique le poème » (p. 219) : et cela aboutit au surgissement d'un espace nouveau qui est la *signification* même du poème.

Il serait facile de vérifier en maint poème de Char la réalité d'un tel effet. Je n'en prendrai que deux exemples, parmi les plus simples. Lorsqu'il écrit, par exemple, posant avec le maximum de force l'équation de son déchirement intime, « l'éclair me dure » (p. 274), cette négation brutale et réciproque du moment électrique et du temps continu, nous empêchant d'adhérer à toute solution intermédiaire, nous laisse comme seule ressource la notion focale d'un *moi,* ou plutôt ici d'un *me,* placé à la fois au milieu et au-dessus des deux extrêmes, affecté directement par chacun d'eux, déchiré par leur opposition, les dominant pourtant et réussissant à vivre, de manière impossible, mais vraie, en une sorte d'éternité culminante composée d'une synthèse d'instant et de durée. Ou relisez cette autre admirable injonction : « Ne regardez qu'une fois la vague jeter l'ancre dans la mer » (*la Parole en archipel,* p. 152) :

et vous voici contraints, revivant le poème, comme toute grande maxime, à partir de sa fin, de nier la mobilité marine par l'ancre qui se fixe en elle, puis celle-ci par la volubilité roulante de la vague (et pourtant la vague s'enfonce bien, l'espace d'un éclair, dans la profondeur maritime, elle « s'ancre » réellement en elle), celle-ci enfin par l'aigu du regard qui en refuse le déroulement infini pour s'arrêter une seule fois sur lui. A nouveau instant et durée, éclat et profondeur, acuité et nappement alternent ici et se détruisent : mais le vertige de leur inlassable négation n'est autre aussi que l'essence active, positive, de la mer...

Ce à quoi vise Char à travers le choc exaspéré des antithèses, c'est à la naissance de ce qu'il nomme une *sérénité crispée :* entendons un calme situé au-delà de la contraction et supporté par elle, une sorte d'avenir réconcilié de l'expression. Plus qu'aucune autre, sa poésie est projet, élan vers, aspiration de cet «*en avant de nous* qui murmure notre naufrage, déroute notre déception » (p. 239). Comment, en effet, « vivre sans inconnu devant soi ? » (p. 233). Cet horizon d'inconnu, cet espoir du « grand lointain informulé », du « vivant inespéré » (p. 55), ce sont eux qui portent le poème, l'élevant au-dessus de ses données premières et l'aidant à dépasser sa contradiction, car « la réalité ne peut être franchie que soulevée » (*la Parole en archipel,* p. 152). Et si ce franchissement demeure bien souvent pour nous espoir et vœu, rien ne nous interdit de rêver à l'état idéal auquel il nous introduira : synthèse d'opacité et de transparence, rencontre sonore de langage aboutissant à un mutisme, diversité durement contractée en unité, telle est finalement pour Char l'utopie du poème. Une substance concrète en rassemble quelquefois en elle les valeurs : froide et brûlante, limpide, cristallisée et comme durement resserrée sur elle-même, c'est la *glace,* ou mieux, le *givre,* dont la texture encore parcellaire semble conserver en elle un souvenir de la diversité qu'elle vient de réconcilier. C'est ainsi que « parole, orage, glace, sang », ces essences originelles et antinomiques de notre expérience, finiront dans l'action insurgée, mais surtout dans le poème, par « *former un givre commun* ». Mais si « notre éternité est de givre » (p. 138), si elle scintille comme un temps calmé, et cependant encore à demi frissonnant, elle est le plus souvent pour Char de *vide*, et se lie à une certaine rêverie de la translucidité fuyante : l'espace verbal de notre réunion future lui apparaissant alors comme une sorte de creux vivant, comme une absence. « L'instant final » affirme le poète, c'est en effet celui « où toute chose en mon esprit, par fusion et synthèse, étant devenue absence et promesse d'un futur qui ne m'appartient pas, je vous prierai de m'accorder mon silence et mon congé » (p. 259). Dans le poème, le poète donc se réalise et il s'annule ; toute réussite poétique est à la fois culmination et effacement. Char, qui avait commencé son aventure dans l'élan d'une inspiration toute rimbaldienne (matin, éclatement, insurrection), l'achève ainsi, assez curieusement, sur une « opération » dialectique et un sacrifice de soi qui nous font songer à Mallarmé. Pour lui aussi, ce qui n'est pas s'affirme le seul lieu où réaliser pleinement ce qui est : la conscience y découvrant « que ce qu'elle nomme, à la légère, *absence,* occupe le *fourneau* dans *l'unité* » (p. 15).

C'est donc dans ce « fourneau », dans ce lieu fictif et idéal situé au-delà du poème que celui-ci réalisera vraiment son alchimie. Comme chez Mallarmé encore, l'absence ou la nuit semblent attirer en elles les divers éléments de l'expérience, afin de les aider à mutuellement s'y accomplir : « Dans la nuit, le poète, le drame et la nature ne font qu'un, *mais en montée et s'aspirant* » (p. 289). Dans cette « aspiration » on ne sait plus, il est vrai, quelle est exactement la part de la propulsion inférieure — la force issue du mariage heureux des divers termes accouplés — et celle de l'attraction supérieure, le vertige de l'état final auquel tend irrésistiblement la métaphore. Char, définissant la poésie comme un « inconnu équilibrant » *(En trente-trois morceaux),* nous suggère qu'en elle, que par elle, cette double énergie n'est qu'une, et qu'un mystère devenu familier, qu'une transcendance doucement descendue parmi les choses pourront seuls nous y dévoiler leur vérité et leur aplomb. Dans certaines conditions exceptionnelles, que le langage poétique s'efforce justement de provoquer, il semble que le futur parvienne ainsi à *modeler* le présent : « mais l'avenir qu'ils ont ainsi éveillé d'un murmure, les devinant, les crée » (p. 191).

Et, certes, cet éveil miraculeux, cette paradoxale création entraînent aussi avec eux certains risques. Convaincu de sa toute-puissance créatrice, pénétré de ce don qu'il possède de renverser magiquement l'habituel ordre causal de la durée, le poète pourra connaître la tentation de parler à partir de ce futur, de ce lointain encore inexistants, de s'adresser à nous, à lui, à son poème, comme une sorte d'impérieux prophète de l'absence. Au lieu d'élever douloureusement la diversité concrète vers le vide réconciliant d'une altitude, il lui sera loisible d'élire dès le départ une certaine hauteur (de voix, de certitude), bref, d'adopter *a priori* une façon d'enjoindre et de nommer qui suppose le problème résolu avant d'en avoir éprouvé réellement la déchirure. Les plus grands poètes, Hugo, Mallarmé et, plus près de notre propos, Perse, Bonnefoy même, n'échappent pas toujours à ce danger, à cette tentation d'*angélisme* (ou de satanisme, ou d'humanisme) qui semble inséparable de l'invention personnelle d'un langage. La poésie s'institue alors *elle-même* comme une sorte de religion verbale, *avant* la réalisation effective de son miracle : dangers du gonflement verbal de Perse, de la préciosité mallarméenne de l'idée, de la non-philosophie mystique de Bonnefoy... Chez René Char, l'impatience de l'allure, la rapidité catégorique du trait, la conscience, d'ailleurs justifiée, de la noblesse et de la vertu qu'irradie autour de lui le moindre geste poétique, tout cela fait que quelquefois la réalité paraît *décoller* un peu de l'expression, prendre par rapport à elle du retard, rester *à la traîne*... Le poète, comme l'aigle, « est au futur » : mais ce merveilleux tropisme ne risque-t-il pas de lui faire quelquefois négliger toute l'immédiate — Rimbaud dirait la «rugueuse» — réalité de son présent?

Si Char échappe finalement à ce danger, c'est qu'il possède au plus haut degré le don de fidélité terrestre, la qualité de modestie. Il sait bien que la poésie, quelquefois merveille, est aussi le plus souvent travail, souffrance, qu'elle naît au contact le plus humble de l'autre et de l'objet, dans l'erreur, la «brindille», «la paille d'innocence» (p. 274) qui éclairera soudain tout le réel. De ses opérations on ne pourra donc jamais attendre certainement la réussite : on ne pourra que prier pour cette réussite, que supplier le poème de bien vouloir, de lui-même, s'accomplir. La beauté du plus célèbre des poèmes de Char, *le Requin et la Mouette,* tient ainsi, il me semble, à la qualité d'incertitude optimiste qui en affecte toutes les découvertes. Car il s'agit ici encore d'un poème de la rencontre, mais d'une rencontre seulement souhaitée. Pour qu'elle se produise vraiment, pour que la mer, «la grande volière sauvage», ce lieu d'une triomphale insurrection, soit aussi «la mer, crédule comme le liseron», le champ d'un tendre et naïf acquiescement, il faudrait un mariage du requin et de la mouette, une synthèse des deux grandes directions imaginaires dont la réunion constitue le projet poétique de Char. Cette jonction se vérifierait alors dans la courbe unifiante d'un arc-en-ciel : et elle serait aussi bien un dégagement, une fuite en avant, un départ dans l'avenir, un retour à l'origine. Mais tout cela n'existe encore qu'à l'optatif, sur le mode de l'invocation :

> O vous, arc-en-ciel de ce rivage polisseur, approchez le navire de son espérance... Faites que toute fin supposée soit une neuve innocence, un fiévreux en avant pour ceux qui trébuchent dans la matinale lourdeur (p. 80).

René Char

Telle est la prière de René Char. Je la trouve plus vraie, plus émouvante en tout cas que bien des certitudes affirmées. Et je préfère peut-être à tant de matins triomphaux cette fièvre hésitante, ce trébuchement, la maladresse de cette « matinale lourdeur ».

Août 1961.

Paul Eluard

> Là je reviens au monde entier
> Pour rebondir vers chaque chose
> *Poésie ininterrompue*, II, p. 12.

Couronnée de mes yeux
Voici la tête la plus précieuse
Elle apparaît petite elle est jeune
Nous sommes face à face et rien ne nous est invisible

(p. 140[1])

Tel est l'événement qui fonde en Eluard la poésie. Tout commence pour lui avec le surgissement d'un autre, d'une petite tête précieuse qui le regarde et qu'il regarde : cet échange suffit à illuminer le monde et à faire naître en lui une possibilité infinie de sens. Eluard obtient donc dès l'abord, comme une grâce venue de l'extérieur, ce que d'autres cherchent vainement toute leur vie : la saisie d'une mutualité, l'évidence d'une jonction véritablement créatrice. Le *face à face,* voilà bien ici la figure même de toute fécondité, de toute intelligence. Avant les paroles, les images, les paysages même s'affirme, pour et devant le poète, la présence ardente d'un autrui, d'un *toi* miraculeusement jailli sur fond d'espace — « Ta chevelure d'oranges dans le vide du monde » (*Capitale de la douleur,* p. 138)—, *toi* par rapport auquel seul le moi pourra commencer à être. Saluons donc en Eluard un grand poète de l'amour, mais ajoutons tout aussitôt que l'amour

1. Sauf indication contraire, les références renvoient au *Choix de poèmes,* Gallimard, 1951.

précède pour lui, qu'il conditionne même formellement la poésie. Dans le rapport, amoureux, amical, politique, reconnaissons ici comme une véritable forme *a priori* de l'expérience. Sans l'intuition initiale d'un *avec*, l'univers pour Eluard se tait, s'éteint, se décompose ; soutenu par une telle relation, le monde trouve au contraire son relief, son orientation, il prend une structure, devient un champ. Ce champ n'est point, comme chez Breton, *champ magnétique*, espace strié par des décharges d'au-delà, ni sensibilisé selon les lignes d'une électricité de l'inconnu : mais champ optique, réflexif, absolument immanent à notre monde, aimanté par le jeu des regards, le croisement des significations humaines, la circulation de la lumière, et le transit de ce que Breton lui-même nommait, à propos de *Capitale de la douleur,* « les grands mouvements du cœur ». Ce champ possède ses deux pôles : un *moi* et un *toi* amoureusement réfléchis l'un dans l'autre, distants mais réunis par leur distance même, y forment, dit Eluard, un « miroir au cœur double » (p. 140) : dualité dans le cœur concave de laquelle ne vibre en réalité que l'intime, et pourtant aussi la spatiale, l'externe réciprocité d'un *nous*.

Entre les deux bornes de ce *nous,* comment va fonctionner le sens ? Il semble épouser d'abord le mouvement d'un va-et-vient, tel un écho, ou un reflet. Quelque chose se meut d'un partenaire à l'autre, cognant l'un, rebondissant sur celui d'en face, revenant sur le premier, repartant sur le second, en une circulation indéfinie. Comme deux joueurs de tennis se réexpédient la balle, nos yeux, dit Eluard, « se renvoient la lumière » *(l'Amour la Poésie).* Mais ce mouvement d'aller-retour recouvre en réalité une relation bien plus subtile. Car si chacun s'y voit lumineusement dans le miroir qu'est devenu pour lui l'œil de l'autre, il y voit aussi l'autre le voir, se voir en lui, le voir en train de voir, et de se voir, si bien qu'il ne distingue plus en fin de compte quelle est, dans cette image récupérée de soi, la part de la seule réverbération et celle de l'interprétation, ou du message. L'énigme du regard regardé, c'est que le reflet n'y peut pas être, comme en un miroir ordinaire, simple résorption médiate de soi-même, mais qu'il s'accompagne toujours de quelque chose d'autre, d'un apport étranger de sens, de jugement ou de lumière. Que la réflexion ne se sépare pas pour Eluard de l'offre, cela s'indique bien par la parenté que possède chez lui le thème du regard avec le motif de la main tendue : main réfléchie elle aussi dans la main vers laquelle elle s'ouvre : cette « main tendue vers moi / Se reflète dans la mienne » (p. 137), ces « mains claires et compliquées nées dans le miroir clos des miennes » (p. 166) nous assurent, au plus obscur du geste de rencontre, de la valeur oblative du reflet.

Si donc Eluard désire si ardemment « voir clair dans les yeux des autres » *(les Yeux fertiles)*, s'il souhaite voir « tous les yeux réfléchis par tous les yeux » (p. 199), s'il veut que ses propres yeux « soutiennent un réseau de regards purs », bref, s'il vise, à travers l'amour, l'amitié, ou l'action politique, à une sorte de mise en réverbération totale de l'humain, ce n'est pas, comme un Mallarmé par exemple, par goût de la conscience réflexive : c'est plutôt parce que le rapport — et il n'est pas pour lui de rapport plus pur que le visuel — supporte une fécondité de l'être, et que les yeux dans lesquels je me regarde deviennent en me regardant des *yeux fertiles,* des yeux aussi qui me rendent fertile... L'œil-miroir est donc également œil-foyer : foyer parce que miroir, miroir parce que foyer, les deux fonctions de l'ocularité s'engendrent ici et se soutiennent l'une l'autre. Il suffit ainsi que deux êtres aimants se contemplent l'un l'autre pour qu'ils deviennent l'un et l'autre origine infinie de vie et de lumière. « Mon œil, logis sans fondations sans murs d'où je rayonne » (p. 221), correspond à ton œil comme à « l'espace de la flamme » (p. 181), espace « sans secrets, sans limites » (p. 122), sans fond, sans ombre ni remords, qui peut indéfiniment verser hors de lui-même « des larmes, des caresses, des sourires... ». Où se situe la source de cette double générosité ? Ni chez moi, ni chez toi, dans la transparence plutôt qui nous sépare et nous relie, nous stimulant ainsi à être l'un par l'autre, l'un pour l'autre. «*Entre des yeux qui se regardent,* dit Eluard, *la lumière déborde*» (p. 157)—débordement directement issu d'un *entre* créateur. C'est bien le rapport qui engendre ici le regard, le regard qui crée la vision, la vision qui autorise le visible.

Le visible, pourtant, c'est son essence même, n'existe encore pour nous que sur le mode nécessairement limité du *vu :* c'est un espace vide que traversent les faisceaux fulgurants de nos regards. Mais transparence n'est pas possession, et cette vacuité, Eluard sent bien qu'il lui faut la combler par une initiative moins transitive, plus permanente que celle de la vision. Même après la réciproque illumination du *nous,* il connaît l'angoisse de l'étendue déserte, des sites inhumains, ainsi *places* «si grandes», où «nous avions tant besoin d'être serrés» (p. 14), *plages,* ou *vitres,* tous lieux négativement ouverts, et dans le creux desquels la vie se sent comme figée («Au centre de la ville, la tête *prise* dans le *vide* d'une *place...* ») (p. 157[1]). Ce qu'attendent de nous ces vastes pans immobilisés d'espace, c'est que nous allions personnellement, physiquement les occuper. Le rayonnement visuel devra pour cela se faire exploration, voyage. On ouvre alors la porte, et l'on sort de chez soi : «La rue est bientôt là. On y court, on y marche, on y trotte» (p. 29). Ou bien, plus simplement, on s'engage sur une route, la route qui «part de mon front» (p. 232), route bientôt multipliée, diversifiée en un «arc-en-ciel de routes», puis compliquée par les rencontres opérées avec les chemins venus d'en

---

1. Ce thème est l'un de ceux qu'a étudiés Raymond Jean dans son excellent article d'*Europe* (nov.-déc. 1962), intitulé «Les images vivantes». Mon analyse retrouve à diverses reprises les conclusions de cette étude (ainsi sur la barque, le rire, le filet, etc.) dont je tiens à signaler, avec gratitude, la justesse et la profondeur. Cf. aussi la bonne étude de Jean Onimus, «Les images de Paul Eluard», *Annales de la faculté des Lettres et Sciences humaines d'Aix,* 1963 : je ne l'ai lue qu'après l'achèvement de cet essai, et me plais à souligner entre nous mainte rencontre.

face, ou d'ailleurs, car « les routes toujours se croisent »
(p. 425). Cette rêverie d'un espace dynamiquement investi
et arpenté pourra, tout en conservant sa valeur fondamentale d'expansion, s'affecter d'une nuance intime : la force
qui conquiert l'étendue ne sera plus alors l'avancée
terrestre d'un chemin, mais l'élan d'un bateau sur une
vague, bateau clos sur lui-même comme un fruit mûr et
doux (« Ne peux-tu donc prendre les vagues / Dont les
barques sont les amandes / Dans ta paume chaude et
caline ? » *Capitale de la douleur,* p. 101). Recourbé dès
le départ sur soi par le geste d'une relation féconde,
l'espace se voit ici en outre sillonné par le parcours de
mille petites intimités secondes qui en répètent en elles
— mais en animent aussi de toute leur mobilité —
l'essentielle structure. La valeur primordiale restant toujours celle de migration, d'enfoncement tactile, d'agilité
ouverte : « sentiers éveillés,... routes déployées,... places
qui débordent »... (p. 278), voilà bien pour Eluard quelques
instruments heureux de notre liberté.

Cette liberté, reconnaissons-en sans erreur la double
essence : spirituelle et visuelle en son commencement,
charnelle en son développement et son aventure. « Chemins de chair et ciel de tête » (p. 99), tel est ici l'espace
vécu de l'effusion. Les terrains que routes ou regards
n'avaient fait encore que traverser, la chair donc les
occupe, les nappe tendrement de sa lumière. « Tu es
venue », dit Eluard à Dominique,

> Le feu s'est alors ranimé
> Et la terre s'est recouverte
> De ta chair claire (p. 425)...

Claire, la chair, parce qu'essentiellement expansive et
rayonnante. Entre chair et lumière n'existent ici qu'une
différence de degré, que des variations de fluidité ou
d'énergie : la chair étant une clarté plus lourde, moins
agile, plus opaque, mais plus succulente aussi, plus liée,
plus chargée de rêves et d'humeurs. Du visuel au charnel
se produiront ainsi maints transferts. Si la vue revêt chez

Eluard une réalité toute matérielle, s'il écrit, par exemple, que « voir s'étendait au loin comme un corps rayonnant » (p. 402), la chair peut en revanche émaner, naître directement de l'œil lui-même : « Son corps est un amoureux nu / Il s'échappe de ses yeux » (p. 234). Relation étonnante, mais qu'explique assez bien le parti pris éluardien de ne pas tenir le corps pour une lourdeur recrue sur elle-même, pour le site clos d'un organisme ou d'une individualité, mais de le considérer comme jaillissement vital hors de sa propre essence, comme projet ou désir d'un autre corps. L'aimantation amoureuse des chairs répond très exactement ainsi à la provocation réflexive des regards. Ici encore, c'est le rapport qui est premier, créant, de par son seul surgissement, les termes qui lui permettent ensuite d'exister. Se mettant en effet à vibrer entre les deux foyers personnels de l'aventure, le désir leur accorde la grâce de s'épanouir, de s'ouvrir charnellement l'un à l'autre :

> Mais *entre nous*
> Une *aube naît* de *chair ardente*
> Et bien précise (p. 339)...

Que cette émanation charnelle soit extérieurement bloquée par la contre-pression d'un tabou, d'un conformisme, ou par le poids imposé d'une solitude : c'est le thème maléfique du corps pétrifié, de la *statue,* souvent isolée en outre dans le vide des places. Laisse-t-on au contraire à cette « aube » de chair la liberté d'aller jusqu'au bout de son voyage, c'est l'heureuse figure de la *caresse,* jonction voluptueuse, « pont tremblant de la chair enfin délivrée » (*Europe,* numéro spécial, p. 7). Encore convient-il de préciser que cette jonction n'exclut pas l'ambiguïté, ni même le malaise : car si elle permet aux deux corps amoureux de s'éveiller lumineusement et fulguramment l'un l'autre — Eluard se dit « à l'affût d'une caresse *corps avec la foudre* » (p. 144) ; « d'une seule caresse », écrit-il, « *Je te fais briller* de tout ton éclat » (p. 95), ou bien : « Les mains *se font jour* de leur sang / *De leur caresses* »

(p. 96) —, la tendre contiguïté que la caresse instaure risque aussi d'étouffer voluptueusement la relation, d'aveugler donc l'espace du désir, bref, d'éteindre les corps en les embrasant trop bien. Ainsi dans les quatre vers suivants, qui détaillent exquisement les diverses figures (réciprocité des routes, chair lumière, proximité croissante, abolition fulgurante du visible et du pensé) d'une mutuelle séduction :

Aux flancs de ton sourire un chemin part de moi
Rêveuse toute en chair lumière toute en feu
Aggrave mon plaisir annule l'étendue
Hâte-toi de dissoudre et mon rêve et ma vue (p. 348).

L'idéal serait sans doute de sauver ici cette étendue, de préserver la vue au plus épais de la caresse ; il faudrait conserver, dans la merveille du contact, l'originelle vertu de transparence. Eluard désire en effet que l'espace interpersonnel, que le monde soit à la fois épousé et traversé ; il veut adhérer à lui comme à une substance — ainsi chair, plume, mousse, fruit mûr, mot qui « fond dans la bouche » —, mais il souhaite aussi pouvoir continuer à l'éprouver comme un intervalle, comme une étendue ouverte et parcourable, dans laquelle il sente battre, en tous sens et de tous côtés, la vie mobile issue de son double foyer. L'objet dont la rêverie lui permettrait d'assouvir ce double vœu — transparence et contact, limpidité et plénitude —, ce serait par exemple cette chair active et fluide, ce mouvement-substance : notre sang. Ardent et liquide, tendre et sauvage, lui seul nous permet en tout cas de tenir le pari du regard, ce souhait de voir « Clair avec mes deux yeux / Comme l'eau et le feu »... (*Capitale de la douleur*, p. 12). C'est tout normalement ainsi que l'expansion optique se mue pour Eluard en épanchement sanguin — que « le monde entier dépend de tes yeux purs / Et tout mon sang coule dans leurs regards » (*ibid.*, p. 143) — ou même que le sang rêvé s'avère moyen direct d'illumination et de connaissance : « Je lirai bientôt dans tes veines », peut dire le poète à l'aimée, « Ton sang te transperce et t'éclaire» *(l'Amour la Poésie).* Diverses liaisons imaginaires soutiennent ce dynamisme de la vie sanglante ; la plus importante décèle une analogie de fonction entre les routes, dont nous savons la valeur expansive, et les vaisseaux sanguins qui conduisent eux aussi le flot vital hors d'un foyer actif, le cœur, vers une périphérie — visage, mains, peau, lèvres, seins — librement ouverte aux jeux du désir et de l'espace. Eluard surprend ainsi dans l'ombre du corps aimé les «éclairs des veines» *(Capitale de la douleur,* p. 19), il écoute le «battement du sang par les chemins du monde» (p. 395), il suit «les chemins tendres» que trace un «sang clair» parmi les créatures comme une «mousse» recouvrant le désert (p. 257). Ces chemins ne connaissent pas de bornes, car «le rang mène à tout / C'est une place sans statue / sans rameurs sans pavillon noir / Une place nue irisée» (p. 102), où se croisent les voies de mille expansions possibles. Ces voies, en vertu de la parenté sang-sève, peuvent prendre d'ailleurs forme végétale : la flamme, par exemple, est pour Eluard «la nuée du cœur / Et toutes les branches du sang» (p. 418), ce qui relie encore le thème d'une humeur à la fois brûlante et volatile — le «sang léger aérien» (p. 224) — à la rêverie si importante, et analysée plus loin, du buisson ou du réseau.

A travers ces nuées, ces feux, ces lacis artériels circule une même allégresse, due au phénomène vital du *battement.* Que le sang batte, c'est bien là en effet l'un des signes les plus évidents de l'être, d'un être qui s'affirme à travers la pulsion des gouttes successives comme naissance répétée, création indéfiniment continuée. Création à partir de quoi ? De rien, nous suggère Eluard, ou du moins d'un blanc initial, d'une viduité féconde. Dans le battement du sang nous imaginons alors l'énigme de son origine, nous rêvons au paradoxe d'une cause sans cause, nous voulons

Être la source invariable et transparente
Toujours être au cœur blanc une goutte de sang
Une goutte de feu toujours renouvelée (p. 337)...

Ce don d'interne palpitation peut marier alors le sang à d'autres thèmes de frissonnement et de dissipation, ainsi *rire, vent, chaleur.* Qu'on lise par exemple les cinq vers suivants où se chante, sur le mode féroce, une merveilleuse allégresse estivale :

> Toits rouges fondez sous la langue
> Canicule dans les lits pleins
> Viens vider tes sacs de sang frais
> Il y a encore une ombre ici
> Un morceau d'imbécile là (p. 168)...

Rien de plus éluardien, me semble-t-il, que cette triple invocation à l'ouverture — toits abolis —, à la fusion voluptueuse de l'espace — tuiles liquéfiées et savourées — et à un déversement tout à la fois sanglant et calorique, qui comporte d'ailleurs, comme si souvent ici, une conclusion morale : nettoyage radical de la négativité humaine et naturelle (ombre, imbécile). Quant au vent, sa vibratilité, sa légèreté, sa passion des déracinements et des départs lui permettent d'épouser sans peine la logique rêvée de l'hématisme. Il le fait soit en vertu d'un simple emprunt, ainsi lorsque « le sang coule plus vite / Dans les veines du vent nouveau » (p. 338), vibration ici soutenue par le frisson des *v* et par l'homophonie approfondissante *vent — sang ;* soit par un rapport plus subtil de provocation et de tangence, par exemple dans le paysage suivant :

> Sur le fleuve de mai
> Une voile écarlate
> Fit battre le pouls du vent (p. 253).

Liquidité du fleuve, fraîcheur de la saison, éclat de la couleur, disponibilité légère de l'étoffe, tout cela conspirait à créer ici l'événement, ou plutôt l'avènement du sang, marqué par l'actuel du passé simple du *fit* ultra-rapide. Mais à peine ce sang est-il né qu'il s'aérise et se prolonge, devient vent, vent enfui comme cette voile qu'on voit encore, qu'on verra très longtemps continuer à battre...

Tout comme le faisaient déjà dans leur registre écho, reflet, chair ou chemin, le sang heureux réussit ainsi chez Eluard à manifester expansivement un être tout en le captivant dans le frisson de sa propre immanence. D'un même geste, il ouvre et clôt le monde.

Ainsi parcouru, animé, apprivoisé, ce monde n'en contient pas moins des objets bruts, des choses qui sembleraient, du moins au premier regard, devoir échapper à la magie métamorphosante du désir. L'espace affectif s'assimile-t-il entièrement ici le champ de la réalité sensible ? La même puissance d'expansion dont nous avons surpris progrès et figures dans la zone pleinement humaine de l'échange, il nous faut en poursuivre maintenant l'aventure à travers formes et choses, dans le champ, moins complaisant peut-être, de l'objectivité.

Or, et c'est là l'une des caractéristiques les plus précieuses de l'univers imaginaire d'Eluard, les choses, au contact de notre double clarté, réagissent à peu près exactement comme le faisaient déjà les personnes. Du moi au toi, du moi et du toi à l'objet que heurte notre échange, et de cet objet à tous les autres objets qui l'environnent, la relation ne diffère que peu : dans ces trois types de rapports le schème essentiel reste celui d'un éveil réciproque, ou plutôt d'un transfert de sens, d'un courant d'être indéfiniment recueilli et retransmis de terme en terme. Dans la perception, ces termes seulement se multiplient, et les trajets se déploient en des directions fort diverses, ce qui complique, mais sans l'altérer vraiment, le thème originel de mutualité. A peine en effet notre regard s'est-il posé sur le réel que celui-ci se met doucement à luire, réverbérant au loin le message reçu, mais s'illuminant en même temps dans la profondeur, jusque-là obstruée, de son essence. Touché par la lumière, l'objet le plus ingrat devient lui aussi lumière. Éclairé, il éclaire ; regardé, il regarde ; luisant, il renvoie au loin le jour. Mais il ne se contente pas, lui non plus, de le rejeter vers son dehors, il le recueille et le reproduit en lui, le recrée de sa substance même, le remet en somme personnellement, matériellement au jour. C'est ainsi que « vue donne vie » (*le Livre ouvert,* p. 76), et que vie donne lumière.

Le regard agit donc sur la chose comme une provocation de la clarté, comme un réveil de l'être. Mais cet éveil, faisons-y attention, n'a pouvoir d'éveiller que s'il délaisse aussitôt les choses éveillées pour s'en aller à partir d'elles, loin d'elles, éveiller d'autres choses. L'apparition de la lumière dans l'objet ne peut se séparer du mouvement qui la projette vers les autres réalités du monde et l'arrache donc à l'objet fugitivement illuminé. Briller, c'est propager un brio, en se manifestant et se donnant absolument soi-même à travers le geste qui propage : briller, c'est donc sans doute aussi s'éteindre. Ou disons, si l'on veut, que pour Eluard le dévoilement est offre, que l'essence s'atteint elle-même en se retournant vers les autres : le bonheur de l'objet, sa définition même ne peuvent dès lors consister qu'en son oblation. La chose n'avouera sa vie, sa luminosité profondes qu'en s'effaçant sous l'éclat de ce feu qui a jailli loin d'elle, pour aller susciter au-dehors d'autres feux, eux-mêmes aussitôt jaillis et disparus. La même structure commande ici langage et paysage : car le mot lui aussi a pour seule fonction de nous diriger vers d'autres mots en s'annulant dans l'acte de son ouverture. L'on aboutit alors — au rebours de toute une tradition moderne qui recherche le fragment, la crispation, la sacralité d'un parler rompu et vertical — à la naissance d'une poésie véritablement *ininterrompue,* où le sens n'existe que comme fuite, autopoursuite horizontale, indéfinie circulation du sens. C'est que l'expérience première est ici celle du rapport continué, non celle de la solitude. Rien n'y peut dès lors se poser qu'en fonction d'un tropisme du trajet ou du transit. Dans son espace même, soit énumératif, soit apparemment lacunaire, le poème est un glissement qui brûle ses soutiens. La moindre station sur un signifié ou sur un objet particuliers, et ce serait la fin de la signification, la mort du paysage. « Cet or en boule, cet or qui roule » et qui ne brille qu'à la condition de rouler sans fin, tel est pour Eluard la matière première, l'origine, le sens de son poème.

Point donc d'arrêt possible : « arriver, c'est partir. » Comme pourrait le faire un poète baroque, mais sans complaisance aucune pour les antithèses, les déséquilibres, les réversibilités, Eluard chante l'hymne de la mobilité universelle :

> Les flots de la rivière
> La croissance du ciel
> Le vent la feuille et l'aile
> Le regard la parole
> Et le fait que je t'aime
> Tout est mouvement (p. 422).

Ce mouvement se fonde sur une abolition. Puisque à chaque création d'être correspond l'effacement de l'être qui l'avait précédée et suscitée, la fécondité ne peut que se lier organiquement à un oubli. Le poète, « le créateur de mots », c'est « Celui qui se détruit dans les fils qu'il engendre / Et *qui nomme l'oubli de tous les noms du monde* » (*Capitale de la douleur,* p. 108). Sur chaque objet mémoriellement détruit, l'oubli nous confère en effet le pouvoir de le créer à neuf par l'acte qui le nomme. Si Eluard se méfie du passé, et même du plus transparent de son propre passé, de son enfance, c'est que l'autrefois, de son poids trop humainement collé au maintenant, risque d'engluer en lui l'élan de l'être. Il faudra donc nous délivrer des souvenirs, comme nous nous laverions d'une patine, d'une crasse, d'une habitude aussi, voire d'une pudeur, d'une réserve, pour dégager en nous une fraîcheur du temps, qui soit aussi un absolu du don : recevoir, dit Eluard, « la moindre ondée — et en accepter le déluge sans l'ombre d'un éclair passé » (p. 124). Loin du passé nous voici rendus à la clarté, à la nudité, à la jeunesse. « Chaque jour plus matinale / Chaque saison plus nue /

Plus fraîche » (*Capitale de la douleur,* p. 25), telle est la belle vivante, « Nue comme nulle et toute en rien » (p. 383), un rien qui seul la fera être toute... Ou bien, si elle est vêtue, ce sera de son seul contact avec la transparence :

> Toute nue aux plis de satin bleu,
> Elle riait du présent, mon bel esclave
> (*Capitale de la douleur,* p. 116).

Bleu satiné, espace plissé de la caresse, sur lequel se détachent, mais sans le déchirer, l'explosion, le « rire » vainqueur de la chair et du temps.

La nudité va donc constituer ici l'enveloppe visible, et pourtant inexistante, « nulle », de l'instant. Elle est le mode concret de l'origine, mais aussi la forme immédiate de l'offrande (« Et quels vêtements d'*indulgence* / A la croire *toute nue...* », p. 95), donc du changement et de la fin. « L'eau le feu se dénudent pour une seule saison » (p. 188), qui est toujours à la fois première et dernière. La pureté ne peut exister alors qu'en se donnant et s'échangeant, et se lavant dans cet échange même. Les lignes célèbres qui ouvrent *la Dame de carreau* en lient très évidemment l'essence au frisson temporel de l'ouverture, de la relation amoureuse et du suspens : « Tout jeune, j'ai ouvert mes bras à la pureté. Ce ne fut qu'un battement d'ailes au ciel de mon éternité, qu'un battement de cœur amoureux qui bat dans les poitrines conquises. Je ne pouvais plus tomber » (p. 77). Sorte de nudité intime, la pureté se lie bien ici à une vocation de l'autre et de l'amour (« Ailleurs elle me quitte. Elle monte sur un bateau. Nous sommes presque *étrangers l'un à l'autre,* mais sa jeunesse est si grande que son baiser *ne me surprend point* »). Nous comprenons ainsi la structure toute particulière du temps éluardien, et qu'il se présente lui aussi comme une suite d'instants absolument vierges, et pourtant totalement donnés, ouverts les uns aux autres : présents nés, tout comme les objets éclairés-éclairants qui les supportent, de l'acte qui à chaque moment abolit et recrée la lumière, transporte hors d'elle-même la durée.

Celle-ci aura donc pour leitmotiv une incessante épiphanie de l'*autre,* un renouvellement, peut-être une infidélité ; mais il est vrai que l'autre, le toujours neuf, c'est encore le même qui glisse d'autre en autre, se perdant et se refabriquant en lui, y affirmant la même puissance temporelle et lumineuse, ou plutôt le même pouvoir de révéler hors de soi le temps-lumière, de le déclarer en s'oubliant, d'être et de faire être en effaçant son être :

> Tu sacrifies le temps
> A l'éternelle jeunesse de la flamme exacte
> Qui voile la nature en la reproduisant
> Femme tu mets au monde un corps toujours pareil
> Le tien
> Tu es la ressemblance (p. 155).

Étudier la thématique sensible d'Eluard, ce serait retrouver une pareille ressemblance, la réitération d'un thème dominant, celui de l'ouverture, à l'intérieur d'une extrême diversité de formes ou de gestes. Tantôt par exemple l'imagination s'en prendra à la tendance qui étouffe en lui le réel même en le rejetant vers ses régions les plus épaisses, les plus basses : la lourdeur. Comme dans toutes les poétiques du rapport, le vœu de légèreté prépare à un soulèvement rêvé de la chose et à son envol vers d'autres choses. La *plume* se charge d'installer ainsi aux surfaces du monde le principe d'une aérisation qui soit aussi un libre éparpillement du dense, une excitation au vertical, une offre à la palpation voluptueuse. «Viens, monte», appelle le poète : «Bientôt les plumes les plus légères, scaphandrier de l'air, te tiendront par le cou» (p. 41). Antithèse libérante du *plombé* — têtu, clos sur lui-même, opaque, mat — ou du *huileux* — collant, louchement accroché à ce qu'il est, incapable d'éparpillement ou de déchirure —, le plumeux se lie ainsi aux images les plus directes de l'ouvert ou de l'originellement jailli : à «ma fenêtre aux belles plumes» (p. 258) répondent, dans un autre poème, ces yeux dans lesquels « la fraîcheur tourne sa roue de plumes ». Ces plumes peuvent dire d'ailleurs plus immédiatement encore l'effusion charnelle, soit en qualifiant une chevelure féminine où le poète chante sa « légère victoire » (*Capitale de la douleur,* p. 81), soit en se liant à d'autres signes heureux d'amour et de dissipation. Ainsi dans ce véritable lexique sentimental de l'inconséquence :

Une ou plusieurs
Faites de pierre qui s'effrite
Et de plume qui s'éparpille
Faites de ronces faites de lin d'alcool d'écume
De rires de sanglots de négligences de tourments ridicules
(p. 133)...

Que cette légèreté s'accroisse encore, et la plume s'envole, elle devient une aile, un oiseau. Rêverie fréquente ici, à laquelle, en une assez curieuse rencontre, semble renvoyer le nom même du poète[1] et qui marque le vœu d'une explication dynamique, d'une dilatation lumineuse de l'ouvert. Car ces « oiseaux adroits agiles légers » (p. 226), capables d'entrouvrir « le livre des aveugles », « Et d'une aile après l'autre entre cette heure et l'autre / Dessinant l'horizon faisant tourner les ombres » (*Capitale de la douleur,* p. 29), ils font aussi, de toute leur souplesse aiguë, de leur vie battante et successive, palpiter pour nous la double limpidité du temps et de l'espace. Un pacte surtout semble les lier au regard, et à l'ardeur que le regard propage. « Les hirondelles de la vue » (p. 400) portent ainsi jusqu'au bout du ciel notre clarté : une clarté, nous le savons, qui ne se distingue pas de l'extase solaire, non plus que de l'élan, moral, de notre liberté :

1. Dans Paul Eluard, on retrouve la présence initiale de l'aile, mais aussi l'allitération allégeante des l, le vide intérieurement articulé de la diérèse *(ua)* et l'ouverture finale rayonnante. Or ce nom fut *choisi* par le poète — à l'intérieur, il est vrai, d'une onomastique familiale —, ce qui préserve la nécessaire ambiguïté...

> Il a laissé passer son ombre dans le vol
> Des oiseaux de la liberté (*Capitale de la douleur*,
> > p. 120).
> Un oiseau s'envole,...
> Il n'a jamais craint la lumière,
> Enfermé dans son vol
> Il n'a jamais eu d'ombre (*ibid.*, p. 128).

Le vol est donc bien une ivresse, ou mieux peut-être une autonomie de la clarté. L'oiseau est un soleil dans le soleil (« Un bel oiseau *me montre la lumière / Elle est dans ses yeux*, bien en vue / Il chante sur une boule de gui / *Au milieu du soleil, ibid.*, p. 50). Focalisation de la lumière qui ne signifie pas, bien sûr, clôture ni limitation de l'étendue, mais qui marque un arrachement décisif au noir, au sol, à l'ombre, au *verso*, à tous les *revers*, inéluctables, semblait-il, de l'existence. Que l'oiseau, enfin, se dissolve lui-même dans son vol, que son corps devienne mouvement sans entraves, pure évasivité, et nous rêverons au *vent*, cet autre instrument de délivrance. Eluard le chérit pour sa nature hasardeuse et invisible, pour sa fureur qui ne ménage rien, pour son don essentiel de *déformation* :

> Le vent se déforme,
> Il lui faut un habit sur mesure,
> Démesuré.
> Voilà pourquoi
> Je dis la vérité sans la dire (*ibid.*, p. 57).

Figure limite de l'ouvert, puisque figure sans figure, le vent est bien ici un analogon sensible du langage. Poème ou rafale, le sens n'y existe qu'à la condition de se dissiper sans cesse, de se dire donc sans se dire, ou de se dire en disant toujours autre chose, à travers une forme qui soit un défi lancé à toute forme. Le vent nous donne ainsi à l'être en une sorte de rapt abolissant : saisissement qui nous oblige à nous dessaisir de nous, mesure essentiellement démesurée.

A cette démesure d'autres rêveries tenteront cependant

d'assigner un visage, ou du moins un site, un lieu fixe d'élection. Ce sera par exemple la *pointe,* l'extrémité effilée des choses, cette zone critique où l'objet semble ne vouloir résumer son être que pour mieux le désavouer et s'évader de lui. « L'aube abondante » naît ainsi pour Eluard, en même temps que l'éclat du « prisme », « Au sommet de chaque herbe reine / Au sommet des mousses à la pointe des neiges / Des vignes des sables boule-versés / Des enfances persistantes / Hors de toutes les cavernes / Hors de nous-mêmes » (p. 189). Mais ce dynamisme du *hors de* pourra délaisser aussi l'acuité toujours un peu déchirante de la pointe pour se confier à des schémas apparemment inverses d'élargissement et d'expansion. Au lieu de concentrer en un seul et dernier point le paradoxe de l'ouvert annulant, on rêvera comment celui-ci s'explique, se dénoue en une durée qui le diffuse. Le moindre mouvement humain, le plus petit objet ému deviennent alors des foyers expansifs : « Tu te lèves l'eau *se déplie* / Tu te couches l'eau *s'épanouit...* » (p. 155). « Une feuille qui *se déplie* / Un sourire qui *continue* » s'associent à « mes yeux, mes doigts, notre jeunesse », pour faire naître tendrement « l'aurore sur la terre » (p. 223). Ou bien un *éventail* s'entrouvre, comme chez Mallarmé, reliant son rayonnement à l'immobilité vivante de son centre. Véritable figure générique de l'ouvert, l'éventail se lie métaphoriquement aux réalités les plus diverses, par exemple l'*horloge,* dans laquelle il diffuse le temps et fait tourner les heures (*Capitale de la douleur,* p. 29), et le *visage* humain pour lequel il informe — « l'éventail de [la] bouche » (*ibid.,* p. 144) — l'offre des baisers, l'irradiation du sang ou des sourires. Cette valeur active en fait l'antithèse morale de la *roue,* sorte d'éventail bloqué, cerné par le tracé clos de sa circonfé-rence : « Devant les roues toutes nouées / Un éventail rit aux éclats » (*ibid.,* p. 101). Mais il est vrai que si la roue apparaît ici nouée, un peu comme la statue figurait un corps paralysé, prisonnier de son enveloppe, elle peut se libérer aussi, et redevenir alors féconde, rayonnante. Il

lui suffit pour cela de se mettre à tourner : sa rotation
— «mouvement de roue et de ruche» (p. 251), «roues
fusées en ailes» (p. 266), «fraîcheur... [d'une] roue de
plumes» (p. 401) — jette alors tout autour d'elle, comme
une pièce de feu d'artifice, mille messages caressants de
feu et de tendresse.

Plus énergiques, moins duveteux, ces messages nous
parviendront sous la forme plus franchement discontinue
de l'explosion. La *couleur,* par exemple, est une lumière
frénétique, un jour éclaté ; en elle hurle une vitalité sans
frein qui s'affole et brasse les contraires : elle «brûle les
étapes / Court d'éblouissements en aveuglements / Montre
aux glaciers d'azur les pistes du sang» (p. 150). Mais un
autre mouvement, d'ordre plus physiologique, laisse mieux
encore parler en lui la joie de l'éruption : c'est le *rire,*
réalité chérie par Eluard. Son prix tient sans doute à sa
double essence, morale et humorale : car il est à la fois
humeur et bonne humeur, chair jaillie et générosité de
l'âme. Nous reconnaissons en lui une vitalité directement
jetée dans l'étendue : «Toujours en train de rire / Mon
petit feu charnel / Toujours prête à chanter / Ma double
lèvre en flammes» (p. 157). Cette qualité charnelle le relie
alors aux autres attributs de l'ardeur amoureuse : virginité
(«la neige de ses rires stérilisait la boue», p. 132),
variabilité («Autour de la bouche / Son rire est toujours
différent», *Capitale de la douleur,* p. 36), tendresse
ouverte et luisante : «*En passe de devenir caresses* / Tes
rires et tes gestes règlent mon allure / Poliraient les pavés»
(p. 158). Mais ce qui séduit surtout en lui, ce sont la joie,
la libre spontanéité de son annonce : le rire est en effet
force d'extraction ; il s'arrache, et du même coup nous
arrache à l'ombre, aux abîmes, à tout l'inavoué de
l'existence : «L'or éclate de rire de se voir hors du
gouffre» (p. 188) ; et cet éclat se produit sans réclamer
de nous le plus petit effort, comme on ouvre la main, ou
comme un oiseau chante : «Mais la main qui me
caresse / C'est mon rire qui l'ouvre» (p. 109) ; «Sur la
maison du rire / Un oiseau rit dans ses ailes» (*Capitale*

de la douleur, p. 79). Il rejoint donc dans son registre propre, qui est celui de la gaieté, du sang, de la brûlure, la joie de la nudité (« Et le rire partout dénudant le bonheur », p. 399), celle de l'aimantation et de la légèreté (« des mots légers, des rires d'ambre », p. 270), celle enfin de l'expansion spatiale elle-même : « Il y a de grands rires *sur de grandes places/* Des *rires de couleur* sur des places dorées/ Les barques des baisers *explorent l'univers* » (p. 401). Étonnante puissance de fécondation métaphorique qui engendre, à partir du seul rire, les figures parentes de la gerbe, de l'acuité tranchante, de la pulvérulence, du délire irisé, du tournoiement voluptueux :

> ... rire, bouquet d'épées, rire, vent de poussière, rire comme arc-en-ciel tombés de leur balance, comme un poisson géant qui tourne sur lui-même (*Capitale de la douleur,* p. 114).

Aucune rêverie n'a donc peut-être ici plus de richesse, plus de puissance poétiquement combinatoire ; nous la retrouverons au centre de toutes les grandes constellations imaginaires, et par exemple au cœur du mouvement qui tente de marier le vœu d'emportement à l'instinct d'une relation plus repliée sur elle-même, plus intime : *« les cavaliers du rire enfouis dans leur galop »* (p. 271).

Si l'objet éluardien aime ainsi à s'éventer, à s'effranger, à frissonner, à rire, bref, à s'arracher sans cesse à ce qu'il est pour s'offrir aux autres objets du monde, ne croyons pas pourtant que ce tropisme de l'ouvert signale en lui quelque vocation d'égarement. La diffusion ne doit jamais dégénérer ici en confusion. « Toutes les feuilles dans les bois disent oui » (*Capitale de la douleur,* p. 128), mais n'en existent pas moins en tant que feuilles, choses détachées et singulières, nettement découpées les unes sur les autres. La passion de l'ouvert n'empêche pas pour Eluard « la constatation délectable du fini » (p. 83). Rien de pire pour lui — c'est même, on le verra, l'un de ses cauchemars les plus aigus — qu'une osmose noyante, un brouillard, une informité où se dissoudrait la spécificité vivante du perçu. Pour le satisfaire, l'espace devra donc se peupler d'objets distincts, luisants, posés les uns à côté des autres selon le rythme — c'était déjà celui du rire... — d'une sorte de discontinuité perlée : le poème n'étant rien d'autre que l'opération signifiante nous faisant doucement rebondir de l'un à l'autre. On ne décèlera donc chez lui aucune tendance à la fusion panique, mais bien plutôt une passion extrême du détail, un goût presque franciscain de l'individualité des choses. Comme un peintre primitif, il se voue à nommer une à une toutes les richesses du réel. Ce qui l'intéresse, ce n'est pas *la* feuille, ni *la* vague, ni même toutes les feuilles, toutes les vagues, mais « *chaque* vague, *chaque* feuille » qui « change voit clair et rayonne » (p. 268). Le *chaque* ne renvoie pas ici, comme chez un Giraudoux par exemple, à l'universalité abstraite d'une essence, mais au vœu d'une extension sensible minutieusement décrite, honnêtement épuisée. Ou bien, formes rhétoriques voisines, ce seront le *tant de*, l'*un parmi*, le *plus d'un*, qui se chargeront de nous communiquer, au sein du multiple foisonnant, la notion d'une singularité vivante. Le dévoilement du singulier pourra même prendre, en lui-même, sens poétique : ainsi dans ces deux vers où l'abondance érotique du vécu se fait équilibrer par le plus ponctuel, le plus exquisement détaillé de la vision ; cette ponctualité y est d'ailleurs encore soulignée par un rapport, une opposition interne de couleurs, et modulée selon un subtil équilibre phonétique (la zone graduée des explosives : *p, b, v,* y répondant au registre, plus charnellement lié, des liquides ou des spirantes : *l, s, j...*) :

> *Plus* d'une lèvre rouge avec *un point* rouge
> Et *plus* d'une jambe blanche avec *un pied* blanc
> *(Capitale de la douleur,* p. 11)...

S'il en est ainsi, on admettra que les objets ou les groupes d'objets les plus typiquement éluardiens soient ceux qui satisfassent le mieux en eux à ce double besoin de spécificité formelle et de dédication vitale : objets à la fois ouverts, dénudés, caressants — et rigides, têtus, obstinément particuliers ; choses « douc[es] et dur[es] », comme la bien-aimée, ou « comme un roc couvert de mousse » (*le Livre ouvert,* p. 177), un roc qui serait mousse... Regardez par exemple cette réalité si positivement éluardienne : *l'aiguille.* Le regard rêveur aperçoit en elle une ligne luisante, aiguë, incorruptible, jaillie comme pour enclore en elle l'existence, ou pour faire fulgurer le jour, mais pour y suggérer aussi de toute sa finesse, de sa ténuité diaphane et doucement glissée dans l'air — « La clarté de ce matin / Une aiguille dans du satin » (p. 311) — la circulation d'un sens limpide : « le monde était aussi transparent qu'une aiguille » (*Capitale de la douleur,* p. 11). Ou prenez ce doublet végétal de l'aiguille qu'est le *roseau :* « Jonc cambré aux regards lisses » (p. 189) ; il marie lui aussi à une valeur linéaire d'intégrité — la rectitude lisse de l'élan — l'indication d'un don : ce gonflement de son profil, cette « cambrure », qui rejoint sans doute dans l'imagination d'Eluard d'autres thèmes, plus charnels encore, d'offre ou de fécondité, par exemple ce salut, au retour de la guerre, à la femme retrouvée : « Splendide, *la poitrine cambrée légèrement* / Sainte ma femme, tu es à moi » (p. 23), ou bien cet autre : « *cambrée câline* tu vacilles » (p. 140), ou même cette célébration du pain, « la poitrine en avant » (p. 189)... Que le jonc, « le jonc de l'aurore » (p. 371), s'attendrisse quelque peu, qu'il se couvre de feuilles, et sa ténuité dressée, presque sacrale nous apparaîtra plus nettement encore comme liée à une émission fluide d'être :

> Jeune arbre idole mince et nue
> Unique source caresse haute (p. 254).

Dans un registre plus franchement agressif, ce paradigme de la linéarité féconde rencontrera la figure voisine de l'*épée,* lame toujours vibrante (« Vous échangez l'amour pour des frissons d'épées », *Capitale de la douleur,* p. 111), et souvent même ouverte en gerbe, en un « bouquet d'épées » (*ibid.,* p. 114). Ou bien l'aiguille devient, de

148

façon plus évidemment nourricière, *épi*. Et nous pouvons comprendre alors la richesse, l'interne cohérence d'une rêverie comme celle qu'amènent au jour les deux beaux vers suivants :

Que pèse une vitre qu'on brise
Les épis de ta nudité coulent dans mes veines (p. 141).

Les thèmes du sang actif et nu, de la veine, de la vitre brisée qui ouvre à la liberté et à la légèreté de l'étendue, tout cela y appelait en effet de façon organique l'image de l'épi et de son acuité glissante, féconde, déchirée. Réunion elle-même opérée à l'intérieur du rapport essentiel du *toi* et du *moi,* dans l'aimantation d'une réciprocité victorieuse. La même figure pourra donner enfin naissance au thème apparemment plus humble de l'herbe, du *brin d'herbe :* tranchant comme une épée, pointu comme une aiguille, ce petit trait de sève ne nous en introduit pas moins lui aussi à une essence cachée de la douceur (« Ils étaient une vallée / Plus tendre qu'un seul brin d'herbe », p. 292), et se relie même en profondeur à une étonnante constellation de la fertilité lactée :

L'herbe qui la reçoit [la vache]
Doit être douce comme un fil de soie,
Un fil de soie doux comme un fil de lait (p. 27).

Que ces fils, ces lignes, ces brins d'herbe se multiplient sous le regard, qu'ils buissonnent, qu'ils s'associent concrètement les uns aux autres, et la rêverie éluardienne caressera des formes plus complexes, celle par exemple du *réseau.* Il s'agit là d'une structure très souplement combinatoire qui, tout en posant nettement la singularité de chacun de ses éléments, les engage aussi de manière irrésistible, et pourtant infiniment diverse, à glisser les uns dans les autres vers l'horizon d'une totalité. Les aiguilles formeront ainsi des « dentelles d'aiguilles » (p. 145), mais il y aura aussi « ... la dentelle / Des formes des couleurs des gestes des paroles » (p. 355), dentelle des « images innombrables de la vie », donc de leur présence sensuellement éprouvée, mais aussi de leur changement, de leur mutuelle abolition, «dentelle des disparitions» (p. 94). L'herbe étendra encore sur le sol la magie de ses «traîtres filets» (*Capitale de la douleur,* p. 101); et dans le ciel se dresseront les «filets des arbres» (p. 28), la «fluorescente dentelle» de l'orage (*Poésie ininterrompue,* p. 42); sur un toit de maison une «aurore de briques» tendra haut «son filet de bouches réunies» (p. 253); sur terre se dessinera une «grille» de routes (p. 93). Filet, grille ou dentelle nous font ainsi rêver la loi de mutualité sur le mode infiniment délicat de l'articulation. Là où la *grappe,* fréquente aussi dans la rêverie éluardienne, se contente de juxtaposer, ils enlacent à lui-même le divers; ils l'obligent à bifurquer, à se perdre et à se retrouver en soi, donc à se féconder lui-même par le trajet de sa propre, de son intime réciprocité. Trajet qui reste toujours ordonné et net : le lacis, par exemple le tissu végétal, branchage ou buisson, qui possède pour Eluard une sorte de perfection dans l'ordre de la vitalité réticulaire, n'est point fouillis —la relation s'y égarerait— ni duvet— elle s'y étoufferait voluptueusement sur elle-même. Pour que l'être circule le long de ses nervures, il faut que la structure interne du réseau demeure toujours précise, aérée, capable par exemple d'ordonner et de démêler en elle, «de reflets en éclats», «le faisceau matinal d'une vie» (p. 232) : le «feu clair» de la vie se trouve pris alors et se dévoile dans «le filet des lueurs et des couleurs» (*Au rendez-vous allemand); au* plus végétal de sa texture l'arbre retient et provoque, comme pour la nourrir, l'ardeur volatile ou ignée : «Le matin les branches *attisent* le bouillonnement des *oiseaux* » (*le Livre ouvert,* p. 77); «Entre les *branches dessinées* /Du mur sans fin de la forêt/ *Les étoiles des œufs s'amusent* » (p. 266); «la perfection sylvestre» devient «la fine *mangeoire* du soleil» (p. 246).

Une autre figure de solidarité sensible confère au lien un visage plus simple, une allure plus unilatéralement coulée : c'est celle de l'enchaînement circulaire, imaginé à travers des réalités heureuses telles que le *collier,* le *bracelet,* la *bague* ou la *ronde.* Eluard n'y rêve plus le monde comme intérieurement vitalisé par le parcours d'un feu réticulaire, mais il l'embrasse du dehors, le saisit en sa circonférence, le possède dans l'arrondi d'un seul et même mouvement. Ce mouvement reste d'ailleurs soumis au thème de mutualité : constitué par une suite de rapports latéraux —grains liés du collier, mains unies des danseuses —, il se referme en outre sur lui-même et revient, comme tout écho, tout reflet, à son point de départ. Posséder la terre, ce sera dès lors se laisser glisser, d'objet en objet, tout autour d'elle ; ou ce sera, métaphysiquement, aimer une femme « Parée comme les champs, les bois, les routes et la mer, / Belle et parée *comme le tour du monde* » (*Capitale de la douleur,* p. 16). Le *blason,* si heureusement pratiqué par Eluard, est sans doute la forme rhétorique de cet inventaire circulaire. Mais attention : pour rester bénéfique, il ne faut pas que le *tour* puisse être ici rêvé comme ligne enserrante, comme frontière ultime et négative de l'espace ; le cercle éluardien prétend donc entourer le monde sans l'enclore ; il le cerne, mais en préservant, dans l'inclinaison de sa courbure, l'instinct qui l'ouvre aussi à toutes les naissances, toutes les fraternités.

La fermeture globale de la circonférence n'y empêche donc pas l'élan particulier de chacun de ses points. Dans la ronde, par exemple, les danseuses se tiennent par la main, mais échappent aussi d'une certaine façon, ainsi en cette étrange « ronde de mères lumineuses, / Retroussées et précises » (p. 143), à la clôture circulaire de leur danse. Ou bien si l'aube veut célébrer, comme une femme heureuse, la rondeur retrouvée des choses, ce sera en se passant « autour du cou un collier de fenêtres » (p. 95), collier dont les grains seront dès lors des ouvertures de lumière, de petits éclats de jour [1]. Dans le collier d'ailleurs,

---

1. Dans le même poème, le vers célèbre : « *La terre est bleue comme une orange* » me paraît pouvoir se prêter à un commentaire analogue. A la suggestion de rondeur et de densité pulpeuse apportée par l'*orange*, le *bleu* vient ajouter en effet une dimension de profondeur céleste, de

ou dans le bracelet, la rêverie saisit aussi la réalité physique, ici la lumière quasi charnelle du matin, que ces objets enserrent et célèbrent. A leur valeur de liaison s'ajoute alors une intention sensuelle de glorification ; cernant l'être, ils le caressent aussi, lentement, voluptueusement, tel ce « bracelet d'un baiser autour d'un bras interminable » (p. 140). Quant à la bague, son essence rayonnante se traduit tantôt directement, de façon lumineuse — ainsi lorsque, à propos de Klee, Eluard évoque une « saison / Qui porte à tous les doigts de grands astres en bague » (*Capitale de la douleur*, p. 110) —, ou sous un mode plus tactile, sous forme d'une expansion soyeuse, par exemple dans l'image de la « sauge bague de mousseline » (p. 262), ou dans celle, véritablement extraordinaire, qui se charge de décrire le silence bavard de nos sommeils :

> Et quand je dors
> Ma gorge est une bague à l'enseigne de tulle
> (*Capitale de la douleur*, p. 95).

A travers ces diverses analyses, on aura compris que l'univers éluardien veut être, comme chaque thème ici

---

transparence, d'ouverture. Mais le miracle, c'est ici que chacune de ces deux qualités, au lieu de seulement compléter l'autre, *passe dans l'autre*, et cela malgré ou peut-être en vertu de la provocation — l'apparente opposition orange-bleu — contenue dans l'acte de la métaphore. D'être attaché de force à la chair de l'orange, ce bleu devient en effet lui aussi épais et succulent : la transparence qu'il recouvre est à ce point heureuse, fuyante et infinie qu'elle résume son invisibilité comblée, comme gavée de soi, dans la visibilité d'une couleur très simple, qui peut faire alors l'objet d'une jouissance immédiate. Ce bleu fond dans la bouche — et même phonétiquement — comme la pulpe d'un fruit illimité. Bleutée, l'orange inversement s'allège, s'aérise, se laisse rêveusement parcourir par les mouvements évasifs de la pensée. Finalement, donc, les deux termes métaphoriques du signifiant (terre, orange) nous renvoient, du fait même de leur écartement (ce bleu qui n'appartient à aucun d'eux), vers la saisie d'un signifié qui les déborde, tout en en recueillant en lui la qualité la plus spécifique : signifié qui peut dès lors s'appréhender en une seule forme — le rond poreux, élastique, prometteur de l'orange — et une seule couleur — le bleu céleste-orange ardent — directement, terrestrement étalée sur sa surface. Dira-t-on cette couleur impossible ? *A priori* peut-être. Mais le rôle de la métaphore est justement de la rendre possible, et même nécessaire.

décrit, tout à la fois fini et infini. Infini puisque le sens ne cesse jamais d'y courir de moi à toi, de toi à moi, de nous aux autres, de ceux-ci aux objets qui nous séparent, et de ces objets à nous. Aucune limite possible à ces parcours, aucune pause, « l'amour, c'est l'homme inachevé » (p. 119), l'être n'est qu'un éternel rebondissement dans l'être :

> Là je m'élance dans l'espace
> Le jour la nuit sont mes tremplins
> Là je reviens au monde entier
> Pour rebondir vers chaque chose
> (*Poésie ininterrompue*, II, p. 12).

L'espace extérieur gouverne donc ma vie la plus intime ; « Porte ouverte dehors est roi » (p. 142) ; je n'aurai quelque chance de m'atteindre qu'en me jetant et m'oubliant dans ce dehors sans fin. Et, certes, ce mouvement peut entraîner en moi un doute ou un vertige : où suis-je en effet, moi qui n'ai jamais loisir d'être là où je suis, mais qui suis indéfiniment là où je ne suis pas, vers d'autres, ou en d'autres ? « Sommes-nous loin de notre conscience ? Où sont nos racines notre but ? » Mais Eluard se rassure bientôt en évoquant le schème d'une sorte d'ubiquité active, avènement infini et toujours terrestre de son moi :

> Nous sommes corps à corps nous sommes terre à terre
> Nous naissons de partout nous sommes sans limites
> (p. 350)...

Mais si nous sommes sans limites, cet illimité reste pourtant d'ordre relationnel ; il ne nous fait pas sortir d'une immanence, celle que referme toujours sur moi le regard amoureux d'un toi. Eluard ne rêve jamais, même en autrui, à la dimension de l'au-delà ; il n'a même pas besoin de refuser la transcendance : celle-ci a été *a priori* exclue par la découverte originelle posant et limitant le monde comme le champ d'un amour partagé :

> La courbe de tes yeux fait le tour de mon cœur,
> Une ronde de danse et de douceur,

Auréole du temps, berceau nocturne et sûr
(*Capitale de la douleur,* p. 143).

C'est au cœur rassurant de ce «berceau» que l'être éluardien poursuit ses échanges, son autonutrition, son indéfinie complétion. Protégé mais ouvert, jeté dans les lointains mais pris en une concavité du monde, entouré, traversé d'amour comme de transparence, «cerné / Par ce miroir si nul où l'air circule à travers moi» (*ibid.,* p. 144), je ne puis avoir alors d'autre destin, d'autre devoir, d'autre bonheur que de participer, à la place et avec les moyens qui sont les miens, à la féconde intercirculation de l'ici-bas.

Cette circulation peut-elle connaître des arrêts, des pannes? La biographie spirituelle d'Eluard semble bien nous permettre de répondre par l'affirmative. Car si le langage fut le plus souvent chez lui la stimulation et la mise en œuvre d'un bonheur, il lui arrivera aussi de parler pour dire qu'il n'avait plus rien à dire, que le circuit de l'être était brisé, qu'aucun courant de sens n'y passait plus. A quoi imputer dès lors ces interruptions de poésie? Sans doute à quelque défaillance, involontaire ou assumée, de l'un des trois pôles émetteurs — *moi, toi, monde* — dont la mise en contact provoquait, on l'a vu, l'acte de signification.

Pour que cet arrêt affecte, tout d'abord, le foyer personnel de l'immanence, le *moi,* il suffit que celui-ci se laisse aller au plaisir apparemment innocent d'être, ou plutôt de n'être que lui-même. Amoureusement retourné vers son dedans, s'écoutant et se regardant, goûtant avec une complaisante gourmandise à la trouble saveur de son ambiguïté — «Solitude beau miel absent / Solitude beau miel amer / Solitude trésor brûlant» (*le Livre ouvert,* p. 25-26) —, la conscience se découvre alors brusquement abandonnée et vide, perdue «au fond du puits» (*ibid.*).

Ou bien c'est l'image de la tête de mort, du *crâne,* qui symbolise dérisoirement son narcissisme : car le crâne enclôt bien en lui le lieu d'une pensée, mais d'une pensée bloquée, prisonnière de sa carapace osseuse — et vide d'autre part, où rien ne pense plus. Sa clôture exclut l'expansion, le rire, le sourire, le laissant seulement grimacer son impuissance à être : « Tous les visages étaient clos. Sous la peau tendue et sans défauts, le fruit amer du crâne mûrissait sa grimace capitale » (p. 354). Dans le sommeil encore, cette autre forme de retrait intime, je me retrouve avec « Des mains seules des yeux seuls / Le crâne comme une montagne que personne ne gravira » (p. 220). Mais le mal de l'autisme pourra s'afficher encore en d'autres images négatives, celle du resserrement par exemple, de la prison, ou de la maigreur stérile en laquelle finissent par se dessécher les germes les plus précieux de l'être :

> Solitude aux hanches étroites
> Marraine des trésors perdus
> Il n'y a de murs que pour moi (p. 246)...

Entendons un moi qui soit exclusivement à moi, qui croie pouvoir ou devoir séparer son jour du jour des choses — « Je distingue le jour de cette clarté d'homme / Qui est la mienne » (*Capitale de la douleur,* p. 94) — et qui se retrouve en fin de compte dans l'absence de jour. Puisque je ne tiens en effet mon être que d'un échange incessamment soutenu avec le monde, l'introspection, ce jeu interne de miroirs — « O reflets sur moi-même ! ô mes reflets sanglants ! » (*ibid.*) — ne me donnera jamais qu'un simulacre, qu'un fantôme évasif et toujours dédoublé de ma réalité : que « l'ombre d'une ombre » (p. 380). Invisible à autrui, je ne pourrai me voir moi-même ; coupé de tous, j'y serai surtout coupé de moi. A cette catastrophe, alors, un seul remède : me reconvertir à l'extérieur, ne plus me regarder moi-même, tourner à nouveau les yeux vers le dehors :

Mes beaux yeux rendez-moi visible
Je ne veux pas finir en moi (p. 380).

Du côté du *toi*, les troubles de la circulation existentielle auront une origine différente : ils seront dus moins à un retrait jaloux qu'à une usure de prestige, et comme à une progressive diminution de la clarté. Il peut arriver en effet que l'éclat de l'autre s'occulte, puis s'éteigne. D'Aragon, par exemple, qu'il accuse en 1932 d'avoir trahi le surréalisme, Eluard peut écrire qu'il s'est soudain « obscurci pour lui », et qu'il n'y a plus qu'à attendre le saut qu'il ne peut manquer de faire dans la nuit définitive (cité *in* M. Nadeau, *Documents surréalistes,* p. 227-228). Le même obscurcissement pourra, et ce sera beaucoup plus grave, affecter l'être aimé, le *toi* essentiel. Si nous lisons par exemple le très beau texte, évidemment autobiographique, intitulé *Nuits partagées* (p. 124 *sq.*), nous y trouverons d'abord une ardente déclaration de fidélité, qui n'est à vrai dire qu'une réaffirmation de l'essence originelle du *toi,* de l'*avec toi :* « Je n'ai pas imaginé une autre vie devant d'autres bras, dans d'autres bras. Je n'ai pas pensé que je cesserais un jour de t'être fidèle, puisqu'à tout jamais j'avais compris ta pensée et la pensée que tu existes, que tu ne cesses d'exister qu'avec moi. » Mais nous y découvrirons aussi, et très étroitement jointe à celle-ci, l'expression d'une conviction inverse, celle que la vie « s'en prend à notre amour », « la vie sans cesse à la recherche d'un nouvel amour pour effacer l'amour ancien, l'amour dangereux », la vie qui veut « changer d'amour »... Ces deux assertions ne sont d'ailleurs aucunement contradictoires. Car c'est à l'intérieur de la structure maintenue du *nous* que s'exerce cette fatalité de renouvellement. La femme aimée ne vit en effet pour moi, pour mon amour, qu'à la condition de rayonner, de se refléter incessamment en d'autres femmes. Et celles-ci certes la respectent, comme leur source, ou leur miroir premier ; elles dépendent d'elle, renvoient à elle, leurs charmes justifient le « seul amour possible ».

Mais cette multiplication du charme n'entraîne pas moins pour le « seul amour » une dangereuse concurrence. « Cent femmes » certes « sont réunies par toi »... mais « elles ont cent visages, cent visages qui tiennent ta beauté en échec »... Et l'on peut alors tenter d'établir, entre toutes ces femmes, une division des rôles : laissant à « la mieux connue, l'aimée », le soin de régner au fond éblouissant de la lumière, dont elle reste, « sans voiles, sans secret », le principe et « l'intime raison » ; confiant en revanche à ses reflets, « ses suivantes », ses « images en foule », une fonction plus légère, peut-être plus charnelle, de divertissement — « Elles se coiffent gentiment et brûlent les pavés » : c'est ce que fait Eluard dans le poème significativement intitulé *Une pour toutes* (p. 92). Mais l'éclat de *toutes* nuit finalement à la fascination de l'*une ;* et le regard hésite alors : quelle est devant moi la plus brillante, où est le vrai miroir, par où passe l'axe réfléchi de ma lumière ? Moment douloureux où « la vie, l'amour » ont perdu « leur point de fixation ». Cette crise ne peut alors comporter qu'une issue : le choix d'un nouveau point amoureux de fixation. On transférera sur une nouvelle femme, un autre *toi,* le foyer d'être que l'ancien toi ne parvenait plus à faire rayonner.

Si l'identité du *moi* s'étouffe quelquefois ainsi en un mouvement d'égoïste constriction, si celle inversement du *toi* s'efface derrière le trop séduisant éclat de ses reflets, entre moi et toi, au niveau des objets, pourra se produire dans la rotation de l'être une défaillance d'espèce encore différente. L'accident y prendra cette fois la forme d'un excès : si éblouissante parfois, si agile la lumière du monde, si facilement victorieuse des obstacles et des distances qu'elle finit par transpercer, par dissoudre en elle toute chose. Il peut arriver ainsi qu'une visibilité trop pure annule le visible et détruise avec lui les sources humaines de vision, le moi, le toi, qui se trouvent alors comme noyés dans un océan de transparence. Eluard a décrit cette tentation de pureté dans les lignes célèbres qui ouvrent *la Pyramide humaine.* Il y avoue d'abord le besoin qui lui était venu « de solennité et d'apparat », le goût « d'un mystère où les formes ne jouent aucun rôle », la curiosité « d'un ciel décoloré » d'où « les oiseaux et les nuages soient bannis » (p. 77). Et c'est pour satisfaire à cet ensemble de désirs, si peu conforme à ses directions habituelles, qu'il s'abandonne, oublieux d'échange, de mutualité ou d'équilibre, à un véritable absolutisme de la vue :

> Je devins esclave de la faculté pure de voir, esclave de mes yeux irréels et vierges, ignorants du monde et d'eux-mêmes. Puissance tranquille. Je supprimai le visible et l'invisible, je me perdis dans un miroir sans tain. Indestructible, je n'étais pas aveugle.

Cette toute-puissante clairvoyance se distingue pourtant assez mal d'une cécité : mélangeant niveaux et degrés de la réalité, elle ne connaît plus le monde et elle s'ignore elle-même. État où « la lumière n'*a* plus la nature », mais où elle l'*est,* où elle s'avère donc incapable d'éclairer le monde par son dehors et de le provoquer à être. Pierre Emmanuel, qui a commenté ce texte avec beaucoup de justesse, montre comment « l'épuisante poursuite de la pureté » menée à ce moment par Eluard « dégénère, devient abstraite, glace l'être dans sa profondeur ». Cet échec, d'ordre spirituel, connut d'ailleurs peut-être une contrepartie biographique : 1924, c'est l'année où Eluard, probablement perdu dans la terrible transparence du visible, et dans l'impossibilité, en outre, d'accorder celle-ci à l'opacité trop *réelle* de sa vie, décide de s'enfuir, quitte brusquement Paris, sa femme et ses amis, pour un mystérieux voyage autour du monde : « Je pars (je suis parti), écrit-il à Gala, parce que je ne peux plus écrire. »

Comment dépasser alors cette impuissance ? La solution semble être de s'attaquer à la transparence elle-même, en assignant une borne à ses pouvoirs :

> Quel beau spectacle mais quel beau spectacle
> *A proscrire.* Sa visibilité parfaite
> Me rendrait aveugle (p. 88)...

Paul Eluard

Pour retrouver la vue, nous devrons donc chercher à obtenir une visibilité *imparfaite,* limitée ; nous séparerons à nouveau visible et invisible ; nous rendrons nos yeux à leur réalité, à leur conscience du monde et d'eux-mêmes ; nous redonnerons en somme un *tain* à ces miroirs que traversait trop bien notre regard. Un tain : c'est-à-dire un écran de négativité, le soutien d'une nuit intransgressable. En nous, en autrui, dans les choses, nous tenterons maintenant de découvrir la part de secret et de réserve, l'obstacle infranchissable, l'ombre en somme à laquelle marier le flot inhumain de la lumière. Car c'est le noir qui arrête, et donc qui sculpte la clarté. C'est lui qui la fixe sur des formes, l'attache à des substances, lui permet de modeler telle ou telle inflexion de paysage, et d'être la clarté *de* telle ou telle chose. Ainsi lesté de noir, le jour se remet alors à circuler entre les deux pôles personnels de la vision. Mais ces deux pôles, on comprendra qu'ils doivent maintenant émettre aussi bien de l'obscurité que de la lumière :

> *Des chrysalides de mes yeux*
> *Naîtra mon sosie ténébreux*
> Parlant à contre-jour soupçonnant devinant
> Il comble le réel
> *Et je soumets le monde dans un miroir noir* (p. 88).

L'image de l'orbite, « le cœur noir de mes yeux » (*Capitale de la douleur,* p. 17), ou celle de la paupière abaissée — images, ne nous y trompons pas, de fertilité sensible — posent ainsi la nécessaire complémentarité du jour et du non-jour. Car si l'on veut voir le monde dans sa diversité et son relief, c'est-à-dire dans son humanité, si on le saisit avec sa dentelle de sens et de non-sens, avec la possibilité d'opposition qu'il doit incessamment entretenir en lui pour être, et pour renouveler son être, entre ouverture et fermeture, entre extinction et illumination, entre être et non-être, il faudra bien que la négativité soit d'abord introduite en lui par le *moi,* et dans le geste même qui l'éclaire. Voir, c'est peut-être alors ne plus voir ; éclairer, c'est s'obscurcir, s'occulter, se réduire ; regarder, c'est fermer les yeux :

Montrez-moi le ciel *chargé de nuages*
Répétant le monde *enfoui sous mes paupières*
Montrez-moi le ciel dans une seule étoile
Je vois bien la terre *sans être ébloui*
Les pierres *obscures* les herbes *fantômes*
Ces grands verres d'eau ces grands blocs d'ambre des paysages
Les jeux du feu et de la *cendre*
Les géographies solennelles des limites humaines (p. 170).

Ces limites, elles restent encore pour moi des *limites humaines ;* ces yeux que je ferme, c'est *moi* qui ai décidé de les fermer. Je suis resté maître jusqu'ici de mon retrait, et je n'ai fait qu'administrer l'ombre découverte en moi dans le sens d'une meilleure organisation de la lumière. Il existe cependant de par le monde des formes d'obscurité dont je ne puis d'aucune manière prévenir, ni même contrôler l'irruption : grandes fatalités impersonnelles qui semblent surgir brusquement d'un dehors de ces « limites » mêmes, et dont l'assaut rompt l'équilibre fécond de l'immanence. Ruptures donc beaucoup plus graves que celles que nous avons décrites jusqu'ici : il ne s'agit plus de détraquements internes, affectant le fonctionnement de tel ou tel relais particulier du circuit poétique, mais de traumatismes globaux paralysant ou bouleversant de fond en comble sa structure. Poète fondamentalement optimiste, Eluard se trouve ainsi de temps en temps plongé dans de graves accès de désespoir : peut-être justement parce que son optimisme, son intuition d'une certaine « facilité » existentielle ne faisaient pas assez entrer dans leur jeu ni leurs calculs l'action possible de ces grandes forces destructrices. Quand elles se manifestent, il est donc pris au dépourvu ; il lui faut lutter les mains nues contre l'inattendu : mais rien de plus beau, de plus instructif

aussi que de le voir alors résister, essayer de survivre
— il y survit finalement toujours — aux assauts imprévus
de ce qui prend pour lui le visage du Mal.

L'attaque la plus fréquente, la moins malaisée d'ailleurs
à repousser, Eluard la subit chaque soir de sa vie, à
l'heure où le soleil se couche et où l'ombre dissout peu
à peu en elle les figures familières du réel. La nuit lui
fait horreur, parce qu'elle est essentiellement extinction,
occultation, inertie. «Poussiéreuse mort des couleurs»,
«inépuisable silence qui bouleverse la nature en ne la
nommant pas» (p. 101), et qui «brise» en outre l'échange
humain, les «miroirs des lèvres» *(ibid.),* elle annule en
effet clartés, rires, langages, et avec eux toutes les
virtualités d'être dont ils étaient dépositaires. Son inertie
entraîne une solitude, mais une solitude désormais subie,
vécue comme déréliction, comme chute dans l'irréalité :

> Soudain la lumière m'oublie
> La mort seule demeure entière
> Je suis une ombre, je ne vois plus
> (*le Livre ouvert,* p. 76)...

La nuit figure ainsi non seulement l'envers, mais très
activement la fin, la mort de la lumière. La tombée de la
nuit, c'est l'acte par lequel le néant se glisse au cœur de
l'être. Que puis-je faire alors devant cette invasion :
dormir, ne pas dormir ? Des deux côtés m'attend une
souffrance égale : ou bien «les mouvements machinaux
de l'insomnie» (p. 101), la triste veille auprès d'une fausse
lumière, l'attente dans «un refuge sans couleurs» (p. 220) ;
ou bien la plongée sans recours dans l'horreur noire. Le
sommeil représente en effet, pour Eluard, le site doublement maléfique d'une claustration — j'y suis serré de
toutes parts en d'impénétrables murailles de non-être —
et d'une chute : y tombant au fond de l'espace, au fond
du temps, j'y subis une sorte d'inversion affreuse de la
vitalité. Au lieu de ressentir l'étendue comme légèreté et
comme envol, au lieu de vivre la durée comme le
surgissement, sur fond d'oubli, d'une suite de présents

nus et joyeux, je les éprouve à rebours comme retour vers le passé et vers l'en-bas, comme vertige de l'origine, mais d'une origine déserte, tarie :

> Ici j'ai ma part de ténèbres
> Chambre secrète sans serrure sans espoir
> *Je remonte le temps jusqu'aux pires absences*
> Combien de nuits soudain
> Sans confiance sans un beau jour sans horizon
> Quelle gerbe rognée (p. 172).

Spatialement, temporellement, la nuit me renvoie donc à une sorte de noyau creux de l'expérience. Désastre provenant d'ailleurs du fait, plus originel encore, que, faisant de moi une «gerbe brisée», elle m'interdit toute possibilité d'offre et de relation. Le plus insupportable en elle, c'est vraisemblablement ainsi la matité, la surdité, bref, la neutralité de son tissu. Rien ne pouvant vibrer ni s'y transmettre, elle étouffe dès le départ tout essai d'émission, de propagation, à plus forte raison de réverbération. C'est un milieu absolument non conducteur, où ne peut s'établir aucun rapport, donc aucun être. L'image qui signifierait le mieux à Eluard cette qualité isolante, passivement élastique de la nuit serait sans doute celle de l'eau morte à travers laquelle on se sent couler :

J'étais comme un bateau coulant dans l'eau fermée
Comme un mort je n'avais qu'un unique élément (p. 19).

«Eau souple et toujours close» (p. 30), substance inhumaine qui ne s'entrouvre devant moi que le temps de me laisser glisser en elle, «comme un doigt dans un gant» (p. 28), mais referme aussitôt derrière moi son indifférence sans couture. Aucune émotion diffusée, aucune trace recueillie n'y peut alors trahir le fait matériel de mon passage : c'est comme si celui-ci n'y avait point eu lieu, comme si je n'y avais jamais existé, comme si en somme je n'existais pas puisque je n'y peux exister pour rien ni pour personne. La nuit, comme «l'eau tout entière», est alors « sur moi comme une plaie à nu » (*Capitale de la douleur,* p. 26).

De cette « plaie », de cette horreur nocturne, Eluard réussit pourtant parfois à se guérir. Il utilise à cette fin des moyens variés, et d'une efficacité fort inégale. Il peut par exemple tenter d'exorciser le noir en y prolongeant jusqu'aux dernières limites perceptibles les signes évanouis de la clarté, ou bien inversement en rêvant au retour de celle-ci, en se situant en une perspective d'attente, ou d'imminence. Il regarde « La dernière l'hirondelle / A tresser une corbeille / Pour retenir la lumière » (p. 182), admire comment « tout se blottit dans un feu qui s'éteint » (p. 42) — ou bien guette dans l'ombre l'élan encore prisonnier du jour :

> De l'aube bâillonnée un seul cri veut jaillir,
> Un soleil tournoyant ruisselle sous l'écorce
> (*Capitale de la douleur,* p. 102).

Mais, du crépuscule à l'aube, continue pourtant à exister un espace de nuit que n'entravent, dans son épaisseur obtuse, ni souvenir, ni anticipation de la lumière : il faudra donc, si nous voulons y vivre, que nous y apportions nousmêmes notre feu, soit par un acte de pure créativité personnelle, celui qu'accomplit par exemple Eluard dans *Pour vivre ici* — « Je fis un feu, l'azur m'ayant abandonné / Un feu pour être son ami / Un feu pour m'introduire dans la nuit d'hiver » (p. 20) —, soit en ayant recours, même au sein de la matité nocturne, au pouvoir d'illumination de la mutualité sentimentale. Sur ses « nuits troubles », et pour lui en faire traverser la négativité, il supplie alors la bien-aimée de jeter « le pont de [ses] regards » (p. 366), ou, mieux — car le regard risque assez vite d'être arrêté par l'ombre —, de lui accorder la contiguïté ardente et éclairante de son corps. L'échange des caresses, le partage amoureux des sangs déjoueront alors la malédiction nocturne :

> Quand la nuit vint nous restâmes sans ombre
> A polir l'or de notre sang commun (p. 423).

Cet « or » réciproquement « poli » conduit au bonheur éveillé de la luisance, devient alors le soleil de notre obscurité : « Nocturne, l'univers se meut dans ta chaleur... un nouvel astre de l'amour se lève de partout — fini, il n'y a plus de preuves de la nuit » (*Capitale de la douleur*, p. 141).

Pourtant, dans toutes les rêveries ici décrites, la nuit a été moins assimilée que repoussée. Écartée, exorcisée, réduite, elle n'en persiste pas moins à l'horizon de la lumière comme une possibilité permanente d'extinction. Pour que vraiment il n'y ait plus de preuves de la nuit, il faudrait que la nuit elle-même nous donnât des preuves de sa convertibilité en jour : chose bien impossible, semble-t-il, puisque Eluard l'éprouve comme essentielle négation de nos lumières... Et pourtant cette impossibilité n'en est pas une ; il peut arriver que l'ombre nous éclaire ; espace où la conscience s'abolit, elle peut être aussi vécue comme le lieu, comme l'occasion d'un nouvel épanouissement de conscience : il suffit pour cela que nous nous mettions à y *rêver*.

On sait l'importance — source d'unité psychique et cosmique, foyer d'analogies, libre réservoir d'être — que tout le surréalisme accorde au rêve. Eluard reconnaît aussi en lui une possibilité merveilleuse d'aventure. Mais rien de moins dépaysant pour nous que ce monde nouveau : les rêves d'Eluard s'organisent de la même façon que son univers sensible, poussant seulement jusqu'aux dernières extrémités de l'anarchie ou du délire certaines des tendances qui caractérisaient celui-ci. Ce n'est point hasard ; par exemple, si le rêve se développe toujours ici sous un regard : l'onirique relève de l'apparaître, quelquefois même du théâtre ; il est essentiellement visible, lumineux. Et ce n'est point non plus rencontre si cette luminosité s'y associe à d'extraordinaires vertus d'ouverture, de porosité active, d'intercommunication : ainsi dans l'extase décrite, ou, mieux, réalisée par ces quatre vers :

Des portes s'ouvrent, des fenêtres se dévoilent
Un feu silencieux s'allume et m'éblouit

Paul Eluard

> Tout se décide je rencontre
> Des créatures que je n'ai pas voulues (p. 121).

Ouvertures des portes, dévoilement des fenêtres, éblouissement d'un feu nouveau : nous connaissions déjà ces
symptômes divers d'avènement. Mais l'inédit, c'est ici
cette sensation d'involontaire, cette « lumière propre aux
rêves d'être malgré soi » (p. 219), tout en étant soi-même
avec une étonnante plénitude. Dans le rêve, je vis une
série de gestes décisifs qui engagent, je le sens bien, le
plus vrai de ce que je suis, et pourtant cette « décision »
semble se prononcer sans moi, je la reçois comme si elle
m'advenait, un peu comme je reçois aussi les créatures
non voulues que m'apporte l'espace, et les instants inouïs,
sans cause ni attaches, que m'accorde le « temps innocent »
(p. 219). Ce sont le dehors, le tout, la magique ouverture
du tout à moi et à lui-même qui me provoquent désormais
à exister en eux, et loin de moi. Mais cette désappropriation
féconde, n'est-ce pas elle aussi qu'Eluard n'avait jamais
cessé de rechercher ? Le schème originel qui associe pour
lui l'avènement à la rencontre se satisfait ici dans des
conditions d'une inhabituelle pureté puisque ni dans le
moi qui rêve — et qui a perdu sa rationalité, qui a même
abdiqué son ipséité, ou du moins la responsabilité de sa
situation existentielle — ni dans les objets qu'il rêve — et
qui se déplacent en un libre espace de hasard —, rien ne
peut plus venir limiter le foisonnement fertile du rapport.
N'importe quoi pouvant désormais se lier *évidemment* à
n'importe quoi, l'absurdité onirique devient, en elle-même,
un prodigieux foyer de sens. Eluard assume ainsi le rêve
comme une sorte d'aube intérieure : un espace plus souple,
plus actif, où les choses naissent, disparaissent, se marient,
se font être mutuellement selon le rythme naturel d'une
plénitude.

Cet espace de plasticité et d'innocence s'associe cependant, et voilà le paradoxe vertigineux de l'onirisme, à
l'espace de négativité, de nuit, contre lequel et sur lequel
il a d'abord surgi. Car s'il vit *dans* la nuit, le rêve vit

plus encore peut-être *de* la nuit ; ce qui le constitue comme région de rêve, c'est la menace de toute l'ombre qui l'entoure, qui le définit en creux, qui fait peut-être aussi glisser en lui — voyez par exemple les fantasmes inquiétants de la *Pyramide humaine* — quelques-unes de ses figures les plus noires. L'onirisme assume obscurément ainsi en lui le négatif ; il donne voix ou forme à l'inerte, au fondamentalement silencieux, à l'innommable. Il « caresse l'horizon de la nuit, cherche le cœur de jais que l'aube recouvre de chair » (*Capitale de la douleur,* p. 131), mais qu'en le recouvrant elle nous empêche de connaître. Cette clarté « que le soleil n'inventa pas » *(ibid.),* le rêve réussit alors, car c'est un Janus à double face, à la faire glisser dans l'étendue diurne. S'il est en effet un jour né de la nuit, et qui a besoin de la nuit pour être, il constitue inversement le soutien, le fondement et comme l'épreuve négative du vrai jour : celui-ci brillant sur fond de rêve comme le rêve luisait sur fond de nuit. A travers l'écran des paupières baissées, le visible rêvé repousse en effet le jour, il refuse, désavoue de toute sa logique propre l'ordre externe de la vue : négation qui, nous le savons, donne finalement à l'œil, comme à un miroir son tain, humanité et profondeur. Mais ce refus s'accompagne encore pour Eluard, comme avant lui pour Nerval, comme avec lui pour Desnos ou pour Breton, d'un véritable « épanchement » du songe dans la vie réelle. Du rêvé au regardé, comme du rêvé au non-rêvé, il y aura donc ici à la fois exclusion et continuité, nutrition et déchirure : réciprocité encore, si l'on veut, à condition d'inclure désormais au cœur de sa figure l'activité d'une sorte de seuil existentiel ou se nieraient et se retourneraient l'un dans l'autre — comme les deux états d'un même cliché photographique — les deux termes opposés de son rapport.

Le statut éluardien de l'onirisme nous apparaît alors dans toute sa complexité féconde. Il nous sauve de la nuit en suscitant en elle une nouvelle étendue de conscience, mais en assumant aussi bien en lui la négation. Et il nourrit le jour en le niant en lui, mais en l'équilibrant de cette négation qui est aussi une liberté, une infinie ressource. Il filtre en somme en lui tous les cauchemars de l'ombre, et les transforme heureusement en évidence, tout en installant en celle-ci cette suggestion d'obstacle, de retrait, cet arrière-souvenir de négation qui constituent peut-être le secret nécessaire et comme le cœur actif de la lumière. On trouvera dans *la Rose publique* un admirable poème qui décrit, dans le registre de l'invocation amoureuse, cette lente conversion onirique du monde des ténèbres à l'univers du jour. « La plus belle des amantes » y est évoquée offrant « ses mains tendues / Par lesquelles elle vient de loin / Du bout du monde de ses rêves » : monde d'abord horrible, et qu'elle parcourt, en une sorte de glissement fantasmatique, « Par des escaliers de frisson et de lune au galop. / A travers des asphyxies de jungle / Des orages immobiles / Des frontières de ciguë / Des nuits amères / Des eaux livides et désertes / A travers des rouilles mentales / Et des murailles d'insomnie »... Mais la montée toute corporelle du rêve nous arrache peu à peu au cauchemar ; nous touchons au salut quand nous imaginons la tête de l'aimée, « Tremblante petite fille aux tempes d'amoureuse / Où les doigts des baisers s'appuient contre le cœur d'en haut ». Sur ces tempes, bientôt sur cette chevelure, le plus noir du vécu se sublime en effet en espérance ; la nuit devient clarté, caresses, ouverture, avenir, un avenir dont la naissance reste pourtant liée à un dernier mystère, au « passage » et à l'envol d'une ombre matinale :

Sur son front les caresses tirent au clair tous les mystères
C'est de sa chevelure
De la robe bouclée de son sommeil
Que les souvenirs vont s'envoler
Vers l'avenir cette fenêtre nue

Une petite ombre qui me dépasse
Une ombre au matin (p. 152).

Que faire cependant lorsque cette ombre ne s'en prend plus de manière directe à moi, à ma capacité de voir ou de rêver, mais lorsqu'elle voile brusquement telle ou telle région du monde, par exemple le toi, les autres hommes, à laquelle se liait indissolublement mon existence ? Le nazisme, la guerre, l'occupation, la mort de Nusch plongent ainsi Eluard en une suite de négatifs absolus contre lesquels semble bien n'exister cette fois aucun recours. Tout ce que peut alors la poésie, ainsi dans le célèbre poème intitulé *Critique de la poésie* (p. 319), c'est constater l'inadéquation, et bientôt la ruine, des structures sur lesquelles elle avait jusque-là fondé son activité ; c'est montrer comment les valeurs se renversent, les mécanismes se retournent, comment toute joie terrestre paraît désespérément perdue et pervertie.

On se souvient par exemple de la valeur d'envol — dégagement à la fois précis et léger — que possédaient des thèmes tels que l'épée, l'oiseau, le vent. Nous les retrouvons maintenant prisonniers, et prisonniers, pour comble d'ironie, de ce même *réseau* dont nous avions aussi reconnu la qualité bénéfiquement combinatoire :

> Comme un oiseau debout dans une armure
> Tête du vent dans une cage obscure
> Comme une épée dressée dans un filet (p. 361).

l'être se sent désormais captif. Il est victime de la finesse, autrefois heureuse, du monde végétal :

> L'herbe fine figeait le vol des hirondelles.

Ce malheur de paralysie s'aggrave souvent d'une double sensation de lourdeur (le plomb, la graisse, le passé, « l'huile paresseuse / De vos actes anciens », p. 188) et de clôture : au lieu de s'entrouvrir, les parois des choses s'épaississent ; les substances qui s'éclairaient en profondeur s'opacifient, s'embrument ; feux ou sangs, tous les foyers d'être s'éteignent peu à peu sous l'uniforme assaut d'une eau céleste :

Le poids des murs ferme toutes les portes
Le poids des arbres épaissit la forêt
Va sur la pluie vers le ciel vertical
Rouge et semblable au sang qui noircira
(*Poésie ininterrompue*, p. 13).

Parallèles au cauchemar de la pluie, le dégoût des fumées, des brouillards, la nausée aussi du sable envahissant — « sable fin de la chute » (p. 220), « vases pleins de sable / Et vides » (p. 245) — annoncent l'obturation de tous les espaces libres et vivants qui permettraient, au cœur des reliefs, dentelles, transparences ou réseaux, la mise en rapport et l'interne respiration du monde. L'espace donc se bouche ; le brio se ternit ; la limpidité devient une boue où je m'enfonce. Le monde surtout perd sa structure, sa physionomie vitale ; il ne sait plus défendre ses tracés névralgiques :

La pluie a parcouru tous les chemins du sang
Effacé le dessin qui menait les vivants (p. 248).

Objets, règnes, époques, tout se dissout en tout et s'adultère à tout. Au lieu de se provoquer de loin les uns les autres à être, « les oiseaux les poissons se mêlent dans la boue » (p. 248) ; dans « ce pays éternel qui mêl[e] les pays futurs », les larmes elles-mêmes ne sont plus que des « miroirs boueux », le sens se perd en un « silence noir où tout se contredit » (p. 318) ; c'est l'univers du « sable mou » (p. 270) de l'informité montante, la grande prison immobile du magma.

A ce malheur comment trouverait-on remède ? La seule issue en pourrait être la découverte d'une chaîne nouvelle de rapports, mais la disparition du toi, l'égarement des formes, l'obturation générale des espaces, bref, la double abolition des pôles et des intervalles empêchent que se rétablissent de telles connexions. A lui seul, on le sait, Eluard ne peut rien : l'obligeant justement à réintégrer sa solitude, la catastrophe qui l'accable semble bien lui ôter tout moyen personnel de s'en sortir. Au moi pareillement bloqué dans le désastre ne reste apparemment alors qu'une ressource : prendre patience, attendre qu'un jour, plus tard — mais ce ne saurait être qu'en vertu d'une série de hasards ou de grâces externes —, se rétablisse pour lui la circulation de l'être. Et cela finit en effet par se produire : la guerre se termine, les hommes se retrouvent, Dominique surgit, remplace Nusch (« Tu es venue le feu s'est alors ranimé... Tu es venue la solitude était vaincue », p. 425) ; le monde reprend du même coup ses inflexions, le sommeil « ruisselle » à nouveau de rêves, et la nuit « promet » à nouveau à l'aurore des « regards confiants », des regards qui font luire les choses ; la forêt ne nous étouffe plus, mais « donne aux arbres la sécurité » ; les murs des maisons ne nous enserrent plus, ils nous mettent au contraire au contact les uns des autres, car ils « ont une peau commune » ; et « les routes toujours se croisent » *(ibid.)*.

Cette résurrection, il serait pourtant injuste et inexact de la croire due à la seule chance extérieure de l'événement. Car même coincé dans la pire impuissance, Eluard ne cesse pas d'agir, ou de tenter d'agir ; au centre du plus grand désert, il continue à sortir de lui-même et à chercher les autres, à vouloir la rencontre (à rêver cette rencontre absolue : la révolution). Il écrit donc des poèmes de fraternité et de résistance ; plus tard encore, c'est bien lui qui découvre, qui aime Dominique : suite au véritable sermon sur l'énergie que développait, en opposition à la voix du désespoir, sa *Leçon de morale*. Même coupé de l'être, et privé, du moins le semblait-il, de toute possibilité d'en rétablir à lui seul le va-et-vient, il peut en effet encore espérer activement, *vouloir* qu'un jour point trop lointain cet être lui soit restitué. Cet espoir, faisons-y attention, n'est plus passivité, attente, mais bien anticipation vivante, pré-réalisation de l'objet espéré. Car espérer, c'est retrouver la vitalité de l'être, mais c'est la retrouver fictivement, mentalement, telle qu'elle existe en une dimension du temps par définition inaccomplie, hors de notre prise actuelle, et pourtant infiniment vivante en nous, cette dimension de l'*avenir* à laquelle Eluard n'avait pas eu jusqu'ici besoin de faire appel. Normalement, on l'a vu, le monde éluardien vit au jour le jour ; il a lieu sur le mode éclairant de l'actuel : d'objet en objet successivement éveillé, l'instant s'y reproduit à neuf et s'y propage. Mais quand se rompent les communications humaines et mondaines, le temps éluardien ne peut plus être ce présent extatiquement recommencé et comme indéfiniment nourri de sa propre naissance. Pour que coure à nouveau le sens dans les architectures de ce grand corps brisé, dissous, inerte, notre monde, il faudra faire intervenir une autre durée qui vienne en quelque sorte du dehors, du futur, du haut d'une transcendance bienfaisante, mais toujours pourtant, à partir de nous, puisque c'est nous qui l'inventons, en réinaugurer l'élan. Cette transfusion de temps, comme on parle de transfusion de sang, c'est l'espérance. Et l'effet en est si foudroyant que l'avenir semble alors non seulement ranimer le présent, mais l'attirer vitalement à lui, se confondre à lui, devenir en somme lui-même du présent :

> Rien n'est détruit tout est sauvé *nous le voulons*
> *Nous sommes au futur* nous sommes la promesse
> *Voici demain qui règne aujourd'hui sur la terre*

(p. 401).

Paradoxe d'un *demain* voulu, dont l'actuel serment provoque l'avènement actuel d'un *maintenant...* Il suffit en somme de se promettre à soi-même du futur pour que celui-ci devienne, dans l'instant même, du présent. Un peu comme, au cœur de la nuit, le rêve nous sauvait de la nuit, l'espoir nous permet ainsi de retourner la solitude en son contraire. Est-ce au prix, comme l'avait soupçonné Albert Béguin [1], d'un saut dans l'inconnu, d'un pari sur l'au-delà, donc d'un reniement de l'immanence ? Peut-être. Mais espoir comme rêve n'appartiennent-ils pas d'abord

---

1. *Poésie de la présence*, p. 334.

à notre monde, et n'est-ce pas chercher encore sa nourriture au plus tenacement terrestre de l'*ici* que d'affirmer, avec Eluard :

> Moi je préfère me nourrir
> De l'espoir d'une ardeur sans fin (p. 234) ?

Mars 1963.

Georges Schehadé

> Pour nous la mort est une fleur de la pensée.
> *Poésies,* p. 89.

Pour s'introduire dans l'univers imaginaire de Georges Schehadé, il convient sans doute de fixer d'abord sa rêverie sur le *lieu* dans lequel s'enracinent ses poèmes. «Nous marchons dans une *prairie grasse et maigre...* une prairie d'animaux... plus doux que fruits ensemble...», rêve M. Bob'le sur son lit de mort. Un des textes des *Poésies* [1] reprend lyriquement le même thème, en l'enrichissant d'une nuance temporelle :

> O mon amour *je suis dans une prairie*
> Avec des arbres *de mon âge* (p. 91)...

Prairie : site évidemment originel, espace d'une vitalité soyeuse, qui, soutenant les pieds du marcheur — ces «enfants de la prairie», dit encore M. Bob'le —, le met en relation avec la fécondité d'un temps et d'une terre. Mais la verdeur du pré peut aussi se déployer, devenir buisson, forêt, feuillage : elle recourbe alors sur elle-même, et sur nous qui nous livrons à elle, la tendre sécurité d'un berceau d'air. Dans la «forêt d'acajou» (p. 85), au creux de la «maison des feuilles» (p. 16), dans la «caresse des platanes» (p. 49), au contact de ces branches si douces, si visiblement voluptueuses («Tu m'inquiètes, tu m'inquiètes jeune fille / Le feuillage est fou de toi», p. 101),

---

1. Sauf indication contraire, les références renvoient à l'édition des *Poésies* donnée chez Gallimard en 1952.

nous jouissons d'un bonheur où se mêlent des valeurs d'intimité tactile, de protection, de sensualité fuyante. Qu'à ce composé vienne s'ajouter une note d'expression charnelle, et ce sera la rose, feuillage érotiquement enroulé sur soi, ardeur épanouie, et pourtant close, souvent même issue d'une clôture à deux, d'un recourbement heureux de la rencontre. Née, par exemple, « A l'heure où le soleil et nous deux faisons une rose » (p. 13), elle replie aussitôt sur nous, sur son secret et sur le nôtre, l'interne vitalité de sa lumière. « Extraordinaire rosier doux » (p. 19) — et sa douceur se lie parfois à un autre duvet, celui des cygnes —, « vallée de roses réduite mais violente » (p. 107), « rue de rosiers » (p. 34) que je parcours voluptueusement, l'*ici* schehadien se définit ainsi à la fois par l'exquisité de son tissu et par la rigueur de sa clôture. Univers-nid, univers-nœud : protégé par des *murs* — « le mur de violettes » (p. 65), « le mur familier aux ombres » (p. 67 —, abrité dans des *pentes* — quelquefois temporelles : ainsi la « pente de cyprès où sommeillent / Des enfants de fer bleus et morts » (p. 74) —, il étend autour de nous la sécurité refermée d'une demeure.

Ainsi s'esquissent à la fois un décor et une sagesse. L'humain, c'est la paix des murs, « l'ordre des feuilles » (p. 18), c'est ce tendre espace de verger ou d'oasis tout entier dirigé, en convergence, vers l'immobilité liquide d'un foyer : *lune, puits,* dans lequel « de lointains Soleils sont couchés » (p. 87), et d'où émanent des paroles, plus souvent encore *fontaine,* mais d'une eau arrêtée, étale sur la pierre, comme à l'état d'attente ou d'indéfinie suspension : « Et l'eau éternelle est sur les tables » (p. 17). A partir de ces éléments, dont la focalité ne signifie jamais expansion — car les fontaines ne se déversent pas, les puits ne débordent pas —, l'espace humain fabrique ses structures : « Autour d'une fontaine, où les oiseaux viennent boire, l'eau dérange la chevelure des enfants et s'arrête contre une pierre... c'est délicat, les soirs... » : soirs et journées de Paola Scala, le petit royaume de M. Bob'le, où les diverses activités sociales savent s'équilibrer ainsi paisiblement sur elles-mêmes, où «tout est ennui, tout est bonheur».

Spatialement fondé, cet ennui-bonheur se découvre aussi des racines temporelles. Il n'est qu'à rêver sur un objet chéri de Schehadé, la *pomme,* pour comprendre comment notre présent, tout aussi limité à soi que notre ici, peut s'appuyer pourtant sur l'épaisseur d'un passé, d'une antériorité. Nul doute que Schehadé ne rêve le paradis comme un verger de pommes : une jeune femme, quelquefois une sainte, y médite sous l'arbre où les fruits s'arrondissent. Jardin biblique, légendaire, qui respire «le repos et le bien-être», où les «personnages sont droits, les pommes sont rondes, l'air est pur après cent ans»... (*Monsieur Bob'le,* p. 113). Jardin d'enfance aussi, «surchargé» de fruits, hanté d'«ânes brillants» et fantasmagoriques, où l'on entre avec «la peur des pommes», tellement elles sont abondantes (*ibid.,* p. 218). Liée au passé, au spirituel, la pomme prend alors valeur signalétique : elle permet de reconnaître la qualité d'une âme : c'est par exemple parce qu'il était gardien de pommes et «recouvert de fruits» (*ibid.,* p. 23) que M. Bob'le engage pour serviteur son cher Arnold. Comment expliquer ce privilège imaginaire? C'est que la pomme épanouit, mais aussi concentre, mûrit, découpe, enclôt pulpeusement en elle comme une virginité du temps. «Sous un feuillage indifférent à l'oiseau salarié / Je dis que les pommes sont justes et belles» (p. 109) : justes et belles parce que leur rondeur si accomplie ne laisse plus rien subsister en sa substance de tout le processus temporel — hasard, ratés, fatigue — qui l'a amenée à l'être. Plus rien, que l'essence lavée, et comme délivrée, de cette durée même. Le lisse savoureux de la pomme, la netteté sans pli de son contour s'opposeront ainsi, dans l'imagination de Schehadé, aux *rides* du jardinier qui l'a vue naître : «Je parle d'une rose [la rose suit ici l'évocation des pommes] plus précieuse / Que les rides du jardinier» (p. 109); «Je me dériderai dans un jardin de pommes» (p. 81)... Fruit donc magique, qui «déride» l'existence, qui la comble de sa plénitude.

La maturation n'y est pas vieillissement, mais surgissement et restauration de l'être ; elle a peut-être même valeur d'annonciation : « Que les pommes tombent / Et vous serez à cette élévation » (p. 32).

Il semblerait, dans de telles conditions, que la conscience n'ait plus qu'à jouir de ce « repos », de ce « bien-être », de cet « âge dans le repos comme une sève » (p. 67), bref, de la bienheureuse suffisance que lui assure sa saisie sensuelle de l'*ici*. Comme dans les premiers poèmes de Saint-John Perse, à qui Schehadé fait parfois songer, tout paraît disposé, entre l'âme et le monde, pour la simplicité d'une communication immédiate. Or, et la plus rapide lecture des *Poésies* suffit à l'indiquer, c'est exactement l'inverse qui se passe : si exquis me soit-il, mon *ici,* je le reconnais bien vite, ne peut être le lieu de mon bonheur, tout au plus de mon aspiration à ce bonheur. Le premier texte des *Poésies* nous le signifie fort bien :

> D'abord derrière les roses il n'y a pas de singes
> Il y a un enfant qui a les yeux tourmentés (p. 9).

La nappe, végétation fleurie, ne recueille donc pas en elle la joie d'un instinct animalement triomphant, mais la brûlure d'un « tourment », l'élan d'un regard d'enfant qui voudrait dépasser les apparences. Plutôt que des cris d'extase, nous rencontrerons ici à chaque ligne des larmes, des soupirs, des appels au départ, des frissons de nostalgie. « Je rêve en criant dans la maison des feuilles... Et que je m'en aille en emportant / Le mannequin de perles » (p. 16) ; « Alors je descends une rue de rosiers / Et je sens monter en moi un grand chagrin / Comme le sel de la mer » (p. 34) ; « Et vous êtes encore dans la douleur des jardins / Fermez mes yeux avec la rose de vos genoux » (p. 55) : ce ne sont là que quelques plaintes parmi d'autres, mais toutes liées à une impatience contre la trop parfaite clôture de l'*ici* — roses, feuillage, chair. Cette impatience ne se laisse d'ailleurs pas aller jusqu'à la tentation d'une rupture : sa note reconnue, c'est l'*élégie,* et l'un de ses maîtres indiqués, Lamartine... La tonalité affective propre à Schehadé marie ainsi, en une ambiguïté de dosage variable, mais toujours délicieux, le charme et la mélancolie. Le monde aurait tout pour être heureux, et cependant il ne l'est pas. L'*ici* nous protège, nous caresse, nous comble, mais il n'est pas notre véritable *ici*. Son intimité, pourtant équilibrée sur elle-même par des miracles de délicatesse, délicatesse à la fois personnelle et ancestrale, n'oriente pas réellement le moi vers son fondement ni vers son être. Le buissonnement de la forêt, le fleurissement des roses, la douceur des jardins, la paisible liquidité des puits et des fontaines, tout cela sera donc ressenti par l'âme à la fois comme ressassement et comme manque. Des pommes elles-mêmes, trop franchement liées peut-être à des images d'édens ou d'hespérides, de lointain temporel, on ne sait plus si elles disent la plénitude ou le déchirement :

Je ne sais pas si c'est un signe ou une torture
Cette voix dans mon enfance comme une pomme (p. 45).

Les vergers nous apparaissent alors « vergers d'exil » ; l'être, c'est cela où nous ne sommes pas, c'est ce qui ne s'étend pas sous notre main, mais se situe ailleurs, hors de portée, au-delà de l'ici, comme sa limite illimitée ou son horizon insaisissable. D'où, vers lui, toutes ces prières, ces élans d'utopie ou de nostalgie : « Quand je serai au plus loin de la terre » (p. 22) ; « Que je sois là et tout sera fini / Même si je m'égare » (p. 17) ; « Moi sans bâton ni route / Je marche derrière les grands paradis » (p. 23). Ou ce cri qui traduit, avec la franchise d'un fantasme, le vœu d'une union recréée dans le creux d'un lointain sacral, originel : « Dormir entre les jambes de Dieu / Par un Noël natal » (p. 48).

Au-delà d'un ici faussement saturé, l'être s'indiquera donc à travers diverses figures de fuite, ou de privation. Il sera le là-bas, le là-haut ; il signalera à la fois le primitif et l'insaisissable, donc l'indifférencié, l'élémentaire, l'indéfiniment continué. Telle est la valeur de la *montagne,*

« Où les troupeaux parlent avec le froid / Comme Dieu le fit / Où le soleil est à son origine » (p. 65) ; mais celle aussi de la *plaine,* ouverte, balayée d'aridité ; de la *mer,* dont le ruissellement brûlant et salé appelle aux voyages, de l'*étoile* qui brille au-dessus de nous comme « une étincelle de faim », faim condamnée à rester inassouvie. C'est le sens, surtout, de la *nuit,* dont la nappe s'étend, comme un nécessaire verso, « l'envers des arbres » (p. 103), derrière la face trop facilement dessinée des choses. Grande perméabilité ambiante qui invite au rêve, au sommeil, à la libre dérive des images : ainsi au crépuscule, quand le monde se tait, quand se clôt l'horizon, quand « L'air au loin finit et ne veut plus entendre », le rôle des poètes est de ranimer, par « l'exil de [leurs] images », la fonction dépaysante du noir : « Nous donnons une ombre à chaque enfant du soir » (p. 95). Ces grandes figures homogènes se différencient en thèmes secondaires : ainsi, pour la montagne, le *berger* ou le *troupeau* — l'animal possédant d'ailleurs aussi en lui-même, parce que ingénu, primitif, un fort indice de spiritualité... (Songez à Excelsior, le chien chéri de M. Bob'le.) La mer s'individualise à travers la *vague* (on va la regarder de loin au premier acte de *Monsieur Bob'le*), le *navire* (on le voit partir, dans *le Voyage,* mais sans s'y embarquer), la *barque,* souvent liée à des rêveries religieuses, à « la passion chrétienne des barques » (p. 92), et, bien entendu, à travers tout ce qui lui apporte une forme, une limite : la *rive,* la *plage,* ou la *presqu'île* (celle-ci souvent peuplée d'églises, ou de souvenirs d'églises : autre thème dogmatisé, puis temporellement dédoublé, d'infinité). Quant à la nuit, elle se liquéfie dans ce lieu d'une obscurité glauque et informe, le *marécage,* à moins qu'elle ne cristallise son essence dans ce petit bloc envolé de noir, le *corbeau.* A propos de celui-ci, on nous précise bien qu'il n'est pas maléfique, qu'il « n'a pas la plume noire du souci », que « Ce n'est pas lui qu'on désigne comme la mort » (p. 131). Corbeau et nuit conduisent enfin, de façon plus obscurément personnelle encore, vers l'énigme de la *brouette* (« l'ombre cette brouette triste », p. 107 ; « juste le temps de noircir une brouette », p. 131).

Prises ensemble, se faisant exister mutuellement, se liant d'ailleurs souvent de façon topologique — ainsi le corbeau « parle sur la montagne » (p. 112), les troupeaux de bœufs paissent sur les presqu'îles, les brebis bêlent dans le marécage (p. 12), le sommeil d'un enfant confond charnellement ombre et océan : « Pour rejoindre le pavot des paupières innocentes / Les corps de la nuit deviennent la mer » (p. 116) —, ces obsessions constituent une grande constellation imaginaire de l'absence, absence qui enveloppe en elle et signale mélancoliquement la vraie présence. A travers leurs connexions multiples, l'être se chiffre et se dérobe, ce qui explique d'ailleurs l'arrière-plan religieux sur lequel elles se détachent fréquemment. Mais, surtout, l'indice d'au-delà affecte, en tous ces thèmes, une totalité des dimensions de l'expérience : temps, comme espace, ou comme relation. L'évocation du lointain, par exemple, appelle de façon presque nécessaire celle du commencement : le thème du corbeau invoquant celui de la mère, « ma mère en son pays se souvenait » (p. 112), la jeune fille surgissant de la mer, marchant « dans la rue la plus nocturne », ou portant sur ses seins des « étoiles égarées » (p. 27), les sources jaillissant au sommet même des montagnes. Car l'extrémité du monde, c'est aussi le foyer distant de la durée. Rêvant à l'origine, Schehadé retrouve souvent un paysage obsessionnel : sorte de verger-cimetière, planté d'oliviers, où dorment ses ancêtres disparus ; mais ce jardin se recule en un bout du monde, « A l'extrémité d'une terre d'élégie », lieu excentrique et pourtant focal où n'atteignent pas nos faibles moyens humains, « Là où se perd la parole des puits / Et le vieil élevage des lunes » (p. 110). Seule la mort abolirait peut-être ce double espace, nous jetant radicalement hors de nous-mêmes, et nous plongeant alors au site d'une fin qui ne ferait plus qu'un avec une origine. Songe, nuit, mort, légende, voyage, tout cela parle donc pour nous l'absence, absence aujourd'hui liée à un destin de patience, mais

demain à l'utopie d'une fusion, peut-être d'un retour.
D'où cette si belle rêverie sur les aïeux perdus :

> Dans l'histoire des songes dans les veillées du jour
> Ce sont les princes de l'ordre
> L'absence les protège et les lie
> Comme l'ombre à la soie des voyages
> De vieux jardins ont ravi leur patience
> Ils reviendront quand cessera la distance
> — L'herbe les couvre de mirabelles (p. 118).

Touche finale typiquement schehadienne qui projette dans
l'irréalité rigide du *là-bas* — horizon, passé perdu, futur
rêvé, fin originelle — un peu du suc naïf et de la volupté —,
voyage soyeux, tendres mirabelles — qui caractérisent,
on le sait, la vie toute végétale de l'*ici.*

S'il en est bien ainsi, si la conscience est tout à la fois
insistance et existence, en langage schehadien « celle qui
est tendrement nouée par les choses de l'âme » et « celui
qui est absent par miracle » (p. 106), il faudrait rechercher
comment le moi parvient à vivre au centre de ce double
appel. Le théâtre de Schehadé nous éclairerait sans doute,
tout entier fondé sur une fort efficace dialectique du *clos*
et de l'*ouvert,* sur le dialogue toujours maintenu entre le
village et le voyage, entre le *proche* (tantôt caricatura-
lement bouclé sur soi, par les boutons mercantiles du
Voyage, tantôt délicatement équilibré, ainsi dans *Monsieur
Bob'le,* sur un humanisme de l'ici) et le *cosmique,* ou le
lointain : partage qui évoque aussi une ligne de force
essentielle de la dramaturgie giralducienne. Plus fructueuse
cependant l'étude des images pour nous montrer comment
cette tension peut être résolue et l'*ici,* tout en restant
strictement « noué » sur sa seule évidence, devenir poreux
aux grandes pressions externes d'un ailleurs. Il est
étonnant en effet de constater avec quelle souplesse
l'imagination *retourne* ses thèmes favoris, réussissant à
leur conserver leur valeur primitive, tout en les chargeant
d'un sens qui s'oppose parfois absolument à cette intention première. Deux ou trois exemples, prolongeant des

analyses précédentes, devraient suffire à montrer comment s'opèrent ces renversements — mais ce sont aussi des glissements... — de rêverie.

Reconsidérons, par exemple, le thème du feuillage. Nous le savons initialement voué à permettre l'involution l'autorepliement sensuel de notre monde : mais il peut aussi, et de manière exactement inverse, nous ouvrir les voies d'un inconnu. «C'est par les jardins, dit Schehadé, que commencent les songes de folie» (p. 26). Pour que naisse en nous «l'hallucination des grands arbres» (*Monsieur Bob'le,* p. 22), il suffira que leur feuillage se mette à doucement trembler : cette palpitation nous signalera non plus la vie d'une immanence, mais l'élan d'un émoi, d'un désir dirigés vers un au-delà de notre monde. Autrefois porteur de caresse, le frisson prend valeur d'éveil. «Les arbres frissonnent comme des méduses» (p. 10), frémissement qui se prolonge en chant d'oiseau. Au sein de la torpeur végétale, l'oiseau installe en effet un thème d'animation : «l'Arbre qui endort les étoiles / Est secoué par un nid» (p. 33). Secousse due à une instabilité, à une fondamentale impatience («Les oiseaux s'ouvriront qui n'ont plus de patience», p. 91), à un vœu actif de déchirure. Mais avant l'envol déjà, leurs cris, mariés au bruissement du feuillage, nous lançaient en une rêverie d'expansion :

Les arbres qui ne voyagent que par leur bruit
Quand le silence est beau de mille oiseaux ensemble
Sont les compagnons vermeils de la vie
O poussière savoureuse des hommes (p. 70).

Poussiéreux, les hommes, parce que voués à éparpiller la saveur immédiate de leur vie dans le double vertige des temps et des espaces. Peuplés d'oiseaux, pénétrés de clarté, les arbres se prêtent à une telle dispersion, mais sans jamais trahir un compagnonnage de l'*ici*. Immobiles, ouverts sur l'espace vivant, la mer, la mort peut-être :

Et ceux-là qui rêvent sous leurs feuillages
Quand l'oiseau est mûr et laisse ses rayons

Comprendront à cause des grands nuages
Plusieurs fois la mort et plusieurs fois la mer (p. 71).

Agent provocateur, mais aussi fruit aérien des feuilles, l'oiseau, lui, entrera en conflit direct avec toutes les figures de la clôture ou de la densité : tantôt voletant dans « l'église de marbre » (p. 38) d'où il essaie de s'évader ; tantôt prisonnier de la pierre elle-même où il attend que nous allions un jour le délivrer (« Nous irons un jour enfants de la terre / Avec nos mouchoirs vermeils / Envoler l'oiseau des mains de la pierre », p. 107). Mais, le plus souvent, cette évasion s'opère d'elle-même, « mille oiseaux succèdent » alors, bondissent dans la successivité du temps, jaillissent dans la blancheur aérienne : hirondelle, « croix » fléchée, « doux chant sans visage » (p. 23), alouettes, qui « sont des tableaux blancs » (p. 33), colombes surtout, oiseaux favoris de Schehadé, équivalents dans l'univers diurne de ce que sont les corbeaux pour le monde de l'ombre. Pour se maintenir en l'air, elles semblent n'avoir plus besoin d'aucun appui matériel : suspendues loin de toute racine, au-delà de tout « pays », dans l'énigme presque abstraite d'une durée — ou d'un néant :

> Et pour toi amie des saules de la mort
> Les colombes qui volent sans air
> L'absence plus longue que les années (p. 81).

Parfaite image d'une répétition qui finit par s'identifier à un effacement du geste répété, donc à une immobilité du temps, et à une innocence :

> Les nuits et les jours perdent leurs ombres par milliers
> Le Temps est innocent des choses
> O colombe
> Tout passe comme si j'étais l'oiseau immobile (p. 88).

Un degré de plus, et l'oiseau se dissoudra directement dans l'étendue, sa liberté deviendra celle du nuage, de l'ange, du vent. Avec ce dernier, surtout, il connaîtra la bienheureuse plasticité de l'invisible, il éprouvera la richesse dernière de ce vide qui limite et qui fonde peut-être toute vérité spirituelle. « J'aime le vent », dit un personnage du *Voyage,* « parce qu'il est plein de pensées et qu'il a la forme mobile des anges... *suspendu à rien* » (p. 44).

Vers ce *rien,* la rêverie pourra s'inventer d'autres chemins : figures non plus de vaporisation, volatile ou aérienne, mais de dégagement, d'impalpable effusion. Ainsi la *musique,* le *parfum,* le *regard.* La première nous oriente doucement vers la hauteur — « les dômes de la musique » (p. 27) —, parvenant à soulever de son frisson — « mélodie de la pierre des îles » (p. 11), de la « pierre insensée » (p. 13), « chant qui anime les habitations perdues » (p. 14) — les réalités les plus recluses ou les plus inertes. Le parfum est, lui, l'arrière-message de la fleur : expression de l'*ici* où il reste enfermé, et dont cependant il se libère, car « la rose *parle* dans la *maison* » (p. 24), « le jasmin à l'empire blanc / *Embaume* la *tour* du mariage » (p. 30). Au-delà de la valeur quasi charnelle de la fleur, le fait de l'exhalaison nous renvoie donc vers le mystère d'une sorte d'âme qui se dirait et s'évanouirait sans cesse en elle, présence insaisissable, mais qui survivrait quelque temps à la disparition de son soutien concret. Ainsi « la rose qu'on endort dans un tablier / Respire encore pour le temps de son âme » (p. 119) ; de la même façon, dans *Monsieur Bob'le,* une jeune fille cache dans la valise d'un voyageur, comme gage de fidélité et de tendresse, une rose qui embaumera tout son voyage.

Transportée dans le champ de ce paysage encore plus directement expressif qu'est le visage, une telle figure y prend enfin la forme du *sourire,* interrogation, silence dirigés, celle de la *pâleur,* rêvée comme légèreté de peau, comme contagion de l'air ou du nuage, celle, surtout de l'*œil bleu.* Thème fort caractéristique : traduisant en effet l'attachement mélancolique à une terre — « yeux bleus des prisonniers » (p. 84) —, il signale aussi chez tous ses possesseurs, porteurs des « yeux sauvages », des « yeux du ciel » (p. 17), un tropisme irrésistible du lointain. L'œil qui regarde au loin reste une réalité charnelle : mais l'horizon dans lequel sa vision le projette finit par déteindre sur lui, par l'emplir physiquement de son azur le moins palpable. Pénétrant l'espace du regard, le ciel installe alors en lui la réalité même de l'absence. Auront donc, pour Schehadé, l'œil bleu tous les professionnels de l'au-delà : *voyageurs*, bien sûr, mais aussi *amoureux* (chez qui le bleu vire quelquefois, de façon érotique ou mystique, au *violet :* « La sueur est violette aux tempes de l'amour / Sainte Vierge de ma passion », p. 24), *bergers* (dont le thème se lie à celui du plein air, du sommeil hanté, de l'innocence animale), *saints* surtout, posés sur la façade externe des églises, donc voués au seuil, infidèles en un sens à la loi de clôture, et à l'humaine communion créée par la clôture, mais attachés, par vocation, à ce *plus loin* que leur œil vide ne cesse de guetter :

> Il y a des églises dont les Saints sont dehors
> Par amour de la solitude
> — Mon amour ne disons pas ça
> Ils sont lointains par obéissance
> Ils ont l'œil bleu des voyages
> Comme ces Bergers qui dorment en souriant
>
> Dans un ciel monotone comme une chambre
> La lune triste avec sa famille (p. 126).

Derniers vers qui marquent, comme si souvent dans la rêverie de Schehadé, le retour désabusé à la familiarité recluse d'un ici.

Cette thématique de l'épanchement, il faudrait voir enfin comment elle se transporte dans un registre plus immédiat, plus sensuel encore : celui de la *liquidité*. Car si la chair peut être rêvée comme repliement voluptueux sur soi, autocaresse, l'amour possède aussi pour les corps qu'il saisit un étonnant pouvoir de dilution. « Il y a de l'eau dans le corps des amants » (p. 109), écrit admirablement Schehadé, et cette eau, « eau des femmes » dans laquelle, à vingt ans, on se regarde avec un « tremblement »

(p. 11), cette eau voluptueuse « qui est la sœur publique / Des jasmins et de la cantharide » (p. 29) a tôt fait de noyer en elle les limites personnelles de nos vies. Les murs deviennent alors poreux, la jeune fille écrit « à travers la maison aux caresses des vagues », ou même les cloisons s'effacent, « la chambre a la parure de la mer » (p. 11). Hors des abris, loin des clôtures, les destins amoureux sont humidement mariés par la même ombre : « Comme deux oiseaux qui volent ensemble s'écrasent / Du silence dangereux des nids / La nuit a mêlé nos âges » (p. 11)... Le *fleuve* épouse souvent ainsi l'image féminine : il est une eau qui coule à côté de l'aimée, une ouverture naturelle à laquelle elle joint vaguement sa rêverie, mais qui prend en réalité sa source en elle, et en nous, comme pour nous entraîner tous deux en un au-delà de l'ici, peut-être de l'amour. « Allumez-vous vivante sur les rivières », demande le poète à la femme aimée (peut-être à l'archétype de la femme, à la Vierge Marie), « Quand l'éclair pousse les fleurs à la mort » (p. 36). Humoralement enfin, l'écoulement du fleuve devient élégie charnelle, *flux de larmes*. Car on pleure beaucoup dans *les Poésies,* mais pour des raisons métaphysiques. Et si les pleurs sont goûtés par l'amant sur le visage de l'aimée comme l'expression d'une fondamentale nostalgie, ils ont aussi valeur plus directement matérielle : leur ruissellement tendre, le sel qu'ils contiennent — « ma bouche dans vos larmes jusqu'au sel » (p. 31) — et qui nous est une allusion au sel marin, bref, leur substance même nous permet de les rêver comme une invitation au grand voyage. Ils nous conduisent sensuellement vers ce *là-bas* dont ils semblent attester psychologiquement le caractère inaccessible. Celle dont le « visage et les doigts » sont « en forme de pleurs » (p. 34), la « bien-aimée pleine de pleurs », nous entraîne liquidement ainsi « de plaine en plaine en perdant la vue » (p. 35) vers un lointain d'espace et de mémoire. Ou bien un court-circuit imaginaire relie de façon plus immédiate, plus naïve encore, les thèmes de l'enfance, des larmes, de la mère, des barques propices au départ : « Vous pleurez comme les petits bateaux / Qui coulent sur le visage des mères » (p. 41) [1]...

L'eau est donc à la fois départ et soutien, caresse et viabilité. En elle nous nous sentons plus légers, plus ouverts, et comme suspendus en un calme tissu de transparence. Un tel repos s'exprime de manière admirable à travers les cinq vers suivants ; nous y voyons associés le bleu de la distance et la volatilité du songe, le bonheur d'un corps aérisé, mais contenu pourtant par l'eau et comme possédé par elle :

> O mon amour
> Nous avons les yeux bleus des prisonniers
> Mais notre corps est adoré par les songes
> Allongés nous sommes deux ciels dans l'eau
> Et la parole est notre seule absence (p. 84).

Il était en effet normal que toute cette évocation sensible du lointain aboutît à une méditation sur le langage. Car les mots signifient, comme la fleur parfume, comme l'œil regarde, ou comme la musique chante : en nous entraînant toujours au-delà d'eux. D'origine charnelle, la parole est pourtant une mise à distance : distance externe du parler à l'auditeur, distance plus interne et plus essentielle encore qui s'étend dans le mot entre le signifiant et son signifié. De là son paradoxe : alors que tous les thèmes de lointain — songe, ciel, œil bleu — n'arrivent pas à promouvoir une véritable délivrance, la parole, elle, nous « absente » : mais dans le geste sans doute qui prétendait nous réunir.

On devine alors toute l'ambiguïté de cette « absence », et l'on en vient à se demander si elle est vraiment souhaitée.

---

1. Une même intention de délivrance rejoindra, de façon voisine, les images de l'eau, de la rive, de la barque, de la poésie. Un poème consacré au « pauvre Lamartine », et qui commence par la constatation de son reniement par notre ici, par l'épaisseur terrestre (« la terre / Celle qui a le sang de chaque fleur ») s'achève ainsi : « Visage du Poète au bord de l'eau / Tu as délié toute ma vie comme ces barques » (p. 47).

Serions-nous heureux si quelque hasard, soudain, nous mettait en possession de la distance ? Mainte indication, dans *les Poésies,* nous suggère que non. En fin de compte, le *là-bas* paraît à Schehadé tout aussi dangereux que désirable. Au point qu'il estime nécessaire de s'avertir lui-même de toutes les difficultés auxquelles son départ va l'exposer :

> A ceux qui partent pour oublier leur maison...
> J'annonce la plaine et les eaux rouillées
> Et la grande Bible des pierres (p. 67).

« Rouille », brûlure amère des eaux ; pierres arides, dévo-rées par l'espace où elles s'étendent et se perdent, « là où les grandes solitudes mangent la pierre » (p. 87) ; « vie froide des nuages » (p. 108), où le voyageur imaginaire doit pour se réchauffer « multiplier les fagots » ; gel, asphyxie de la montagne, là « où l'angoisse / Est un peu d'air » (p. 65) : il n'est pas une des grandes figures de l'ailleurs qui ne puisse ainsi nous apparaître en une perspective redoutable. Ce qui ne les empêche pas de continuer à nous fasciner : car le « peu d'air » de la montagne est sans doute plus pur que notre air d'ici, la froideur du nuage plus authentique que l'ardeur de la rose ; quant aux pierres, ne sont-elles pas aussi la *bible* où nous lirons notre destin ? Reste qu'à l'ambiguïté reconnue de notre ici, délicieux, on l'a vu, mais insatisfai-sant, s'ajoute maintenant l'ambiguïté, plus troublante peut-être encore, d'un *ailleurs* qui attire et menace, appelle et repousse, qui promet à la fois l'être et le non-être, comme s'ils étaient indissolublement enveloppés l'un dans l'autre, ou mieux, peut-être, comme s'ils constituaient les deux faces opposées mais solidaires d'une seule, d'une para-doxale et impensable réalité.

Du côté de l'humain, une peur va donc répondre à ce vertige : celle de l'égarement, de l'éparpillement de soi en un anonymat qui est aussi une marche aux abîmes, une fuite. Dans le lointain, en effet, « on perd son nom » (p. 74), et peut-être, comme l'hirondelle, son visage ; la

pensée y est «intouchable» (p. 73) parce que échappée
à elle-même. On s'y enfonce, comme José, ami de
M. Bob'le, «vers la haute montagne, dans les rafales, du
côté des sources». Et M. Bob'le d'avertir alors en rêve
le trop hardi explorateur : «Pourquoi cette folie? Le combat avec les solitudes... J'aperçois des abîmes où tu marches.» Non seulement gouffres, d'ailleurs, mais «brumes... tourbillons glacés... morsure des soleils, douleur
des étoiles avec... les trous béants de leur poitrine... leurs
carreaux brisés... et le tombeau de la lune...» (p. 234-237),
voilà tout ce que découvre le voyageur qui s'est avancé
trop près de l'être. D'où cette prière finale, dont M. Bob'le
sait d'ailleurs fort bien l'inanité : «Reviens parmi l'air et
parmi les vignes.» Mais, à ce point, il n'est plus question
de retour, ou plutôt la question de retour se pose en un
très clair dilemme : ou bien le voyageur revient, glorieux
de son voyage et du contact établi avec la source (ce que
cherche José sur la montagne, ce sont les herbes médici-
nales aptes à sauver M. Bob'le) ; ou bien il échoue, et
c'est seulement alors son cadavre qui revient. «Nous
reviendrons corps de cendre *ou* rosiers» (p. 87), chante
un poème. Et un autre, sur un mode plus hypothétique
encore : «Quelle pourriture *ou* quelle nacre / *Si jamais
je reviens ô fontaine*» (p. 112)...

Face à cette situation, que faire? Tenter, peut-être,
d'humaniser le lointain, projeter au fond de la distance
quelque chose de l'intimité ou de la tiédeur qui caractérisaient notre existence immédiate. La rêverie creuse par
exemple, au plus inhumain de la montagne, un abri chaud :
maison-source, «granges pleines de douceur» (p. 65) où
se recueillent les troupeaux et les hommes. Ou bien c'est
la mer qui s'apprivoise, qui se couvre amoureusement de
feuilles, voire de fruits («Pour tes yeux calices blancs de
l'amertume / Les fruits dans la poésie et dans la mer»,
p. 56). La plénitude sensuelle de l'ici peut ainsi faire
glisser ses thèmes sur la plénitude transcendante, le vide
du là-bas. Une solution inverse consisterait à attendre
que ce vide veuille bien descendre jusqu'à nous et se

rendre prégnant à cette terre : sa moralité, c'est la *patience,* si souvent invoquée ici, équilibrée d'ailleurs par une non moins violente impatience... Elle a pour schème favori le *pont,* qui enserre de sa fidélité la fuite éternelle des rivières.

La vraie sagesse, ne serait-ce pas pourtant, loin de tout compromis, d'accepter en soi la loi de l'être, c'est-à-dire le risque d'une dissolution dans le non-être, en se rendant compte que telle est aussi la loi de la pensée ? A la limite, nous l'avons découvert, l'être ne se distingue plus d'un ne-pas-être, de cette « blancheur » qui, comme le dit magnifiquement Schehadé à propos de Saint-John Perse, « est l'honneur de la mort » (p. 123). Cette mort, c'est celle que nous rejoindrions sans doute si, projetés soudain au bout du monde, écartés de notre enracinement familier, arrivés à ce point ultime et focal où dorment nos ancêtres, nous rejaillissions avec eux en une gerbe active de néant :

> Si je dois rencontrer les Aïeux
> A l'extrémité d'une terre d'élégie
> Là où se perd la parole des puits
> Et le vieil élevage des lunes
> *La nuit fera une seule gerbe de nos ombres* (p. 110).

Mais c'est la même mort vivante qui meut obscurément aussi l'esprit humain, l'obligeant, car « Il n'est nul repos pour toi ô ma vie » (p. 69), à aller toujours ailleurs, à se vouloir sans cesse autre qu'il n'est. Transcendante à elle-même, donc incapable de s'arrêter en aucun objet définitif de conscience, notre conscience vit ainsi de son support avec la transcendance de l'être. Et certes ce rapport entraîne une douleur, puisque son terme extérieur n'est qu'un évidement, son terme subjectif qu'une tension. Mais l'esprit existe par cette tension même, il se saisit dans le geste, toujours d'ailleurs ici ralenti et retenu, de son échappement à soi, il s'épanouit en somme comme esprit dans le manque continuel qui le fait être. Schehadé le dit bien mieux que moi : « Pour nous la mort est une fleur de la pensée. »

Mais si la mort est une fleur de la pensée, n'en est-elle pas aussi de façon inverse une racine ? Déjà pulvérisé au creux d'un au-delà qui constitue l'espace de son sens et de sa perte, le *moi* schehadien ne se fonde-t-il pas encore sur un *en-deçà,* sur un en-dessous d'une viduité très analogue ? L'antérieur n'est-il pas aussi «absent» que l'ultérieur ? Et le profond aussi peu «réel» que l'altitude ? Certes nous avons vu — souvenons-nous de la pomme et du verger — comment une épaisseur de temps pouvait nourrir de sa substance la rondeur actuelle de l'ici. Mais une rêverie plus profonde nous ferait sans doute apparaître l'origine — mère, sainte, enfance, éden — comme tout à la fois fécondante et lointaine, insaisissable. Non point certes perdue, car nous pouvons toujours la viser à travers l'opération du souvenir, opération qui ressemble fort dans l'ordre du temps à ce qu'est le regard dans celui de l'espace : mais hors de portée, donc d'une certaine manière non présente. Car si la durée est la force qui nous amène à l'être, c'est en volatilisant derrière nous tout ce par quoi nous y avons été portés. Privé de corps, le passé devient aussi peu consistant qu'un rêve : «L'âge de la forêt mon amour est un songe» (p. 115). Voici le végétal lui-même temporellement attaqué de viduité. Avant lui il n'y a plus rien, après lui il n'y a rien encore ; de toutes parts l'*ici* se trouve rongé par la même abolition ; proche comme lointain, tout se volatilise — et la vie n'est qu'un songe :

Celle qui est tendrement nouée par les choses de l'âme
Celui qui est absent par miracle
Tout est songe poussière de songes
Les troupeaux qui ont mille ans à cause de la lune
Et ces montagnes qui tremblent avec des noix (p. 106).

Poème d'un charme typiquement schehadien : chaque mot y est le vecteur précis d'une rêverie (nous savons à quoi nous renvoient ce nœud, cette absence, ces troupeaux, cette lune, cette montagne : quant à ces noix, si tendrement humaines, elles se lient sans doute au thème du creux vivant, de la ride tremblante) ; mais, à peine prononcé, le langage s'y efface, comme pour participer directement au vertige d'évanescence qu'il se propose de nous signifier. Rien ne s'explique, rien ne s'y lie à rien. Rongé lui-même de songes, tremblant d'absence et de passé, le mot n'est qu'un sens à peine effleuré : mais de ce retrait naissent paradoxalement une sensation de présence, une fraîcheur.

Tel est en tout cas le lieu dans lequel devront s'épanouir pour Schehadé langage et conscience. Le poème suspend ici son existence au cœur d'un double tremblement, d'une double transparence, (quadruplement) évanouie de temps et d'étendue. Cette situation peut engendrer une mélancolie et se dénouer en une plainte. Mais il arrive aussi que, par une sorte de miracle intérieur, les deux dimensions fuyantes de la plénitude, espace et durée, parviennent à se répondre quasi métaphoriquement l'une à l'autre. Le moi s'y découvre alors équilibré en une sorte d'extase, fixé entre deux plages sans limites de pure vibratilité et de libre lumière :

Il y a des jardins qui n'ont plus de pays
Et qui sont seuls avec l'eau
Des colombes les traversent bleues et sans nids

Mais la lune est un cristal de bonheur
Et l'enfant se souvient d'un grand désordre clair (p. 66).

Absence de « pays », disparition des nids, règne d'une eau dont rien n'arrête la fluence, porosité de l'étendue à ces oiseaux de nulle part, les colombes, qui la pénètrent de leurs parcours bleu (le bleu se lie, on s'en souvient, à la profondeur céleste), tout dit, dans ces jardins, le bonheur d'un *ici* absolument ouvert. Mais cette ouverture n'engendre pas déséquilibre ni vertige, car de l'autre côté de l'expérience, sur le versant secret de la mémoire, dans les zones habituellement enfouies du « songe », s'opère une libération tout analogue : plaine d'origine, espace d'éparpillement et de lumière qui s'ouvre au plus profond de la pensée, sans jamais s'y préciser — car il reste,

comme l'autre, gouverné par un tropisme de l'indifférencié —, mais sans non plus s'y perdre, s'y dissoudre.
L'immobilisation de cette étendue originelle s'opère d'ailleurs à travers le *tempo* d'un calme alexandrin et dans
l'équilibre des sonorités qui le composent : la qualité
approfondissante des nasales (*enfant*, sou*vient, un* gra*nd*)
s'y combine par exemple aux valeurs d'ouverture apportées, surtout en fin de vers, par quelques voyelles claires
(s*ou*vient, dés*o*rdre, cl*ai*r), tandis que l'étouffement
(voluptueux ?) créé par les *s, f, v* initiaux se délie à travers
les *r* et les *l* en vibration, en labilité pure. Immobile entre
ces deux horizons d'être, la conscience peut alors recueillir
et concentrer en elle — lune, « cristal de bonheur » — la
ponctualité désormais sans limites et comme l'éternel
présent de notre monde.

Le poème apporte ainsi une solution, très provisoire,
aux conflits qui déchirent l'expérience (conflits qui ne se
font jour d'ailleurs qu'*à travers lui*...). Son équilibre il le
réalise en des fusions de thèmes et en des inventions de
formes. Véritable cosmogonie intime, la poésie ne distingue pas langage et paysage. N'est-ce point d'ailleurs
l'un des principes chers à M. Bob'le que « bien articuler
les mots engage la pensée » ? Cette « articulation » des
mots, des sensations ou des images, voilà ce qu'il
conviendrait, pour finir, d'étudier, en montrant comment
le sens naît aussi, dans ces poèmes, d'un certain relief
original de l'expression.

Cette étude, il ne saurait être question de la mener ici,
et d'abord parce qu'elle n'a pas encore défini vraiment
ses instruments ni ses méthodes [1]. Mais il est sûr que, si
elle pouvait être menée, elle retrouverait dans l'ordre
successif (« syntagmatique ») du langage des structures
analogues à celles dont nous avons dégagé la présence et
l'action dans le domaine — tout simultané — de ces
signifiés-signifiants (de ces « paradigmes ») que sont les

1. Il y a pourtant un admirable livre, tout entier consacré à l'étude
des structures du langage, et à leur rapport avec les structures du vécu,
c'est celui de Michel Foucault sur Raymond Roussel *(NRF)*.

thèmes. L'ambiguïté de l'expérience — plénitude évidée — devient par exemple, au niveau des essences formelles, cette si caractéristique combinaison de la *fluidité* (coulante, allitérative) et du *déséquilibre* (inégalités prosodiques, blancs irréguliers). D'où une impression simultanée, et directement éprouvée dans le signifiant, de charme et de malaise. Mais ce malaise pourra être également provoqué par le mode très particulier d'apparition et de succession des thèmes. Point en effet dans ces poèmes de ligne apparemment logique : au contraire des sauts, des trous de sens, mais c'est justement dans ces trous que se forme le sens. De même que l'*ici* sensible ne prend pour Schehadé sa signification qu'en se laissant de toutes parts tenter et traverser de vide, de même le langage ne devient pour lui poétiquement signifiant qu'en brisant la surface immédiate de son sens au profit d'une signification seconde qui naît de cette brisure même. Comme si souvent dans la poésie moderne, c'est l'interruption, l'écart — « le grand écart »... — qui se font alors signifiants. Mais signifiants *de quoi ?* De rien peut-être, ou, si l'on veut, de tout, du débordement de l'être ou de la distance intérieure du langage, de cet *autre* en tout cas vers lequel toute l'expérience poétique se dirige et qui ne peut probablement se dire qu'à travers une certaine altération de son expression même. Ce trouble du signifiant pourra naître, par exemple chez Saint-John Perse, d'une saturation mélodique et rythmique du langage ; ou, chez les surréalistes, d'une pratique concertée, scandaleuse, de la juxtaposition perverse. Il se produit ici à partir d'une discontinuité sémantique qui donne au poème sa saveur d'incongruité, sa naïveté.

Une lecture exacte devrait donc montrer comment les divers éléments du poème sont à la fois continus et discrets, et comment d'autre part cette discrétion ouvre pour eux l'espace d'une continuité seconde, d'un sens ultérieur — qui coïncide d'ailleurs en fin de compte (ou en début de compte...) avec la signification initiale. La continuité y est le fait de la *grappe* thématique elle-même : les éléments de perception ou de rêverie se liant dans l'imagination avec une parfaite cohérence et s'ordonnant, les uns par rapport aux autres, selon la perspective particulière d'un projet. Mais ces thèmes, le discours les étale horizontalement, puis les éparpille, les sépare les uns des autres : dans la surface signifiante du poème, ils nous apparaissent alors sous les espèces d'une gratuité souvent bien surprenante, surprise qui produit encore du sens... Relisons par exemple, en nous rendant seulement attentifs à son mode formel d'expression, un poème déjà partiellement commenté :

Sous un feuillage indifférent à l'oiseau salarié
Je dis que les pommes sont justes et belles
Dans la tristesse du matin
Je parle d'une rose plus précieuse
Que les rides du jardinier

Parce que les livres sont dans les chambres
Parce qu'il y a de l'eau dans le corps des amants

(p. 109).

Le «sens» de ce poème réside, certes, comme a cru pouvoir le dégager notre analyse, dans l'intention, ici une dialectique du temps et de l'au-delà, qui rassemble (par homologie, complémentarité, opposition, déplacement, etc.) des thèmes aussi divers que le feuillage, la pomme, la ride, le matin, l'eau amoureuse, le livre dans la chambre. Mais plus directement signifiante encore la façon dont cette thématique se trouve ici ouverte, ou je dirais peut-être mieux : *déconcertée*. Car rien, au premier abord qui est celui de la lecture, ne vient fonder la juxtaposition de ces feuilles, de cette eau, de ce jardinier ou de cette pomme : le concert thématique du sens (qui existe toujours en profondeur, et qui nous est redonné par une reprise globale du poème à travers la totalité de l'œuvre), ce concert se trouve rompu, mais cette rupture lui donne une dimension nouvelle, peut-être sa dimension de poésie.

La critique se voit assigner dès lors une tâche nouvelle — et presque impossible : étudier, dans une œuvre poétique, non seulement les lignes de sa cohérence, mais les modes particuliers de sa discrétion. Savoir, par exemple, à propos de la « rosée à tête de chatte », comment cette métaphore ne peut appartenir qu'à Breton, tant dans la liaison de ses deux termes que dans la qualité de leur écart. Joindre en somme une appréhension des distances (des distances signifiantes) à celle des proximités et des variations. Pour Schehadé, par exemple, ce qui qualifie la discontinuité — donc la fraîcheur —, c'est le poids dogmatique et assertif (ainsi dans ce poème) ou exclamatif (ailleurs) avec lequel nous sont imposés les thèmes : *je dis que, je parle de.* Et c'est aussi la vigueur — *parce que, parce que* — avec laquelle sont soulignées des relations causales dont le moins qu'on puisse dire est qu'elles n'apparaissent pas immédiatement à notre esprit. Dans d'autres poèmes, ce sont des attaches adversatives : *mais* — ou temporelles : *quand, alors que,* tout aussi énigmatiques. (Ou bien, inversement, c'est la simple constatation brute d'un état, de l'être-là du thème : *c'est, il y a...*) En un effet assez proche de l'effet d'humour — et le théâtre de Schehadé nous montre que c'est bien là l'un de ses registres —, il advient alors que l'excès de liaison grammaticale atteste, *a contrario,* l'absence de liaison logique... Mais cette absence nous renvoie aussitôt à l'autre absence, à celle que voulait nous indiquer, de façon sensible et dans leur registre propre, chacun des éléments de ce paysage-énigme.

Le langage signifie donc ici — comme en toute poésie — de deux manières, disons, si l'on veut, sémantiquement et sémiologiquement : à travers sa structure thématique et à travers sa structure formelle, celle-ci ne se constituant toutefois que par la fragmentation, ou le « tremblement », l'interne aération de celle-là. Ces deux significations, pourtant, doivent n'en faire qu'une — et c'est même un critère (le seul peut-être) d'authenticité littéraire : car la cohérence thématique est aussi, en poésie, une tension, un désir, une ouverture-vers, vers cette dimension que Schehadé nomme *distance,* mais d'autres *improbable, insaisissable, abrupt, au-delà équilibrant,* nous avons dit (un peu facilement sans doute): *être.* Et c'est cette ouverture à l'être, postulée par toute une verticalité imaginaire (l'ordre métaphorique, ou sélectif, dirait le structuralisme) qui s'installe inversement, s'étale dans l'horizontalité des mots (dans l'ordre de la contiguïté), y creusant la parole, la bouleversant physiquement, la muant en poème. Signifiante de l'insignifiable, cette cassure n'y est-elle pas alors celui-ci directement introduit dans le langage et devenu sous forme d'hiatus, de creux actif, fait de langage? Ce n'est là, bien sûr, qu'une hypothèse, mais il est tentant d'imaginer que le débordement infini de l'être-absence — de l'être-ici — (d'autres diront de la *présence,* ou de la *mort*) se traduit immédiatement à travers la pauvreté trouée de la parole poétique[1]. Cette même limite que tentait de saisir la rêverie, c'est elle qui descendrait alors dans le corps du poème par le geste expressif qui dit et qui rompt la rêverie. De là le paradoxe du sens poétique : produit à la fois par la cohérence d'une architecture imaginaire extrêmement profonde, née au contact le plus intime du réel, et par l'incohérence d'un langage qui, brisant pour nous cet univers, ne nous le livre qu'en morceaux. Que pourrait être alors la tâche du critique? Dénoncer la convergence existant entre les deux horizons du sens, relever les homologies qui relient les formes (intérieures) de la continuité aux formes (extérieures) de la brisure ; mettre en rapport en somme une cohérence de l'incohérence (superficielle) et une incohérence de la cohérence (profonde). Et définir, pour chaque auteur, la spécificité vécue de cette relation (l'hiatus est multiple, chaque silence parle différemment). Pour Schehadé, le mode original de l'absence est peut-être ainsi celui du suspens, du suspens volatilisé. Gabriel Bounoure

---

1. Elle a d'autres moyens d'ailleurs de s'y traduire : ainsi le ressassement, ou le murmure (Blanchot), l'éclat dérisoire (Bataille), etc.

remarquait, dans son excellent essai sur le théâtre de
Schehadé, le vide qu'introduit, au milieu même du nom
de M. Bob'le, la petite apostrophe essentielle. C'est sans
doute à partir de ce vide focal, de cette minuscule (à la
fois exquise et douloureuse) suspension d'être et de
souffle, qu'une critique un peu sérieuse aurait dû tenter
de déchiffrer son secret.

Août 1963.

Francis Ponge

La racine de ce qui nous éblouit est
dans nos cœurs.
Le Grand Recueil, Pièces, p. 174.

Imaginons un instant une rencontre : voici Francis
Ponge et, devant lui, l'une de ces *choses* dont il a depuis
si longtemps et si souvent, avec une si heureuse insolence,
affiché pour nous le parti pris. Tout nous amènerait à
supposer, entre cet amoureux de « l'aspect sensoriel » du
monde et la matière élue de son désir, l'immédiat bonheur
d'une contemplation ou d'une absorption gourmande.
Cette supposition pourtant nous tromperait : le premier
contact de Ponge avec l'objet, j'entends l'objet individua-
lisé et isolé, celui sur lequel chacun de ses poèmes braque
son projecteur, *la* lessiveuse, *la* crevette, *le* verre d'eau,
ce contact entraîne moins jouissance que malaise. Pour
le spectateur apparemment comblé, la foudroyante évidence du dehors se distingue assez mal en effet d'un
sentiment intime d'impuissance : incapable de s'égaler à
une révélation si violente, la conscience se laisse glisser
en une sorte d'auto-effacement stupéfié. C'est Ponge lui-
même qui l'avoue : autant, écrit-il, je puis vivre dans la
variété des choses, car « cette variété me construit »,
« autant par rapport à l'une d'elles seulement, eu égard à
chacune d'entre elles en particulier, si je n'en considère
qu'une, je disparais, elle m'annihile » (*GRM,* 13[1]). Et, de

1. J'adopte les abréviations suivantes : *P : Le Parti pris des choses ;
GRM : Le Grand Recueil, Méthodes ; GRP : Le Grand Recueil, Pièces ;
GRL : Le Grand Recueil, Lyres.* Ces quatre ouvrages ont paru chez
Gallimard.

même, confirme-t-il un peu plus loin, chaque œuvre d'art que je veux admirer séparément, détachée de son paysage culturel, « me repousse, me gomme [efface], m'annihile ». En face de l'objet épais et solitaire, de la chose étrange, inutile, qui surgit devant lui comme un pur fragment de monde, Ponge éprouve ainsi d'abord une fascination, qui se résout en une paralysie, en un mutisme. Cet objet qu'il regarde et admire a tôt fait d'effacer en lui la conscience — c'est-à-dire le pouvoir d'admirer, le don de regarder. Plutôt que de parti pris des choses, ne vaudrait-il pas mieux alors parler ici d'*emprise*, d'*emprise par* les choses : sorte de possession par le dehors, dans laquelle l'extase s'égalerait bientôt à une abdication.

Mais ce *dehors* lui-même n'éprouve pas ici des « sentiments » moins partagés. Il se tait lui aussi, et d'un silence qui peut comporter deux significations bien différentes. Le plus souvent, l'objet semble me tourner le dos, comme pour me signifier, de toute son épaisse et radieuse suffisance, qu'il n'a pas besoin de moi, qu'il ne réclame pour exister ni mon aide ni ma présence : en face de lui je me sens en somme inutile, voire intrus, et c'est cela même qui me le rend précieux. « Les objets, les paysages, les événements, les personnes du monde extérieur me donnent beaucoup d'agrément... Ils emportent ma conviction. *Du seul fait qu'ils n'en ont aucunement besoin.* Leur présence, leur évidence concrètes, leur épaisseur, leurs trois dimensions, leur côté palpable, indubitable, *leur existence dont je suis beaucoup plus certain que de la mienne propre,* tout cela est ma seule raison d'être, à proprement parler mon prétexte » (*GRM,* 12). Entendons le texte préalable à partir duquel seul Ponge aura permission d'inaugurer le sien. Mais si l'objet est ainsi compris comme ma « raison d'être », un être qui n'existe, on le constate ici, qu'à partir de son être, en s'appuyant sur lui et sur sa certitude externe avec une sorte d'heureux soulagement, à d'autres moments il semble à Ponge — comme il avait semblé déjà à Baudelaire ou à Proust, à tous les grands artistes de l'impression — que le mutisme du dehors, loin de dissimuler une indifférence ou une autosatisfaction de la matière, enveloppe au contraire une douleur, presque un reproche. Si tous les objets se taisent, ne serait-ce pas en vérité parce que nous nous taisons à leur propos, parce que nous ne savons pas les regarder, ni donc les dire ? Peut-être le sentiment d'immédiate altérité que nous éprouvons à leur endroit tient-il à ce que nous les avons exilés de notre monde, alors qu'ils réclamaient, comme n'importe qui ou n'importe quoi, à être investis, explorés, interpellés par ce que l'homme possède de plus précieusement humain : son langage. A travers son silence, en somme, l'objet réclame, il nous réclame la parole ; il nous presse de l'amener à l'être en l'obligeant à expliquer son être, explication qui nous obligerait aussi à mobiliser en nous une conscience très précise, et verbale, de cet être... Si, par exemple, Ponge n'a pas parlé toute sa vie de la lessiveuse, sujet cependant infini, c'est, nous dit-il, que « d'autres objets me sollici-tèrent bientôt, dont je n'eusse pas sans remords non plus subi les muettes instances longtemps » (*GRP*, 81). Muettes instances : le parti pris n'est-il pas ici devenu prise à partie, silencieuse imploration de l'homme par la chose ?

Parti pris, emprise, prise à partie, ces trois attitudes mélangées aboutissent à un dénouement commun qui est l'exercice d'un langage et la naissance d'une littérature. « La rage de l'expression » ne se sépare pas, chez Ponge, de l'expérience objective, ou objectale, à laquelle elle apporte d'ailleurs sa plus heureuse solution. Car écrire sur un objet, le décrire, n'est-ce point lui prêter voix, le couvrir de paroles, l'amener même à devenir concrètement parole ? Mais l'écrivain qui mène cette description se confère du même coup à lui aussi la solidité, l'interne certitude qui lui faisaient défaut lors du premier assaut des choses. Appuyé sur cette sécrétion humaine qu'est le *texte,* un texte qui se propose de reproduire en lui et de mimer l'essence de l'objet décrit, il évitera la stupeur, le sentiment d'inutilité et de vertige tout d'abord provoqués en lui par le surgissement de son *vis-à-vis* sensible. Rien sans doute de plus intimidant, quand on les rencontre pour la première fois à nu, qu'une lessiveuse ou qu'une crevette : les décrire, leur opposer une épaisseur de phrases et de mots égale, s'il se peut, à leur réalité, voilà pour Ponge la seule façon de reprendre en face d'eux sa contenance.

Mais la littérature fait davantage encore : car le texte sur lequel je m'appuierai n'aura pas pour seule utilité de substituer sa plénitude à ma faiblesse. Plein et charnel, puisque le mot est pour Ponge un morceau de nature, une autre chose, il possède aussi le pouvoir d'évidement et d'abstraction dont jouissent toutes les réalités signifiantes. S'il prétend donc faire se dresser en lui quelque fidèle équivalent de la solidité objectale, il ne pourra empêcher cependant que celle-ci ne s'y trouve d'une certaine façon attaquée, rongée, et comme niée par le mouvement tout-puissant du sens. Ce sens, d'ailleurs, la description devra le développer et l'étirer en une suite de phrases : son parcours, son discours empêcheront encore le langage de reproduire en lui l'immédiate impression de monolithisme, la sensation d'impact absolu et sans nuances qu'avait provoquées l'apparition première du réel. Travailler le style, ce sera aussi, pour Ponge, travailler sur la chose, travailler directement la chose. Par cet effort se trouveront prises à partie et lentement réduites ses deux qualités les plus exquisement terrorisantes : son opacité et sa solitude. Fouillée par la multiple activité d'une analyse, l'épaisseur ainsi s'évidera : elle deviendra matière, puis texture, puis gerbe notionnelle, enfin pur rapport interne d'abstractions. Mais, sous l'exploration minutieuse du regard, l'objet perdra aussi de son lisse originel, de sa clôture : il se défera en détails et en nuances, éclatera en parties distinctes, deviendra à lui tout seul un paysage. L'esprit ne se posera plus dès lors devant lui comme un intrus terrorisé : il s'installera en lui, au cœur même de cette variété dont Ponge a besoin, nous dit-il, pour se sentir être. Car la variété des choses « le construit », « lui permettant d'exister dans le silence même. Comme le lieu

autour duquel elles existent» (*GRM,* 13). Faire ainsi que
l'objet cesse de s'imposer à moi dans le face à face d'une
étrangeté et d'une unicité irréductibles, pour devenir un
espace multiple, modulé, qui se disposerait heureusement
tout autour de moi et de ma conscience ; utiliser cette
situation nouvelle, ce *jeu* intime de la chose (entendez
jeu au double sens d'hiatus, de *looseness* — et d'amu-
sement, d'exploitation ludique de cette déhiscence) pour
me mouvoir mentalement en elle, pour me déplacer d'un
point à un autre de son étendue signifiante, pour sauter
de telle nuance à tel détail, de telle intention à telle
ressemblance, et pour me fabriquer alors moi-même,
m'étayant peu à peu, m'équilibrant en moi et dans l'objet
au fur et à mesure d'une gymnastique tout à la fois
spirituelle et sensuelle, tel sera bien, me semble-t-il, le
projet de la description pongienne. Au terme de son
exercice, l'objet y sera devenu, tout en gardant son poids
d'objet, quelque chose de poreux à la sensibilité et à
l'esprit : moins un *objet* à vrai dire que, selon le mot de
Ponge, un *objeu.*

Mais comment muer l'objet en objeu ? Selon quels
procédés mentaux, quelles démarches ? La première
sagesse, suggère Ponge, serait ici le choix de la mobilité.
En face d'une réalité par définition inerte, notre propre
inertie n'entraînerait que léthargie et que mutisme. Pour
secouer cette double stupeur, l'esprit devra donc s'agiter,
se déplacer en tous sens autour de la chose interrogée.
Pour lui, aucun point de vue privilégié : tous seront
également valables, l'essentiel restant de les multiplier.
Je varierai donc mes prises, je renouvellerai mes points
de vue ; si agile et changeant que mon *je* devient alors
un *nous :* «ce *nous,* l'a-t-on compris», qui «figure
simplement la collection des phases et positions successives du *je»* (*GRP,* 153). Ces phases se succéderont
rapidement, de manière à pouvoir investir en un court

espace de temps la totalité des facettes objectales. Chacune d'entre elles dure peu, l'espace d'un paragraphe, ou même d'une phrase. A peine a-t-elle achevé son interrogation, fourni sa révélation que, sans transition aucune, elle s'efface devant une autre « phase », une autre attitude inquisitive. D'où une discontinuité formelle que, dans son étude classique sur Ponge, Sartre a admirablement reconnue et commentée. C'est que l'esprit a maintenant entamé autour de la chose une véritable danse : non seulement il l'explore sous tous ses aspects sensibles, mais il s'efforce de la surprendre par la rapidité de ses interprétations imaginaires. Il tente une analogie, puis la retire, risque une image, essaie une allégorie, tout cela très vite, sans peser, de manière presque expérimentale, à seule fin d'extraire de l'objet, de « distraire » de lui, comme eût dit Mallarmé, telle ou telle de ses qualités constituantes. Le lézard s'égale successivement ainsi à un dragon chinois, à un poignard, à une petite locomotive, à une gamme chromatique, à une phrase, toutes métamorphoses que vient compléter l'analyse du mot *lézard* lui-même, suggérant à la fois, de par son *zède,* son *zèle,* l'essence du tortillement, et de par son *ard* celui de la fuite traînante... « Plusieurs traits caractéristiques de l'objet surgissent » ainsi (*GRP,* 94) : résultats d'une véritable analyse intentionnelle qui se fonde sur la volubilité imaginante de l'esprit.

Ponge ne pratique donc pas l'enfoncement : ou du moins tel n'est pas, devant l'objet, son mode préféré d'attaque. l'inverse d'un Flaubert, par exemple, il se méfie des endessous substantiels, s'écarte d'une pâte intérieure dont il redoute, on le verra plus loin, la monotonie et l'informité. La surface au contraire le sollicite, parce qu'il lui paraît plus facile de découvrir en elle des débuts de modulation, des éléments de variété, et donc, pour le regard avide, quelque point où s'attacher, peut-être s'insérer. Nous rechercherons avant tout le grain de la chose, son détail. Si celui-ci refuse d'apparaître tout seul, et dans les conditions normales de l'observation, Ponge essaiera d'en provoquer artificiellement la mise en évidence : soit en grossissant soudain l'échelle de l'objet regardé (et la croûte du pain devient alors un merveilleux relief, « comme si on avait à sa disposition sous la main les Alpes, le Taurus ou la Cordillère des Andes » (*P,* 23), miracle d'une vision microscopique qui mue l'apparemment homogène en une architecture ou un tissu) ; soit en rappetissant inversement la taille relative de l'observateur (« un coquillage est une petite chose, mais je peux la démesurer en la replaçant où je la trouve, posée sur l'étendue du sable », *P,* 55) ; soit en faisant jouer sur l'épiderme objectal telle force vivante, variable, qui en provoquera quasi tactilement l'aveu. « Une fois, si les objets perdent pour vous leur goût, conseille Ponge, observez alors, de parti pris, les insidieuses modifications apportées à leur surface par les sensationnels événements de la lumière et du vent..., ces continuels frémissements de nappes, ces vibrations, ces buées, ces haleines, ces jeux de souffles, de pets légers... » (*GRP,* 8). Volatilité, mobilité n'appartiennent plus seulement ici à la conscience examinante, mais au climat qu'elle déploie et fait trembler tout autour de l'objet examiné : ce frisson lui suffit alors à déceler la nuance, l'inégalité concrète, l'insolite détail auxquels accrocher toute sa quête.

Qu'une surface épouse une autre surface, et nous nous trouverons placés dans le bonheur si révélateur de la *tangence.* L'immédiate rencontre de deux objets ou de deux substances les oblige en effet à déclarer, mieux qu'aucune autre opération sensible, leur propriété la plus singulière : l'aveu en naît sur le plan même de leur conjonction. Frontières, franges, limites constituent ainsi pour Ponge des zones critiques de la chose. Les réalités les plus profondes, écrit-il, ne s'abordent pas « sans subir quelque amenuisement. C'est pourquoi l'homme, et par rancune aussi contre leur immensité qui l'assomme, se précipite aux bords ou à l'intersection des grandes choses pour les définir » (*P,* 36). Rien de tel en effet qu'une intersection, que le déchirement d'une chose par une autre pour dénoncer, comme à travers une coupe histologique, la texture propre à chacune d'entre elles. Voudra-t-on par exemple saisir l'essence concrète de la mer ? On n'ira pas la rechercher au large, où la conscience s'égarerait sans doute et ferait naufrage, mais là où la masse marine rencontre d'autres éléments qui la limitent et l'informent : le vent, qui la « feuillette » et « corne » comme un livre ; les rochers qui la percent de leur « aveugle poignard » ; le sol lui-même qui y « plonge obliquement jusqu'à leur garde rocheuse de larges couteaux terreux » *(ibid.),* sortes de lames solides dont nous suivons par l'imagination le dur enfoncement dans l'eau, et qui nous en révèlent alors comme par contraste la glauque et ondoyante musculature. Pour suggérer, de même, la morne nudité d'un roc, on pourra en rêver la surface lentement recouverte par une invasion de mousses, puis débarrassée brusquement de celles-ci. Car le contact de deux objets nous oblige, si nous voulons vraiment l'imaginer, à nous situer mentalement entre eux, au plus aigu de leur rencontre, et donc à adhérer à toute l'intimité révélée de leurs textures. Se trouver entre l'écorce et l'arbre : cette situation, généralement inconfortable, constitue peut-être ici l'idéal de l'observateur ou du rêveur des choses.

La contiguïté n'a nul besoin d'ailleurs d'être concrète pour mettre ainsi en évidence la particularité de chaque objet : abstraite, mentale, devenue simple comparaison, elle atteint à des résultats non moins brillants. Intellectuellement et phonétiquement accolée à l'*orange,* l'*éponge* par exemple manifestera, bien mieux que si nous l'avions examinée en elle-même, la nuance toute spéciale de son élasticité (souplesse creuse, profondeur sans suc ni *or...*) ; ou bien encore la *faune* dénoncera, par opposition, dans la *flore* un combinat d'immobilité et de monotone déploiement. Le vieux procédé du parallèle retrouve ainsi une vertu inattendue, qui est de souligner en chacun de ses termes la présence de ce que Ponge nomme, fort structuralement, sa « qualité différentielle » (*GRM,* 41-42), et de permettre donc une mise en valeur du singulier tout aussi précieuse, sinon plus, que son illumination analogique. J'ajoute que la recherche de cette « qualité » peut aussi s'exercer, hors de toute comparaison externe, dans une mise en rapport de l'objet examiné *avec lui-même :* il suffira de l'imaginer pour cela non plus dans un espace riche de contiguïtés, mais dans la durée qui lui est propre, dans la suite chronologique de ses attitudes (la goutte de pluie tombe, rejaillit, coule, glougloute, s'évapore), dans l'étendue de temps qu'il a dû traverser, en se modifiant sans cesse (ainsi le rocher), pour apparaître à nous tel que nous le voyons. De la superposition imaginaire de ses divers états peut alors surgir l'évocation de son essence. Cette démarche, qui n'est pas sans rappeler le procédé husserlien des variations imaginaires, nous permet par exemple de saisir la mousse, la boue ou le caillou à travers la variété illuminante de leurs phases. L'objet s'avoue en changeant devant nous, et en restant le même à travers tous ses changements ; il se fixe à travers une histoire.

Dire que l'objet *se* fixe, *s'*avoue, est parler d'ailleurs fort exactement : remarquant que l'on dit « le ciel se dalle, se marquette, se pave », Ponge ajoute que « la forme pronominale convient bien ici, car ces formes *se* créent, en vérité : de l'intérieur » (*GRM,* 73). Du dedans l'objet va donc, et de toutes ses forces, de toute son obscure volonté, aider à l'opération par laquelle j'essaierai de mon côté de lui extraire la déclaration de ce qu'il est, son *oui,* l'affirmation de ses qualités maîtresses. Car, tout comme l'auteur de la *Prose pour des Esseintes,* Ponge cherche à transmuer le monde en une série de fleurissements heureux et idéaux : dans chaque objet, il vise à dégager non point vraiment l'idée (ce mot n'appartient pas à son vocabulaire, et Ponge s'affirme, assez curieusement, matérialiste), mais la ou les qualités, l'intention concrète, le projet qui le pousse à être. Le dégagement se produit-il, la chose se met-elle à fleurir, les essences y passent-elles du mode de l'implicite à celui de l'explicite, c'est alors « le moment béni, le moment heureux, et par conséquent le moment de la vérité », celui « où la vérité jouit... où l'objet jubile, si je puis dire, sort de lui-même ses qualités — le moment où se produit une sorte de floculation » (*GRM,* 257), floculation qui est à la fois déploiement, gonflement, aérisation, parole. Nul doute que cette allégresse, que ce joyeux épanouissement qualitatif ne répondent ici à un vœu profond de toute chose. Car l'inanimé, dit Ponge, n'est ni masculin ni féminin, mais encore moins neutre, ou du moins c'est un *neutre actif.* Il est doté d'une « sorte de vie, de faculté radiante, de côté étincelant, brillant, pétillant, radiant », qui manifestent « son côté affirmatif, sa volonté d'être, son étrangeté foncière (qui en fait la providence de l'esprit), sa sauvagerie » (*GRM,* 157-158). Mais cette sauvagerie vise toujours — et sans s'apprivoiser, c'est là le difficile — à se déployer devant l'homme et à se dire. Sartre me paraît donc se tromper lorsqu'il croit découvrir en Ponge quelque choix originel de l'immobilité pierreuse : tout l'activisme proclamé de Ponge s'inscrit en faux contre un tel jugement. Le choix pongien me paraît bien plutôt s'attacher à une qualité interne d'épanouissement et d'ouverture : c'est peut-être d'abord, et simplement, comme le dit fort bien Jean Tortel, le vœu de l'expression.

Les partis pris objectifs, les goûts de Ponge nous confirmeraient ce choix. Car si l'objet flambe abstraitement de toutes ses qualités manifestées, sa forme même, son schème dynamique, son histoire épouseront le trajet d'un fleurissement très analogue. Voyez avec quelle fréquence il nous apparaît ici comme issu d'une profondeur obscure d'où il semble, littéralement, bondir ou bourgeonner : le lézard sort du mur, la crevette surgit de la viscosité marine, l'escargot s'arrache à la boue, le vin vient du sous-sol, la plume monte de « l'ombre et [de] la fraîcheur qui sont à l'intérieur de l'esprit »... Tout dedans tend à se déployer ainsi en un dehors : seul l'homme semble faire exception à cette loi — qui éteint son regard, stupéfie son visage, bloque en lui toute intention interne d'expression. Mais ce blocage du projet humain, que Sartre a reproché à Ponge, se situe en réalité au niveau des significations volontaires, conscientes, qui intéressent fort peu notre poète : il autorise en retour, voyez par exemple le *gymnaste* ou la *jeune mère,* le dégagement d'essences qui fussent sans cela passées inaperçues et qui peuvent alors surgir d'une simple initiative du corps ou de la chair. Si Ponge semble paralyser la signification humaine, c'est afin de la libérer bien au contraire, mais en la situant plus bas, en un domaine jusqu'à lui privé de la liberté même d'avoir sens, et qu'il est le premier à ré-annexer à l'humanisme. Ainsi débarrassé de sa superstructure, l'homme partagera pleinement dès lors l'ivresse animale ou végétale. C'est d'abord le mouvement de l'entrouver-ture : «les orangers sont très éveillés; tous ces petits boutons brillants» (*GRM,* 60) disent l'éclat originel, ouvrent en eux cet «œil de la jeunesse» (*P,* 85) qui brille aussi dans la compacité close du galet. Puis vient l'instant de l'explosion : débauche tendre de la rose, poussée caramélisée du magnolia, ou bien encore proclamation luxurieuse du plus intime de la chair, d'une chair éroti-quement gonflée vers la naissance extatique d'une *bouche.* Citons ici la merveilleuse célébration de Fautrier :

> Paroles, crevez ainsi comme des bulles, laissant un orifice, un cratère au sommet de votre gonflement muet, votre mamelon.
> O Bouches, os, oris, oracles, orifices :
> Voilà encore une métaphore pour le rut du corps féminin —
> …Voilà comme se résout la crise et s'opère l'accès au tréfonds féminin.
> Il ne s'agit que de bouillonner et d'exploser selon un langage (*GRL,* 116).

Solennité toute claudélienne : et claudélien aussi d'ailleurs le thème cosmique de la bouche. Mais la bouche de Ponge n'est pas celle de Dieu, ni même du poète, c'est celle de la chair, de l'objet qu'une «crise» profonde permet d'accéder amoureusement au sens. Tout se dénoue ainsi en une sorte d'éruption de formes, de mots et de matières, en une ouverture passionnée.

Cette passion du manifesté entraîne en retour chez Ponge quelques fort significatives répugnances. Ainsi l'élémentaire le rebute : tout en en reconnaissant la grandeur, il s'en écarte à cause de son côté non dégagé, de sa nature essentiellement involutive. L'élément, c'est pour lui ce qui se replie sur la fatalité d'une sorte de fusion originelle — fusion égalée à une confusion — et tourne donc le dos aux entreprises de notre curiosité. Fondamentalement indifférencié, passionnément homogène, mais d'une homogénéité qui s'identifierait pourtant à un désordre, à un interne chaos de la substance, il résiste à tout essai mental de dissociation ou d'analyse. L'*eau* par exemple, ce liquide incolore, inodore, sans saveur, ne possède d'autre qualité que celle de fuir obstinément la qualité, d'autre forme que sa passion de l'informe, d'autre vœu que celui de glisser, c'est son « idée fixe », son « scrupule maladif », vers le bas absolu où la pesanteur l'aplatira. Nul doute que Ponge n'admire, mais aussi ne condamne en elle cet étonnant tropisme de l'écroulement : « A l'intérieur d'elle-même ce vice aussi joue ; elle s'effondre sans cesse, renonce à chaque instant à toute forme, ne tend qu'à s'humilier, se couche à plat ventre sur le sol, quasi cadavre, comme les moines de certains ordres. Toujours plus bas : telle semble être sa devise : le contraire d'excelsior » (*P,* 40). Cet abaissement signale ici un assez répugnant manque de tenue et comme une absence, à la fois sensible et morale, de dignité. L'élémental gêne Ponge parce qu'il lui coule entre les doigts, parce qu'il échappe à l'imposition de toute catégorie mentale ou verbale. Ainsi encore de la *boue,* cette eau terreuse, qui « est l'ennemie de la forme et se tient aux frontières du non-plastique » (*GRP,* 70) : lieu élu de toutes les osmoses, elle se mêle à l'univers organique le plus bas, à l'essence informe du mollusque, passant « et c'est réciproque — au travers des escargots, des vers, des limaces — comme la vase au travers de certains poissons : flegmatiquement » *(ibid.)*. Ce *flegme,* qui nous renvoie à la fois à l'image d'une lenteur limoneuse et à la viscosité de quelque excrétion vomie, dénonce chez Ponge un très précis dégoût. D'où la violence finale du refus : « Elle veut nous tenter aux formes, puis enfin nous en décourager. Ainsi soit-il ! Et je ne saurai donc en écrire qu'au mieux, *à sa gloire, à sa honte,* une ode diligemment inachevée » *(ibid.)*.

L'inachèvement du langage se chargera donc de dire l'état essentiellement inachevé de l'élément. De façon négative il fera exister pour nous les divers aspects de sa négativité : paresse, monotonie, manque de détails et de limites, et surtout son immensité, haïe d'une raison qui « au sein de l'informe dangereusement ballotte et se raréfie » *(P,* 36). Car le vertige de l'élémental — qui est aussi, prenons-y garde, celui de la continuité — semble quelquefois envelopper une sorte de refus fondamental que nous opposerait la matière. Alors que Ponge recherche l'objet qui dira *oui,* l'élément se clôt et se renfrogne, ne consentant, au mieux, à nous murmurer qu'un *non.* Cette mauvaise volonté s'étend à tous ses modes : à la fuite vicieuse du liquide, au glissement infâme du boueux répond l'obtuse brutalité des roches. Dans le tissu pierreux, la négation devient en effet stupeur ; la matière y succombe à une paralysie, à une sorte de maussaderie interne qui lui défend tout déploiement. « Ainsi le règne minéral ne règne-t-il qu'à la façon dont on dit que règnent indifférence ou veulerie. Il y a dans les pierres une non-résistance passive et boudeuse à l'égard du reste du monde, à quoi elles paraissent tourner le dos » *(GRM,* 201). Cette apathie se lie d'ailleurs encore à la douloureuse expérience d'un désordre. Une merveilleuse imagination cosmogonique fait ici de chaque rocher le produit chaotique d'une sorte d'éclatement originel : éparpillement d'un « aïeul énorme », bloc rocheux aussi positif que radieux, et qui, en explosant, en se défaisant dans les « mille bonds pâteux » d' « une agonie », dans « le pétrin affreux d'un lit de mort » (*P*, 74), a engendré le triste monde de nos pierres. La solidité rocheuse ne doit donc pas faire illusion : elle aussi recouvre un effondrement et une désagrégation ; elle évoque le retour découragé d'une substance éternelle et apparemment imputrescible — le corps de « l'aïeul énorme » — à un état matériel d'incertitude et de confusion. La pierre nous entraîne encore vers le bas, vers la mort, vers ce degré zéro de la matière où s'éteint toute possibilité d'expression. Et si nous découvrons en elle comme un seuil négatif de la parole, comme une limite de l'esprit, c'est qu'elle ne possède plus aucune ressource interne, aucune force capable de fabriquer ni de formuler pour nous une réponse. Le roc réalise en effet « l'état de la matière où l'énergie est la plus basse » (*GRM*, 201). Avec l'anéantissement de son fabuleux aïeul, il a perdu à tout jamais la « faculté de s'émouvoir », donc de se signifier ; « aucun d'eux, devenus incapables d'aucune réaction », ne « pipe plus mot » (*P*, 77). Mutisme, insensibilité, asthénie, informité, voilà bien les grands thèmes à travers lesquels se dessine pour Ponge comme une malédiction de la Nature.

Face au morne désastre élémental, tout l'effort humain ira donc d'abord dans le sens d'une réactivation de la substance. Il faudra réveiller l'élément, l'obliger matériellement ou imaginairement à secouer son inertie, à se dresser au-dessus, au-delà de lui-même, à se déclarer. L'eau, par exemple, sera rêvée dans les tuyaux qui la transportent et propulsent, dans les robinets où elle gicle : « tu cours les rues, grimpes à tous les étages, te disperses sur tous éviers » (*GRM,* 133). La voici tout d'un coup métamorphosée : non plus fuyante ni boudeuse, mais active, accordée, « débordant de générosité, de génie, de gaieté » (*GRM,* 155), trois attributs qui nous renvoient, peut-être étymologiquement, en tout cas orthographiquement, au bonheur retrouvé d'une genèse. Ou bien nous la surprendrons en une activité encore retombante, mais allègre pourtant à cause de ses inégalités internes, de ses surprises, de son côté rejaillissant et ponctuel : la pluie. La boue se rédimera aussi, par l'imagination d'une agressivité sous-jacente à sa mollesse : car elle colle et «tient à vous», donc tient compte de vous. «Il y a en elle comme des lutteurs cachés, couchés par terre, qui agrippent nos jambes ; comme des pièges élastiques ; comme des lassos» (*GRP,* 68). Cette hostilité signifie au moins que nous existons pour elle, ce qui nous la rend beaucoup plus sympathique en son assaut que toutes les neutralités élémentales : «J'aime mieux marcher dans la boue qu'au milieu de l'indifférence, et mieux rentrer crotté que Gros-Jean comme devant» *(ibid.).* Il n'est pas enfin jusqu'à la pierre qui ne consente parfois à quelque mobilisation miraculeuse d'elle-même : la léthargie rocheuse se dissipe, l'opacité se mue en transparence, l'épaisseur s'entrouvre et nous regarde, c'est la joie des cristaux : «Enfin des pierres tournées vers nous et qui ont déclos leurs paupières, des pierres qui disent OUI ! Et quels signes d'intelligence, quels clins d'œil !» (*GRM,* 202.)

Ce bonheur du cristal relève d'ailleurs aussi d'une autre cause : il tient au fait que ce petit bloc pierreux a su se détacher de l'immensité rocheuse pour exister en elle comme une forme close et suffisante. Les objets heureux sont en effet chez Ponge ceux qui «jubilent» de toutes leurs qualités épanouies, mais ceux aussi qui surgissent hors d'une profondeur élémentale, affirmant à partir d'elle, contre elle, l'éclat discontinu et insolent de ce qu'ils sont. L'amorphe s'y individualise, le nappé profond de la matière s'y crispe en quelques durs noyaux. La pierre se découvre ainsi un corps et un visage dans le *galet,* cette petite île ronde et autonome qui marque pour elle l'accession à «l'époque... de la personne, de l'individu, c'est-à-dire de la parole» (*P,* 81). La mie de pain, ce «lâche et froid sous-sol» *(ibid.,* 23), se contracte en se desséchant, s'éparpille en *miettes.* L'eau devient *goutte,* c'est-à-dire grain d'eau, «aiguillette brillante», qui sonne

de toute sa dureté mille « minuscules coups de gong »
(*ibid.*, 8) — ou mieux encore *verre d'eau*, c'est-à-dire
liquidité suspendue, effusion circonscrite, transparence
dessinée et contenue par une transparence. Si cet atome
d'eau possède une vie à lui, si nous pouvons le voir
monter, vitreux mais « farouche », tel un « petit signe
d'interrogation », du « fond du chaos liquide » (*GRM*, 14),
s'il se meut en outre çà et là par de brusques détentes,
en des zigzags qui déroutent toute prévision et qui
affirment mieux encore son indépendance par rapport au
grand principe ambiant de la viscosité marine, nous aurons
assisté à la naissance de cette merveilleuse bestiole : une
crevette. La boue même pourra connaître un avènement
tout analogue : ce sera, sorte de limon arrêté par une
paroi et arrondi en une coque, l'*escargot*.

Goutte, miette, escargot, galet, crevette, voilà bien, du
moins me semble-t-il, quelques-unes des choses vers
lesquelles Ponge dirige le plus décisivement son parti
pris : tous êtres discontinus, ponctuels, insulaires. Assem-
blés les uns aux autres, et devenus grappes, la pluie par
exemple ou la plage, ou le pain rassis, ils étendent devant
l'œil l'espace d'une granulation où chaque partie pleine
s'écarte absolument de ses voisines, s'isole même d'elles
par l'acceptation d'un vide interposé. Dans ce vide on
devine que l'esprit aura tôt fait de se glisser, ne redoutant
plus aucun empiètement, aucun étouffement par l'épaisseur sensible. Le galet, par exemple, s'il se laisse rouler
et ronger par la liquidité de la vague, ne lui permet jamais
de s'insinuer en lui ; l'eau le recouvre sans le parcourir,
si bien que, même infinitésimal, devenu grain de sable,
il reste clos à la contagion marine. En face de ce sable,
qui est l'antithèse exacte de la boue, ou devant d'autres
réalités de structure analogue comme le mimosa ou le
lilas (le lilas, « ces bouquets formés d'une quantité de
tendres clous de girofle mauves ou bleus », *GRP*, 136),
Ponge peut alors jouir d'une sorte d'aération interne des
substances ; il identifie ce creux toujours préservé de la
matière avec le *jeu* dont il a, nous le savons, besoin pour

se mouvoir à l'intérieur des paysages et tendre d'un point à l'autre de leur espace son trajet. La discontinuité formelle de l'objet répond ainsi à la discontinuité plus profonde des essences — par exemple pour l'eau, fraîcheur, insipidité, limpidité, générosité, etc. — que décèle en lui notre analyse. Ce double éclatement, auquel fait encore écho le vœu de variété, de dissymétrie sensible, répond plus profondément lui-même au besoin que ressent ici la conscience d'exister dans et par une multiplicité d'objets de conscience. Ou disons, si l'on veut, que Ponge divise pour régner : déséquilibrant les choses afin de pouvoir s'équilibrer en elles, les décomposant pour s'y recomposer.

Voudra-t-on éclairer cette démarche en la rapprochant de quelque autre grande tentative poétique moderne ? Nous ne devrons pas songer aux aventures de la jeune poésie, à des poètes comme par exemple Bonnefoy ou Du Bouchet, chez qui la chose existe certes, et même intensément, mais d'abord comme présence ou transcendance, jamais comme bouquet lié de qualités. Le maître de Ponge, celui qu'il nomme plusieurs fois avec révérence, celui d'ailleurs dont la phrase, à la fois en dentelle et en falaise, cérémonieuse et sans façon, semble avoir influencé l'allure de sa diction, c'est de toute évidence Mallarmé. Car Mallarmé déjà avait utilisé la discontinuité, il disait le hasard des choses, et les brisures, les « facettes » internes du langage afin de suspendre en leur cœur le vide illuminé de sa conscience. Simplement, il partait de cette disconti- nuité, qui formait pour lui un douloureux donné sensible, alors que Ponge vise à elle, et tente pour cela de désintégrer, formellement ou abstraitement, l'objet immé- diat de sa recherche. Chez l'un et l'autre, la position spirituelle convoitée est cependant la même, celle d'une sorte de focalité vibrante (« Comparer, dit Ponge, à la position du sujet dans le monde (et dans la phrase ?) celle du *foyer* en optique »). Leurs deux entreprises se donnent objectivement aussi la même fin, qui est un dégagement d'essences à travers l'exercice d'un langage. Et si Ponge ne veut pas faire aboutir le monde à un livre, il se propose, aussi peu modestement, de le faire déboucher sur plusieurs livres, tous contenus dans son propre recueil de poésies : dictionnaire encyclopédique, dictionnaire étymologique, dictionnaire analogique, dictionnaire de rimes, etc. (*GRM,* 41), bel équivalent des « atlas, herbiers ou rituels » de Des Esseintes. Çà et là, un concret fragmenté cherche donc à se résumer en abstractions (il est vrai que, pour Ponge, l'abstraction est aussi une puissance de fragmentation) ; çà et là encore le goût de la luisance, du brio transparent, dit le besoin d'une ouverture essentielle de l'objet et d'une initiative lumineuse de l'espace ; pour tous deux aussi le danger reste de préciosité, cette ivresse d'idée qui néglige parfois le cri de la réalité sensible ; mais chez tous deux la préciosité se choisit un délicieux remède : l'humour. N'est-ce point tout cela qu'entendait Ponge en évoquant les libres prestiges de l'*objeu* ?

L'objeu ne serait cependant que jeu, que jouet pour l'esprit s'il se réduisait à un simple cocktail de qualités. Maintenant qu'il a été évidé, conquis en profondeur, et que son épaisseur, devenue texture ou gerbe de projets, a été victorieusement réduite par l'activité mentale, il faudra que nous retrouvions ou refabriquions en lui quelque équivalent de son opacité première. Après avoir transformé l'objet en un objeu, nous voici amenés à muer cet objeu en un nouvel objet. Sans cet effort, la description ne serait que virtuosité ou gratuité. Dissoute en un éventail de qualités parfois contradictoires, la chose échapperait non seulement à la sensibilité, qui ne lui découvrirait plus de résistance ni de poids, mais à l'esprit lui-même qui n'arriverait plus à la penser comme *une* chose. D'où la nécessité d'une réunification, Ponge dit d'une *intégration,* qui se fondera sur une activité relationnelle : « L'objet de notre émotion placé d'abord en abîme, l'épaisseur vertigineuse et l'absurdité du langage, considérées seules, sont manipulées de telle façon que, par la multiplication intérieure des rapports, les liaisons formées au niveau des racines et les significations bouclées à double tour, soit créé ce fonctionnement qui seul peut rendre compte de la profondeur substantielle, de la variété et de la rigoureuse harmonie du monde » (*GRP,* 156).

Ce sont donc les mots qui se chargeront de lester et de recoller les choses, ces mêmes choses qu'ils avaient d'abord creusées, atomisées... Chacun d'eux, étant « un pion, ou une figure, une personne à trois dimensions » (*GRM,* 33), aura de multiples moyens de solliciter et d'accrocher son voisinage. L'imagination verbale de Ponge, appuyée sur la richesse toujours disponible du Littré, se déploie ici avec un étonnant bonheur. Tantôt elle se fonde sur la simple trouvaille d'une juxtaposition heureuse, de ce que nous appelons un peu rapidement un « jeu de mots » : une chèvre à la fois *belle* et *butée* se retrouvera synthétiquement *belzébuthée*... Tantôt c'est la découverte d'une pseudo-racine commune qui autorise le rapprochement de deux qualités apparemment disjointes : ainsi l'araignée, animal acrobate et porte-malheur, sera nommée à partir d'un fantaisiste ancêtre latin, une *fun*ambule *fun*este... Ou bien l'objet déploie toute sa logique interne à partir d'une association verbale originelle : le rapport *gui-glu* permet par exemple de rêver cette plante comme une discontinuité reprise et noyée par le visqueux (thème du tapioca gonflé, de l'algue, du brouillard nordique dissolvant) ; ou bien le mariage *claudel-claudique* (aussitôt associé à *carapace*) conduit à dresser devant nous la fresque d'une démarche lourde, paysanne, vite militaire *(tortue, tank),* attachée à la défense des valeurs païennes et françaises *(caporal, catalauniques...).* C'est en effet par sa partie la plus opaque que la parole pour Ponge signifie : et ces significations, ainsi rapprochées les unes des autres, finiront par former comme un terreau commun où l'objet reprendra racine. Point de parti pris des choses sans un « compte-tenu des mots ».

L'« intégration » pourtant, pour être réussie, devra porter non seulement, de façon paronomastique, sur la lettre concrète du langage, mais aussi de manière plus sémantique, sur la réalité des choses, sensibles ou abstraites, que les mots ont pour fonction de désigner. Or, ces réalités se présentent souvent, à l'intérieur d'un seul objet, sous le mode de la discrétion, voire de l'antagonisme. Il semble d'ailleurs que Ponge chérisse de telles contradictions : il y voit sans doute, au cœur d'un édifice tout abstrait, le signe d'une tension qui lui rappelle l'illogique couleur de l'existence. La *chèvre* par exemple, parfaite de par son produit (le lait), reste imparfaite (« loque fautive, harde, hasard..., charpie ») par l'échevèlement rêvé de son apparence ; cela lui suffit pour supporter toute une dialectique : « Si bien que la chèvre, comme toutes les créatures, est à la fois une erreur et la perfection absolue de cette erreur, et donc lamentable et admirable, alarmante et enthousiasmante tout ensemble » (*GRP*, 211). Le *cheval* soutient une distorsion un peu semblable : car il illustre à la fois dans le domaine de l'humeur l'impatience d'une vie habitée par la fureur venteuse, et la passivité, la « stupéfaction pathétique » d'un gros corps trop bien domestiqué. Le *cristal* est « l'idée pure », car il possède « avec les qualités de la pierre celles du fluide coordonnées » (*GRM*, 201). La « coordination » des antagonismes essentiels, l'*à la fois* constitue ainsi pour Ponge (comme d'ailleurs encore pour Mallarmé, et peut-être pour tous les spécialistes de l'abstraction, tous les obsédés de la structure) l'une des catégories essentielles de la perception et du savoir.

Sous peine de voir l'objet se contester lui-même en d'insupportables paradoxes, il faudra donc que l'imagination en ramène la multiplicité à l'unité. Elle le pourra, par exemple, en découvrant, derrière l'étalement de ses qualités distinctes, une autre essence, plus secrète, qui en autorise concrètement le mariage. Ainsi l'eau, qui connaît fraîcheur et limpidité, possède aussi une fluence, une élasticité interne de tissu, une facilité d'osmose et de caresse qui permettront une fusion sensible de toutes ses autres vertus : « Fraîcheur et Limpidité, Douées d'une

Lascivité merveilleuse Enclines à *s'enlacer* étroitement, se *tresser* et, en *riant,* Rouler ensemble au ruisseau» (*GRM,* 136), s'y retrouvent en effet en fin de compte «dissoutes l'une en l'autre». Grâce à sa *lascivité,* qualité abstraite, mais qui va dans le sens d'un amoureux mélange des corps ou des essences, voici l'eau réunie et comme charnellement remariée à elle-même. Autre exemple d'«enlacement» physique des intentions réconciliées : le *poisson.* A la fois visqueux et dur, il se rêve comme un acier huilé, une «pièce de mécanique» qui insinuerait opératoirement dans l'eau de mer sa parfaite acuité lubrifiée. Ou regardez encore la *rose,* que Ponge vous amène à rêver à la fois comme un éblouissant et presque impudique aveu charnel («C'est trop d'appeler une fille Rose, car c'est la vouloir toujours nue ou en robe de bal, quand, parfumée par plusieurs danses, radieuse, émue, humide, elle rougit, perlante, les joues en feu sous les lustres de cristal...», *GRP,* 143) et comme un repli, un pudique amoncellement interne d'enveloppes («atours... jupons... culottes...», «superposition nuancée de soucoupes», «levée de tendres boucliers», *ibid.,* 144). Ce double tropisme se résout alors par un acte d'identification imaginaire : «Une chair *mélangée à* ses robes, comme toute *pétrie de satin :* voilà la substance des fleurs. Chacune *à la fois* robe et cuisse (sein et corsage tout aussi bien) qu'on peut tenir entre deux doigts — enfin ! et manier pour telle» *(ibid.).* Le plus charnellement épanoui de la fleur non seulement ainsi se mêle, mais se caresse en profondeur et s'unit, se «pétrit» à sa qualité involutive : et cela tout simplement, entre deux doigts qui rêvent, en un simple bonheur de sensation.

Ce bonheur, il faudra maintenant l'étendre à l'objet tout entier dont on amènera les diverses qualités, les diverses parties à établir, les unes avec les autres, une relation globale. Les objets pongiens, dit fort bien Sartre, sont des statues ensorcelées, des discontinuités matérielles que hante une certaine idée de l'organique. Et Ponge reconnaît lui-même la nécessité d'un «agencement». Les diverses forces ou intentions dissociées dans l'objet par l'analyse devront donc s'y compenser activement les unes les autres, s'y rééquilibrer en un ordre qui sera plus souvent d'ailleurs mécanique que vital. Ainsi la *pluie,* dont l'immédiate figure semblait relever du seul hasard, obéit en réalité à des mouvements très rigoureux que commande une force unique : elle « vit avec intensité comme un mécanisme compliqué, aussi précis que hasardeux, comme une horlogerie dont le ressort est la pesanteur d'une masse donnée de vapeur en précipitation » (*P,* 8). Même mythologie de l'automatisme dans la *viande,* dont chaque morceau est «une sorte d'usine», «moulins et pressoirs à sang, [...] tubulures, hauts-fourneaux, cuves» y voisinant avec «les marteaux-pilons, les coussins de la graisse» (*P,* 43). Usine, horlogerie, tout cela nous suggère bien la présence supérieure d'une règle qui muerait chaque détail de l'objet observé en un rouage ou un ressort : l'harmonie ainsi évoquée est alors de l'ordre de la fonction. Dans les cas les plus favorables, ce fonctionnement se referme sur soi : inaugurant dans l'objet le processus d'une activité circulaire, continue, qui constitue véritablement sa définition et sa structure. Ainsi pour l'étonnante *lessiveuse,* chez qui les principes antagonistes de la saleté, du sursaut contre cette saleté, de l'ébullition montante et du ruissellement descendant parviennent à s'enchaîner en un circuit parfait, où se réalise un double accomplissement éthique et essentiel : «La lessiveuse est conçue de telle façon qu'emplie d'un amas de tissus ignobles l'émotion intérieure, la bouillante indignation qu'elle en ressent, canalisée vers la partie supérieure de son être retombe en pluie sur cet amas de tissus ignobles qui lui soulève le cœur — et cela quasi perpétuellement — et que cela aboutisse à une purification » (*GRP,* 83). Passage exemplaire d'une simple juxtaposition à un équilibre fonctionnel, puis de celui-ci à une catharsis morale.

Voici donc l'objet verbalement, synthétiquement, fonctionnellement recomposé : il existe à nouveau devant nous comme une personne — doté d'un visage, d'une forme, d'une vie bien à lui. Tout cela nous pourrons désormais, à la différence de ce qui advenait lors du premier surgissement sensible, le regarder en transparence ; nous en connaîtrons la structure, l'intention, nous saurons ce que la chose *veut* nous dire, nous aurons trouvé en elle cette « racine de ce qui nous éblouit » et qui se trouve en réalité « dans nos cœurs » (*GRP,* 174). Mais attention : ce dernier visage de l'objet, si clair, si expressif que nous le souhaitions, devra continuer à s'appuyer sur une épaisseur irréductible. Le déchiffrement pongien des qualités ne tend aucunement à annuler les obscures profondeurs de la substance : sous les architectures dévoilées il faut au contraire que celle-ci continue à exister comme une sorte de fondamental support. De l'art de Ponge nous pourrions ainsi redire ce qu'il écrit lui-même à propos de celui de Rameau : lui aussi « échappe à la sécheresse…, échappe à la préciosité, parce que toutes ses articulations harmoniques, si détaillées, si brillantes, et parfois si nacrées soient-elles, naissent à partir de la grave musicalité d'une basse fondamentale exprimant l'épaisseur et le fonctionnement en profondeur du monde » (*GRM,* 211). Ce fondement lui est fourni par la double matérialité de son langage — les mots, nous le savons, faisant ici terreau —, et de la pâte élémentaire dont l'opacité, rebutante certes mais nécessaire, vient soutenir le déploiement architectonique des essences. Ce soutien lui fait-il défaut, Ponge aura l'impression d'être trahi par le réel : il déteste par exemple les formes creuses, ainsi l'*éponge* dont la gymnastique ignoble n'enclôt qu'eau sale et que vent, ou bien la *ville,* vaste coquillage épars et triste que n'habite l'évidence globale d'aucun corps. L'objet idéal sera tout au contraire celui en qui s'établira un équilibre interne de la matière, ce soubassement profond de l'existence, et de la forme, cette expression épanouie du sens. De l'une à l'autre nous devrons sentir exister le courant d'une complicité, et même l'interne adéquation d'une mesure : comme Ponge refusait les enveloppes creuses, il se dégoûte des formes intempé-

rantes — ainsi de l'insipide débordement printanier — ou
des significations trop étalées : celles de ces arbres, par
exemple, « qui n'ont rien de caché pour eux-mêmes », qui
« ne peuvent garder aucune idée secrète » (*P*, 63). Pleinement satisfaisants au contraire, et justiciables d'un
« humanisme » nouveau, les objets ou les êtres chez qui
la substance, sans rien perdre de sa qualité substantive,
semble avoir d'elle-même, et du dedans, produit l'élégance
d'un contour : ainsi le diamant, dont l'élan dessine la
limite ; l'escargot, boue qui sécrète sa croûte ; l'araignée,
suspendue dans le treillis figé de sa salive ; l'homme
enfin, défini par la coquille, l'explicite fleurissement de sa
parole.

Car tout s'achève ici par des paroles. Si l'élément sert
de base à l'objet, de soutien à la forme, l'objet de son
côté supporte l'éclosion d'un nouvel univers de formes,
celles qui dessinent pour nous les actes d'une littérature.
La chose se dit donc, mais elle dit aussi, et au second
degré, le geste même de se dire ; porteuse d'expression,
elle devient souvent une allégorie de l'expression. Maint
poème pongien se développe en fable : une fable qui
aurait pour moralité l'illustration et l'apparition finale d'un
phénomène de langage. Le lézard par exemple sort du
mur comme une phrase noire née sur une page blanche ;
la mer est un livre peu feuilleté ; fleurs ou feuilles s'égalent
à des paroles ; l'hirondelle inscrit un paraphe sur le ciel,
la coquille évoque le poème. Cette forme d'imagination
aboutit chez Ponge à des découvertes infinies ; elle lui
permet d'utiliser les choses comme un moyen de redé-
couvrir et de fonder les mots mêmes qu'il avait utilisés
pour les décrire. Le sens supporte ainsi une véritable
mythologie du sens. Ou disons que, poésie de l'objet, cette
poésie est plus encore peut-être, comme tant d'autres
œuvres poétiques modernes, une poésie de la poésie,
surprise à travers l'objet. Comment s'étonner alors que
celui-ci ait quelquefois tendance à s'effacer derrière le
discours dont il est à la fois le prétexte, le porteur, la
figure ?

Ponge n'aurait-il donc donné la parole aux choses que pour retrouver en elles des phénomènes de parole, n'aurait-il adopté le « parti pris des choses » que pour résoudre en lui sa très ancienne « rage de l'expression » ? De l'objet et du mot, qui est, pour lui, signifiant, et qui signifié ? Toute l'efficacité expressive du langage tient peut-être ici à une sorte d'interne clignotement du sens — clignotement souvent souligné par un clin d'œil... — en vertu duquel choses et mots échangeraient sans arrêt leurs rôles, leurs fonctions sémantiques, se feraient en somme mutuellement et alternativement signe, sans qu'aucun d'eux consentît jamais à exister pour nous comme terme dernier d'une visée. Ainsi « déçue », comme le désire Roland Barthes, la signification ne serait rien d'autre alors que sa propre et intime élision : non point, comme en d'autres poètes d'aujourd'hui, par une fuite vers un indicible, vers le silence fracturant d'un au-delà, mais au contraire, et paradoxalement, par un trop-plein de sens, par l'excessive ductilité sémantique de l'ici-bas dans lequel s'enferme le poème. Entre le monde et le langage, la littérature organise ainsi un jeu de cache-cache ; et le sens du poème serait une poursuite, essentiellement inachevée, du sens le long de la chaîne toujours renouvelée, et toujours savoureuse, de ces signifiants-signifiés : les mots, les choses...

Mais cette saveur même, n'ira-t-elle pas finalement ici contre l'opération du sens ? Elle nous engage en effet à la station — le temps justement de savourer. Et l'on se résigne mal à ne savourer que des signes, ou des objets en train de se muer en signes. Contre le vœu peut-être du poète, le lecteur se choisit alors sa hiérarchie. Il arrête son attention, et son intention de possession, de jouissance, sur l'un des pôles du rapport sémantique. Ponge me séduit plus ainsi comme poète de l'univers sensible (comme amoureux par exemple de cette table qu'il embrasse à la fin d'une conférence, parce que rien ne lui « permet de croire qu'elle se prenne pour un piano », *GRM,* 262) que comme poète du langage ou fabuliste indirect de la nomination[1]. Il serait, me semble-t-il, dommage que le lilas, la rose ou le magnolia devinssent seulement pour nous des fleurs de rhétorique. Mais les vraies fleurs, les choses existantes ne lâchent point si aisément celui qui s'est une fois donné à elles ; leur inépuisable et intraduisible succulence suffit à retenir Ponge prisonnier : captivé par ce qui fait pour nous le plus original de son génie, sa gourmandise. A la fin du poème, l'objet est en effet rendu, comme chez Mallarmé, à un silence ; et ce blanc, s'il permet quelquefois le dégagement d'une allégorie, recouvre le plus souvent la paix d'une dégustation. Imaginairement l'esprit y savoure la crevette, l'escargot, la pluie ou le galet ; réellement il rompt le pain ou boit le verre d'eau. A la fois mentale et sensuelle, la jouissance ainsi atteinte n'épargne aucune qualité, aucune région de l'objet dégusté, qui se trouve traversé et comme épuisé par elle. Par le poème la succulence devient donc transparence. Nous voici rendus, avec les choses, à travers les choses, à la limpidité d'un monde vrai. Étendre sur l'homme et sur l'objet le clair vernis d'une évidence toute simple, nous obliger à constater cette simplicité, et en même temps à la consommer, à la parcourir, à nous établir familièrement en elle comme en notre vérité la plus ancienne et la plus neuve, telle est, me semble-t-il, la profonde vertu de Francis Ponge :

> C'est de plain-pied que je voudrais qu'on entre dans ce que j'écris. Qu'on s'y trouve à l'aise. Qu'on y trouve tout simple. Qu'on y circule aisément, comme dans une révélation, soit, mais aussi simple que l'habitude. Qu'on y bénéficie du climat de l'évidence, de sa lumière, température, de son harmonie.

---

1. Dans son excellente présentation de Ponge (chez Seghers), Philippe Sollers fait le choix inverse. Pourquoi pas d'ailleurs ? Chez Ponge il y en a pour tous les goûts, et de toutes les façons : la chose est chose, le langage langage, mais la chose est langage, et le langage chose...

Francis Ponge

... Et cependant que tout y soit neuf, inouï : uniment
éclairé, un nouveau matin.

Beaucoup de paroles simples n'ont pas été dites
encore.

Le plus simple n'a pas été dit (*GRM*, 65-66).

Mars 1962.

Guillevic

Les mots,
C'est pour Savoir.
Exécutoire, p. 37.

Tel autrefois Gautier, Guillevic est aujourd'hui un homme pour qui le monde extérieur existe : mais existe, voilà tout son problème, comme absolument extérieur... Qu'il regarde la *chaise* (« C'est du vieux bois / Qui se repose, / Qui oublie l'arbre... / Elle ne veut plus rien / Elle ne doit plus rien », *T,* 9[1]), ou l'*armoire* (elle « était de chêne / Et n'était pas ouverte », *T,* 7) ; qu'il réfléchisse, sur les *rocs* (« Ils ne le sauront pas les rocs, / Qu'on parle d'eux », *T,* 75), sur le *métal* (qui « se renfrogne », *E,* 29), sur l'*océan* (avec lui, « N'importe où qu'on soit. On est à la porte », *C,* 87), toujours se reproduit pour lui le même drame : en un seul geste l'objet s'impose et se dérobe. Aussi violent dans son impact que têtu dans son retrait, le monde est fondamentalement un dehors. Nous avons beau aimer les choses, nous avons beau projeter vers elles toute la richesse pénétrante de notre désir, toute l'incisivité de notre conscience, les choses se ferment ou s'écartent, échappent à la prise. A notre élan elles répondent par une non-réponse ; à nos avances elles opposent une fin de non-recevoir. De l'objet, la seule

1. J'utilise les abréviations suivantes : *T : Terraqué,* Gallimard, 1942 ; *E : Exécutoire,* Gallimard, 1947 ; *G : Gagner,* Gallimard, 1949 ; *So : 31 Sonnets,* Gallimard, 1954 ; *C : Carnac,* Gallimard, 1961 ; *S : Sphère,* Gallimard, 1963.

chose sans doute que nous puissions tirer, c'est le savoir qu'il n'y a rien à en tirer : d'emblée il nous signifie qu'il se situe ailleurs, en un autre espace que le nôtre, qu'il relève d'un ordre auquel nous n'avons pas accès. A portée de la main, il est, dans sa familiarité, plus lointain qu'une planète morte. Sartre décrit les vertiges de l'en-soi ; Guillevic nous dévoile la simple étrangeté du *il y a*. Plus chez lui de racine anonymement engloutissante, mais un verre, une assiette, un pichet, des objets usuels clos sur leur quant-à-soi. Ces objets nous excluent, en même temps qu'ils se referment sur eux-mêmes, et sur l'être. Car c'est l'être, bien sûr, que nous poursuivons en eux : mais rien ne nous y indique sa présence. La réalité n'a pas d'expression (pas de regard, de frisson, de parole) ; pas de chaleur non plus (« la maison d'en face / Et son mur de briques... La maison de briques / Où le rouge a froid... », *T,* 22) ; elle semble même ne pas avoir de profondeur, car elle ne nous présente jamais que l'écorce extérieure, que l'écran défensif d'un apparaître tout entier dirigé vers nous, et contre nous. Le monde est étanchéité, muraille — c'est un cauchemar qui rejoint ici certaines obsessions de Reverdy. Tentons-nous alors, emportés par la rage de cette occlusion, de crever ces écorces, de briser ces murs ? C'est pour retrouver sur l'objet déchiré d'autres surfaces opposées, d'autres murailles qui recouvrent à nouveau, et indéfiniment, l'épaisseur obturée de l'être :

> Voir le dedans des murs
> Ne nous est pas donné.
>
> On a beau les casser
> Leur façade est montrée (*E,* 155).

Le réel ne nous donne donc jamais que sa façade. Voir, c'est voir l'obstacle, puisque l'œil bute forcément sur ce qu'il voit... Il semble que rien dès lors ne puisse nous faire échapper au face à face. L'objet se tient là, et nous ici, « toujours dehors, et attentifs » (*G,* 131).

Mais attentifs à quoi ? Sans doute à cette dimension

interne de la chose dont nous savons qu'elle échappera toujours à notre regard, à notre prise, mais que rien ne défend contre le mouvement explorant des rêveries. Là où la perception s'arrête, l'imagination prend le relais : vertigineusement elle franchit l'écorce du dehors, et s'enfonce au-delà, dans le dedans rêvé de ce dehors. Mais voici, malheur trop prévisible, que ce dedans lui-même se dérobe. Derrière sa surface l'objet développe, certes, la réalité d'une étendue concrètement matérielle. Mais cette matière n'y est pas saturée de densité, ni équilibrée sur soi, recrue de plénitude : rongée bien plutôt de vide, et comme travaillée par la sournoise fièvre d'une négativité, d'une inquiétude qui semblent vouloir l'entraîner toujours plus loin vers le gouffre démesuré, obscur, terrible, de sa propre intériorité :

> C'est la distance à l'intérieur
> Qui perd mesure,
>
> Jusqu'à l'immense.
>
> Il n'est plus qu'une sphère
> Sans confins ni lieux,
> Où le noir oscille
> Comme un corps de monstre.
>
> Et très loin, perdu
> Dans la masse énorme,
>
> Un œil qui regarde
> Et qui brille à peine :
>
> Le noyau de braise (*T*, 64).

La matière ne saurait donc nous procurer le soutien d'une solidité, la paix terminale d'un refuge. Elle n'est, on le voit, qu'un évidement circulaire et infini, que là poursuite oscillante, «énorme», d'elle-même : «silence parti à sa propre recherche» (*S*, 58), ou, comme l'écrit Guillevic à propos de la mer, «néant qui se voudrait la mer» (*C*, 9). Rien qui évoque en elle l'opacité pléthorique d'un en-soi : au contraire une non-coïncidence essentielle avec ce qu'elle est, un air, toujours, de « s'occuper ailleurs », une inaptitude à se sentir comblée, et donc à nous combler, bref, une distance, ou, mieux peut-être, un distancement, une distension de l'être qui constituent, douloureusement, son être même. S'enfoncer dans la chose, c'est donc y retrouver l' « hiatus » qui obsède en tous lieux la rêverie de Guillevic. L'objet n'est rien d'autre que sa propre fuite en soi, que son horizon éternellement et intérieurement reculé.

Dira-t-on que cet horizon y aboutit pourtant à quelque chose, à ce point central et terminal où brille, comme un œil entrouvert, le « noyau de braise », le cœur de l'être ? Oui, certes : mais la difficulté tient justement au manque de conviction ontologique, au caractère lointain, expirant de cette « braise ». Sans doute, on le verra, demeure-t-elle toujours susceptible d'un réveil — rejaillissement ou éruption vers les surfaces dès lors revitalisées de notre monde. Mais dans l'état le plus normal de l'expérience imaginaire, ce cœur ardent des choses disparaît derrière toute l'informité mouvante, obscure, qui constitue l'espace même de l'objet. Disparition d'autant plus inquiétante, d'ailleurs, qu'elle affecte aussi bien en nous les structures vécues du temps. Ce qui gît là-bas, au bout de l'objet, au fond de la « masse énorme », c'est encore en effet la luisance égarée d'une origine : « un passé légendaire qui s'oublie dans ta masse dont tu parais absente » (*C*, 72), dit Guillevic à l'océan. Mais dans le roc aussi, dans la terre séchée, dans ce *noir* qui sous-tend — foyer ou négation ? — toutes les couleurs possibles, bref, dans chaque réalité sensible profondément rêvée il y aura pour Guillevic de la « préhistoire avec du visqueux » (*C*, 160), de la préhistoire qui y « est restée couchée » (*T*, 131). De cette préhistoire nous nous sentons aussi écartés que du « noyau de braise » : elle est l'*autre*, l'*avant* de la durée comme il était ceux de l'étendue. Elle figure, ainsi à travers les rochers de Carnac, le vertical d'une ancestralité, d'une distance « qui s'avance au-dessous du temps » (*C*, 46), et que notre mémoire ne pourra jamais explorer jusqu'en son fond. Un autrefois pleinement étranger s'y sédimente au gouffre illimité de la substance. Avec ce temps quasi sacral notre actualité fragile, frissonnante, ne peut établir aucun contact, si ce n'est de soumission ou de terreur. L'histoire de la chose est donc aussi déchirée que son espace. De toute façon, l'objet souffre de non-adéquation, de non-continuité. Et nous comprenons alors pourquoi, si proche apparemment de nous, il s'en écarte en réalité de façon aussi têtue : c'est qu'il s'écarte d'abord, et plus douloureusement encore, de lui-même. Son refus trahit une aliénation.

Cette difficulté à être, Guillevic pourra la transposer et l'interroger dans le registre d'une dynamique imaginaire. L'espace aliéné des choses s'y rêve alors selon deux modes opposés, mais également malheureux, du mouvement : torpeur ou frénésie. La première justifie, dans l'objet, son écartement à soi en l'assignant à une hypnose génératrice de paralysie. A force de se prolonger dans la monotonie du temps, le monde y succombe à la stupeur. Lentement éteint, le feu central y voit son élan se figer dans la forme des pierres :

> Le temps, le temps
> A pu faire d'une flamme
> Une pierre qui dort debout (*T*, 13).

L'immobilité objectale peut nous apparaître ainsi comme un sommeil monté du fond des âges, sommeil qui n'accorde même pas d'ailleurs le repos à la chose endormie : celle-ci, « moins que rien », « tas d'absence, sommeil et masse », y demeure, comme en un mauvais songe, à la fois lourde et lointaine, distante, abstraite d'elle-même. Cette narcose provoque en effet en elle comme un arrêt des communications internes ; elle dit l'autoblocage du dedans matériel, l'engourdissement de l'être.

Bien pire que cette somnolence nous semble son antithèse dynamique : la fureur. Au lieu que la vitalité profonde se léthargise en immobilité, elle s'y déchaîne dans l'espace désormais libre de la chose. Mais comme cette liberté reste circonscrite aux limites propres de l'objet, comme elle ne peut, ne veut connaître aucune issue qui ne s'ouvre d'abord vers elle-même, l'activité qu'elle autorise ne peut être qu'une sorte de folie sans forme ni but, qu'un délire où se brouillent toutes les coordonnées de la matière. Cette hystérie a pour figure préférée le *tourbillon,* c'est-à-dire le mouvement, éternellement refermé sur soi, d'une sorte de vide substantiel, la ronde d'un néant rageusement jeté à sa propre poursuite, et furieux de toujours se toucher sans jamais se rejoindre. Tournoiement d'une force irresponsable, d'une énergie qui n'arrive à rien, dit Guillevic, «qu'à se trouver spirale / En voie de toujours se former / Sans poids ni lieu». Tout objet, même le plus tranquille, possède pour lui son petit orage intérieur, son tourbillon qui se «suffit» (*T,* 9), et dans lequel nous ne pouvons entrer. A cette figure d'emportement, d'emportement bloqué, répondra, nous le verrons, dans le champ de la conscience, celle du *tremblement :* frisson qui supporte l'ouverture à l'autre, au-dehors, et qui reproduit, jusque dans son mouvement esquissé de va-et-vient, le schème dont il orchestre aussi le plus souvent la jouissance, celui de la tendresse humaine, de l'offre imminente, du rapport. Muer le tourbillon en tremblement, ce serait la seule thérapeutique possible (mais justement elle n'est pas possible...) de l'objet. J'oubliais pourtant un autre dénouement, qui ne nous ferait pas sortir de la substance. Il n'est pas impensable, en effet, qu'à l'intérieur même de la chose la frénésie tourbillonnante se soumette à quelque domination qui la contrôle. Il suffit pour cela que le délire s'en rattache évidemment à une source, qu'il obéisse à un intime regard focal de la matière. Ainsi dans l'admirable rêverie suivante, où le feu profond des rocs, sans jamais jaillir vers rien, s'équilibre cependant sur lui-même, devient danse :

> La danse est en eux,
> La flamme est en eux,
> Quand bon leur semble.

Ce n'est pas un spectacle devant eux,
C'est en eux.

C'est dans la danse de leur intime
Et lucide folie.

C'est la flamme en eux
Du noyau de braise (*T,* 79).

Folie heureuse parce que désormais lucide, parce que reliée, surtout, à un principe qui la fonde. Et ce principe s'identifie aussi à une fin, celle de ce *spectacle* que le feu central, telle une conscience (un en-soi devenu pour soi...), se donne librement lui-même de lui-même. Premier lieu d'un accord avec soi, d'une harmonie.

Ces moments, pourtant, restent rares dans la rêverie de Guillevic. S'il lui arrive de penser que « c'est bon pour les rocs / D'être seuls et fermés / Sur leur travail de nuit » (*T,* 148), il éprouve plus souvent le tourment imaginé de cette solitude, de cette fermeture. Nous sommes alors devant l'objet comme s'il avait été frappé d'une sorte d'enchantement, d'un maléfice dont nous nous saurions impuissants à le sauver. Tournoyante ou stupéfiée, la chose n'est pas heureuse, nous le devinons bien, dans les dures limites de son règne. Quelque chose lui manque pour être ce qu'elle est : et ce quelque chose, à qui le demander sinon à l'homme, à ce moi qu'elle écarte pourtant de toute sa clôture ? Voilà le grand paradoxe de l'objet : clos contre moi, mais aussi bien *vers* moi, il me réclame, du fond de son refus, de le « mener à bien » (*T,* 29), de lui conférer le « poids » et le « lieu », ce même poids, ce même lieu qui me manquent cruellement à moi aussi, et que je recherche en lui... C'est le thème de la *créance :* le monde est mon créancier, je dois m'acquitter envers lui d'une dette, mais j'ai oublié laquelle. D'où un obscur sentiment de culpabilité : son écartement de lui-même, je le rêve comme un délaissement dont je serais au premier chef le responsable ; sa suffisance ne me paraît plus qu'une indigence. Pauvres objets perdus, songe Guillevic, « Ils ont besoin. / Ils ne diront jamais de quoi, / Mais ils demandent / Avec l'amour mauvais des pauvres qu'on assiste » (*T,* 29). Et ailleurs, se parlant à lui-même : « Ce que tu voyais / Ne s'offrait jamais / Ne conseillait pas / Il disait pourtant qu'il y a besoin » (*S,* 185).

Mais besoin, dira-t-on, de quoi ? Sans doute de mon intervention contre les divers maux — réclusion, inertie ou vanité furieuse, déséquilibre aride, inadéquation à soi — qui définissent le statut d'objet. Il faudrait que je puisse aider la chose à rompre du dedans sa gangue, à fuir le double vide emprisonnant des temps et des espaces, à s'épancher enfin dans la liberté vivante d'un frisson, d'un instant, d'un cri. C'est cela que me réclame la roche, « n'en pouvant plus du minéral » (*T,* 37), ou bien la lune, épuisée d'être lune, suppliant « qu'on la fracasse à coups de trique. / Ou qu'on la fonde avec l'eau sourde / A la fontaine » (*E,* 78) ; ou bien encore le métal, grinçant d'une révolte encore plus essentielle, parce que plus abstraite, comme accordée au grand anonymat douloureux de la matière :

Le métal est au centre et hurle sans la rouille
Et sous la rouille encore il crie :

Qu'il faut aller, que c'est trop long, qu'il veut aller,
Qu'il est poussé, qu'il n'a personne,
Qu'il est métal

Et qu'il y a des fleurs
Qui osent (*E,* 48).

La fleur est en effet chez Guillevic un thème d'explication, d'audace épanouie. Mais le métal se rêve comme l'instinct d'un épanchement bloqué, comme un déchirement dans la monotonie, comme le cri focal, muet, d'une rébellion. Rébellion d'avance condamnée, puisque ce tropisme de l'*aller,* ici réduit à sa structure la plus simple, la plus admirablement élémentaire, ne peut s'assigner à lui-même aucun débouché : *personne* qui réponde jamais à son élan.

Faute d'aller à nous, la chose nous implorera peut-être alors d'aller à elle. Elle nous demandera d'apporter, au plus sec, au plus désertique de sa matérialité, quelque soulagement concret à son tourment. L'objet guillevicien a soif, il réclame donc d'être abreuvé. Béant, bien que clos, il veut que nous fassions glisser en lui le suc d'une durée, d'une fluidité vivante et nourricière. Mode hygrométrique de la viduité, de la non-coïncidence intime, son aridité réclame d'être par nous irriguée, c'est-à-dire comblée, et comme en tous sens nappée d'un flot qui la rejoigne à elle-même. Cette rêverie se porte de préférence, comme il est normal, vers les objets secs, ainsi les « pays de rocaille, pays de broussailles », la terre « Comme une gorge irritée / Demandant du lait » (*T*, 28), le sable, essentiellement discontinu, donc superlativement anhydrique. Mais elle s'attache aussi, et de manière plus étrange, à des réalités humides : ainsi cette « vase assoiffée » (*T*, 181) qui obsède Guillevic. Elle prend enfin quelquefois un tour nettement inquiétant ; car le liquide dont l'épaisseur objectale se laisserait pénétrer avec le plus de bonheur, ce serait celui qui infuserait directement en elle un peu de vie. Or ce liquide vital existe : humeur tout à la fois fluide et ardente, active et activante, c'est le sang. Et l'objet en effet le regarde de loin, le guette, « Des milliers d'yeux jaunes luisent dans la forêt, / Me réclament le sang » (*T*, 30). La matière la plus prisonnière, la plus renfrognée, le métal, lui aussi « Tremble de longue attente / Vers les canaux du sang » (*T*, 65). Accéder de force à ces canaux, sucer ce sang, c'est peut-être le désir profond de toute chose. Il y a chez Guillevic un vampirisme de l'objet.

Mais s'il en est ainsi, notre rapport avec le monde va s'en trouver encore une fois modifié. Du registre de la frustration, de la pitié ou de l'impuissance coupable, nous allons passer à celui de l'inquiétude, bientôt de l'anxiété. Car voici que la réalité, lasse de réclamer en vain mon

aide, semble vouloir prendre de force ce que je me refuse
à lui donner (mais comment, d'autre part, le lui donner ?).
Le monde retourne contre moi l'aigreur, Guillevic dit la
«rancune», d'un long espoir déçu. Son indifférence
m'apparaît alors comme le masque d'une hostilité; de
têtue, sa passivité se fait sournoise; j'ai l'impression
qu'elle dissimule une menace, qu'elle prépare même peut-
être un mauvais coup. Je me sens

> Au bord le plus souvent
> De quelque chose de géant
> Qui m'en voudrait
> …Quelque chose de clos,
> De hérissé, de lourd
> Qui serait là (*S*, 34).

«Un poème peut-être, / Ou la fin de mes jours», ajoute
Guillevic : mais plus souvent encore, un objet. Le poète
se sent alors guetté par ce quelque chose, traqué comme
un animal au fond de son trou de terre : *terraqué*. En
une admirable série de cauchemars, la profondeur, jusque-
là fuyante en elle-même, se retourne vers moi, sur moi
pour me submerger et engloutir. Tous les attributs
oniriques de l'objet se renversent. L'inertie par exemple
se mue en éruption, la pierre se réveille, éclate, redevient
dans mes mains une flamme enragée. La torpeur — avec
son doublet moral, la bienveillance — vire brusquement
en cruauté : en une rêverie curieuse, et fréquemment
reprise, Guillevic imagine que l'animal domestique, cheval
ou chien, compagnon familier de sa vie, redevient soudain
sauvage : il frappe ou mord son maître, puis porte partout
la ruine, le carnage. Figure obsédante d'un resurgissement
de l'autre au cœur du moi, rébellion du *ça,* ou de l'*en-soi,*
selon le visage, inerte ou vitalisé, que l'on voudra prêter
ici à l'en-dessous. Quant au tourbillon, une fois porté de
la profondeur vers les surfaces, il y devient cette agitation
troublante et venimeuse, cette multiplication de mouvements informes, ce pullulement, si souvent invoqué ici,
d'une présence obscène, hostile, anonyme : le *grouil-*

lement. La soif, enfin, renverse elle aussi sa direction :
d'attente elle se fait attaque, et va directement chercher,
hors d'elle, l'objet de sa satisfaction. C'est le cauchemar
de la *succion,* et de son instrument ignoble, la *ventouse :*
surface collante, aspirante, qui n'a même pas besoin de
s'entrouvrir pour nous violer, pour nous vider de notre
suc. Grouillement et succion additionnent leurs nausées
dans un lieu tout spécialement maléfique : le marécage.

Si Guillevic redoute ainsi que les étangs ne le viennent
« défaire » et « croquer » de leurs « mâchoires », de leurs
« suçoirs » (*G,* 28), « poursuivants de toujours qui suçaient
leurs ventouses », ennemis « qu'on n'a pas appelés, / Qu'on
va savoir qui grouillent / Dans la pénombre où c'est pour
eux » (*T,* 34), s'il se sent menacé, comme d'une contagion
infâme, par la « montée des marais » qui le lancinent, qui
suintent dans le silence (*T,* 39), « Bavant des joncs et des
têtards » (*T,* 71), bref, s'il éprouve, à leur contact imaginé,
le dégoût du visqueux, c'est-à-dire d'une passivité adhé-
sive, insinuante, absorbante — d'une passivité devenue
sournoisement active... —, cela ne l'empêche pas de
connaître une anxiété tout aussi forte dans d'autres
régions, pourtant apparemment mieux protégées, de sa
géographie obsessionnelle. Car il aime le résistant, le dur :
ici, semble-t-il, pas d'invasion à redouter, pas de glissement
possible de l'inerte au visqueux ; la solidité rocheuse nous
promet au moins une franchise. Mais l'agressivité s'y
trouve d'autres modes : car voici que cette solidité elle-
même s'émeut (par bloc, il est vrai, et non plus par nappe) ;
le roc remue, il attaque, écrase, grignote (rongement,
voration presque insensible, qui est un équivalent discontinu de la succion) :

Les menhirs la nuit vont et viennent
Et se grignotent.
... Les bateaux froids poussent les hommes sur les rochers
Et serrent (*T,* 50).

Mer, étang, caillou, tout devient monstre. Le rêve de
l'objet s'achève en tératologie. Mais il est faux de dire

qu'il s'achève, car les monstres « qui pénètrent dans le lieu de nos cauchemars » (*C,* 30) sont relayés bientôt par une réalité plus effrayante encore, par la substance même, originelle, à partir de laquelle ils ont pris corps, et qui gît, sacrale, défendue, au fond de l'être. C'est ce monstre abstrait « Dont la gueule sans mufle / Est nommée la nuit » (*E,* 82), noirceur initiale et finale, transcendance, mais qui maintenant « se lève / Et qui regarde » (*E,* 84). Face à ce soulèvement fantastique de la chose, nous atteignons au stade le plus angoissant de notre expérience objectale. Guillevic aboutit alors à ce constat presque hugolien : « Il y a du terrible dans le monde [1] » (*E,* 154).

Ce terrible, nous le comprenons bien, est d'ordre ontologique. Il traduit l'angoisse d'une conscience débordée par l'objet duquel il lui faut être conscience ; il dit la révulsion d'un moi menacé dans son être par l'extériorité de l'être, ou du non-être. Mais son instance pourra se répéter aussi à d'autres niveaux psychiques du vécu : celui par exemple d'une mythologie moins personnelle, d'un folklore. Nul doute que le terroir breton, traditionnellement fécond en personnages fantastiques — lutins, goules, démons, vampires —, n'ait ici fourni à l'angoisse intime un admirable matériel imaginaire. La seule invocation de la légende pouvait d'ailleurs faire naître l'angoisse : car elle n'est rien d'autre en sa structure, nous le savons, que la remontée de « l'autre temps », du temps préhistorique, « celui qui n'est pas au présent » (*S,* 30), et qui, après s'être accumulé au fond des choses, en ressort maintenant pour nous maudire, ou nous manger, tel un dieu Saturne, « tournant » autour de nous « sa gueule qui a faim ». Autre déplacement d'anxiété, nous installant, celui-là, à notre époque et dans l'horreur d'une durée très actuelle : les années de 1940 à 1945, dans la France

---

1. La psychanalyse dirait sans doute que cette terreur est celle du « mauvais objet », redoutable à la fois dans sa proximité et sa distance et avec lequel ne peut se découvrir aucune mesure. Objet finalement agressif et voratoire.

occupée par le nazisme, et, de façon moins violente, mais aussi sûre, les années postérieures à la Libération, marquées par une lutte contre l'oppression sociale, bref, tout le temps de l'aujourd'hui se vit, pour Guillevic, sur le mode de l'assaut redouté, du blocus vorateur. Le même danger y sourd des hommes et des choses ; le moi s'y sent également menacé par l'objet et par l'histoire, ce qui provoque d'ailleurs en lui le même type de résistance, et nous permet de jeter un premier pont (il y en a d'autres) entre l'expérience sensible et le thème politique. Il peut arriver, enfin, qu'une troisième sorte de durée, plus inquiétante encore que les deux précédentes, vienne se dessiner à travers le terrible de l'objet. C'est le temps non plus d'une mythologie ni d'une histoire, mais d'un futur tout individuel qui, là-bas, devant nous, dans l'horizontalité finie de nos projets, pose à notre existence une borne visible. Or, nouvelle identité d'angoisses, cet avenir qui se profile au bout de notre vie installe aussi sa menace au bord, dans la finitude immobile de chaque objet perçu :

> Je t'écoute prunier.
> Dis-moi ce que tu sais
> Du terme qui déjà
> Vient se figer en toi (*S,* 27).

Terme figé : la frontière spatiale nous renvoie à une frontière temporelle : l'objet est une épiphanie de notre mort.

Ainsi se dessine un cycle onirique du réel. Cycle dont il nous faut bien comprendre que les diverses phases ne se succèdent pas vraiment, mais se recouvrent, s'impliquent les unes les autres, même, et surtout peut-être lorsqu'elles nous apparaissent incompatibles. Dans l'objet, nous devrons reconnaître le lieu simultané d'un recul, d'un désir, d'une soif, d'une guerre. Il est tout à la fois clos et profond, fuyant et agressif, endormi et coléreux. Prisonnier, il nous emprisonne. Ennemi, il nous reproche le refus qu'il ne cesse de nous opposer. Immobile, il est

suprêmement actif : ainsi ce « trou avec de l'eau / Qui
bougeait sans bouger, / Qui attaquait encore, / Qui
t'attaquait, toujours » (*S,* 181). Silencieux, il hurle de ce
silence même dont il retourne vers nous, comme pour
nous en accabler, toute l'intensité insupportable (« Murs
sans trompettes — quels cris / Vous jetez dans la chambre,
/ — Quel silence et quelle horreur », *T,* 40). Il nous parle
donc à travers l'impossibilité même de parler, dans ce
mutisme qu'il nous impose comme un défi, ou comme
une prière. C'est que son essence même le voue au
paradoxe : transcendant, il est transcendant pour moi,
pour ce moi sans lequel il n'y aurait pas de transcendance.
Le voici pris dès lors au tourniquet, chacun de ses aspects
sensibles ne pouvant s'indiquer à nous qu'à travers l'aspect
exactement inverse. Donné dans le geste de s'enfuir,
dérobé dans celui qui le pose, il parle pour se taire et se
tait pour parler, attaque pour s'offrir, s'offre pour nous
blesser. Présence et absence deviennent en lui si étroitement inséparables que rien ne semble pouvoir trancher
le nœud de leur identité. Un seul acte de conscience,
répété aux divers étages du vécu, peut alors poser l'être
comme à la fois étant et n'étant pas. D'où ce très simple
poème où l'énigme de la transcendance — de la transcendance de l'*ici* — atteint sans doute à son expression
limite :

Le feu
Pas le feu.

L'espace
Pas l'espace.

Les jeux
Pas les jeux.

Les rêves
Pas les rêves.

Les hommes
Pas les hommes (*S,* 186).

Il nous faut maintenant regarder un peu ce *moi*, pour qui le monde est et n'est pas. Sa mythologie s'oppose absolument à celle du réel, et c'est normal puisque c'est contre ce réel qu'il se dessine. Pour attribut premier il a la plénitude interne, cet équilibre de substance dont l'objet manquait si cruellement. La chair, mode vital du pour-soi, se recourbe en effet doucement sur elle-même. A la fois paisible et dynamique, irriguée par un sang « Qui tourne et qui revient / Qui alimente » (*G,* 91), elle connaît l'autofertilité, le bonheur clos des organismes. Mais sa clôture, faisons-y attention, n'implique aucunement l'exclusion de ce qu'elle paraît poser en dehors d'elle. Car si la chair est immanence, elle est plus encore porosité : autour d'elle, pour la cerner et définir, aucune muraille intransgressible comme autour des objets, mais la minceur presque perméable d'une peau, ou mieux encore — c'est là l'un des thèmes les plus heureux de Guillevic —, d'une *muqueuse.* Dans la muqueuse l'épiderme en effet s'amenuise, s'efface presque sous la pesée de l'épaisseur charnelle qu'il a pour fonction de contenir, mais aussi de proposer, d'ouvrir insensiblement à un dehors. Baignée d'humeurs, et comme liquidement saturée d'intimité, l'enveloppe n'y a plus valeur pariétale. La limite n'y est plus étanchéité, obstacle, mais filtre, presque don. Et cela d'autant mieux que sous le derme, derrière les « tendres ténèbres » de la « chambre de muqueuses » (*T,* 45), on devinera l'ardeur d'un sang prêt à jaillir. Sang, dit Guillevic, qui « pointe à tes lèvres », et que la rêverie recompose à partir de ces substances matricielles : « L'humus, le gravier, la lave et le sel » (*T,* 33). Chacune de ces matières nous enfonce imaginairement dans un aspect de l'intimité charnelle. *L'humus,* c'est l'humeur devenue accumulation profonde, sous-jacence — et liée dès lors à un réseau fort ambigu de l'épaisseur chthonienne, du sédiment, et de ce qui constitue le sédiment, c'est-à-dire la dissolution, le laisser-aller à l'anonyme, au noir, à l'entropie [1] ; le *gravier* évoque inversement le dynamisme, la giclée véhémente et comme rocailleuse d'une discontinuité vitale ; la *lave* dit l'insurrection, la brûlure coulée du feu central ; le *sel* nous renvoie enfin à l'acuité, mais aussi à la cristallisation, à la solidité cachées. Merveilleuse réunion de tous les grands attributs oniriques de la vie.

Cette vie se saisit elle-même sous un mode synthétique : la *tiédeur*, « la miraculeuse, l'incompréhensible chaleur des corps » (*T*, 15). Tournée vers le dehors, offerte à l'aventure, la tiédeur se mue dynamiquement en *tremblement*. Nous connaissons déjà, pour l'avoir opposé au tourbillon, le sens de l'expression tremblante : mais nous pouvons mieux dessiner maintenant la variété de ses connotations. Thème de relation, certes, mais aussi d'imminence : il marque le moment où le rapport va être effectué, où il hésite encore en chacun de ses termes futurs, où « la main s'avance et tremble sur les bords » (*E*, 66). Il dit l'ambiguïté — élan et recul alternés — de la structure d'offre. Mais son insensible va-et-vient peut

---

1. D'où l'ambiguïté du cauchemar, déjà rencontré, du *marécage*, ce mode fluide de l'humus. M'enfoncer dans la liquidité marécageuse, céder aux « affres de l'humus » (*T*, 128), soit par le suicide (« se rejoindre enfin, / Dans l'horreur de l'humus et de la déperdition », *T*, 114), soit par la non-résistance à l'assaut objectal (« je ferme un instant les yeux, /Ils s'abattront sur moi, / Ils me dissoudront dans l'humus / Où depuis toujours / Je sens mon odeur », *T*, 30), c'est retrouver aussi le contact de ma propre essence personnelle, puisque ma chair, cette mollesse provisoirement soutenue par la circulation des humeurs et l'enveloppement des muqueuses, ne demande en réalité qu'à se défaire, qu'à se laisser couler dans la grande épaisseur originelle. De l'étang à l'homme existe donc, l'homophonie *humeur-humus* nous l'indiquait déjà, une sorte d'inavouable parenté. De là que Guillevic puisse évoquer la tourbe, cette boue sédimentée, « montée des marais », et venant « nous suivre partout / *Comme une mère incestueuse* » (*T*, 39). La figure est d'ailleurs réversible : car si la chair est une eau, une eau attachée à l'humus liquide comme à son origine et à sa fin, l'eau est de son côté une sorte de chair. Une belle rêverie la saisit par exemple au moment de sa formation, dans le *nuage :* « Corps de chair hésitante au regard de chevreau » (le chevreau, c'est ici la fragilité, la tendresse tremblante) « Dans les hauteurs de l'air... / Le corps de l'eau se fait. » « Il se fait de chair chaude, / Aux soupirs des cristaux / Du sel abandonné » (dans une séparation donc de la solidité inerte), mais reste toujours susceptible d'une chute aux « affres de l'humus » (*T*, 128).

animer aussi l'immobilité (extatique) du contact réalisé.
« Et tu ne trembleras que de ton corps contre le mien »
(*C,* 113), peut dire Guillevic à la femme aimée. Trembler,
dès lors, c'est vivre, vivre avec. L'objet ne tremble pas :

Ce qui n'est pas dans la pierre
Ce qui n'est pas dans le mur de pierre et de terre,
Même pas dans les arbres,
Ce qui tremble toujours un peu,
Alors, c'est dans nous... (*S,* 64)

Le frisson est donc le signe même de l'humain. Il possède
une intention de générosité, une teneur active, calorique,
qui lui permettent, par simple contiguïté, de revitaliser
l'inerte : une « brique, oubliée dans l'herbe pour durer, /
Se réchauffe à ta peau tremblant sur les prairies » (*T,*
147), rêve Guillevic face à un corps aimé. Exemple
précieux, qui nous permet de saisir deux valeurs essentielles de la vie tremblante. La première nous renvoie à
une expérience de l'instant. Face à la brique qui, comme
tout objet, dure (mais meurt aussi, et indéfiniment, de ne
jamais mourir), cette peau frémissante retient en elle le
plus fugitif d'un temps qui passe. Elle a lié un pacte avec
le présent, c'est-à-dire avec l'étincelle heureuse, mais
aussi avec la fragilité, la précarité, la crainte. Je tremble
à la fois ici d'espoir et d'inquiétude. Mais ce *frêle* lui-même
reste soumis à l'ordre d'une tendresse, donc d'un obscur
bonheur. Bonheur-effroi de la bête traquée, moment —
mais c'est celui de toute existence humaine,

Où les terriers connaissent
Des corps tremblants et doux,
Frêles comme du trèfle (*T,* 53).

Tiédeur frissonnante qui se communique à nous à travers
les exquises combinaisons de dentales, de fricatives, de
liquides *(tr, fr, fl, bl) :* la terreur y est aussi volupté.
  Fragilité, chaleur, douceur offerte et frissonnante, voilà
donc tout ce que je puis opposer à l'orage des choses.

Que faire alors, demande Guillevic ? D'abord, ne pas se laisser submerger, tenir le coup. « Il s'est agi depuis toujours / De prendre pied, / De s'en tirer » (*T,* 189). Mais nous ne pouvons pas, et voici le paradoxe humain qui répond au paradoxe de l'objet, nous en tirer tout seuls. Il nous faudra chercher l'appui de ce même réel qui nous fuit ou menace. « Nous avons besoin de trouver la fête » (*C,* 143), dit Guillevic : cette fête de l'accomplissement, elle n'aura lieu qu'en un en-avant de nous, dans une extase de l'avec, du réel épousé, dans l'utopie d'une conjonction qui nous approfondisse, dans le « rêve d'être ensemble / A pénétrer le lieu / Fait de l'autre et de soi / Confondus dans l'approche / Et dans la découverte » (*S,* 96). Se joindre au monde : seule façon ici de s'approcher de soi, de se rejoindre. Et le sang veut en effet aller vers d'autres sangs, les doigts se glissent sous les écorces, les dents mordent les glands, les mains palpent les boues, les narines guettent les odeurs qui puissent mener, comme à rebours, vers un centre exhalant des choses ; de toutes les façons, et par mille ruses, l'esprit tente de s'enfoncer dans le mystère des pierres et des terres. Il se demande s'il n'aura jamais avec l'objet « un rendez-vous / Durable et solennel / Comme est une clairière » (*S,* 104). Pour se donner espoir, il relève alors les ressemblances qui l'unissent aux choses : même ardeur essentielle (« Bien sûr que c'est pareil / En nous et dans les murs », *E,* 155), même connaissance de l'obstacle (« Nous avons en commun l'expérience du mur », *C,* 159). Mais ces ressemblances ne font que souligner leur fondamental écart. Je rêvais de créer, avec l'objet, une « raison » commune (*T,* 70) ; je voulais « faire équilibre » (*C,* 164). Mais comment équilibrer le différent, comment trouver un terrain commun avec l'absolument autre ? Deux modes d'être, le vital, l'objectif, qui tout à la fois, de façon aussi radicale, s'aimantent et se repoussent : telle est la donnée fondamentale qu'explore ici, qu'essaie de dénouer la rêverie.

Premier dénouement : celui qui découvrirait, entre les deux pôles opposés de l'existence, quelque éventuel glissement, quelque passage. Le vital se laisse-t-il glisser dans l'inertie ? Je me retrouve face à cet objet bouleversant, superlativement instable, le *cadavre*. Or, c'est là un objet sur lequel Guillevic aime à rêver. Il s'agit le plus souvent pour lui d'un animal que l'on vient de tuer et dont on a arraché la peau. Le poète vient alors en interroger l'énigme. Il « s'attendrit » sur ce « morceau de viande / Saignant encore à peine, / Criant plus fort la nuit / Que ne le fait la nuit / Et criant autre chose, encore, / De difficile à situer » (*S*, 171). Cette nuit proclamée par la viande saignante, c'est celle de la matière, de la mort, de ce *dehors* auquel elle appartient déjà. Mais sa tiédeur la relie encore à notre règne, cette « *tiédeur pensée* / De la bête écorchée / Dans une écurie noire » (*E*, 99), « C'est de la viande où passait le sang, de la viande / Où tremblait la miraculeuse, / L'incompréhensible chaleur des corps... / On pourrait encore y poser la tête / Et chantonner contre la peur » (*T*, 15). D'où le rêve, ailleurs réaffirmé, d'« Appliquer les deux joues / Sur la bête qu'on dépouillle » (*T*, 88). Nous comprenons mieux alors quelle est la vérité, si difficile à « situer », que nous annonce la chair morte : elle se situe mal, car elle est à la fois dans l'*ici* et dans le *là-bas,* dans l'*encore* et dans le *déjà*, elle s'élève au plus aigu de leur partage, sur le seuil temporel qui sépare le frisson vital de l'indifférence inanimée. Moment certes éphémère, mais qui retire sa valeur du fait que les deux instances qui s'y joignent ne le font pas au prix d'un affaiblissement, d'une dégradation de leur essence : elles s'y affirment au contraire dans leur pureté la moins conditionnelle. Car quoi de plus tendre, et en un sens de plus vivant, que cette viande offerte, sans secret ni défense, dépouillée même de sa dernière écorce, de sa peau ? Cette nudité chaude appelle la caresse, provoque même peut-être à l'union : le poète s'imagine « pareil à celui / Qui se mettrait nu dans la peau du cerf / Où chauffe encore la dernière course » (*G*, 233). Mais, d'autre part, quoi de plus mort, de plus positivement et scandaleusement mort que cette chair tout à l'heure frémissante, maintenant transie par l'inertie ? Ce qui nous parle sur l'étal des bouchers, à travers le gel mou des viandes, c'est la grande étrangeté de la matière : étrangeté d'autant plus boule- versante qu'elle est ici gagnée sur la substance même du vital [1].

Imaginons maintenant un mouvement inverse : une transition qui s'opérerait cette fois de bas en haut, qui irait de l'ordre de la passivité à celui de la palpitation. Ce serait peut-être, symétrique, mais opposée à celle du cadavre, la figure de l'*arbre*. Au lieu d'assister à une déchéance matérielle du vital, nous rêverions en lui à un éveil, à une promotion vitale de l'inerte. Tout végétal se fonde en effet sur une indifférence ; dans sa sous- jacence, au niveau de ses racines, l'arbre adhère à cette « terre sèche / Où la préhistoire est restée couchée » (*T,* 131). Mais cette aridité profonde, cette prostration maté- rielle des temps et des espaces, il réussit pourtant à les ressaisir en lui et à les faire déboucher sur leurs con- traires. Non certes sans difficultés : il reste fixé au sol,

---

1. Cette rêverie ne pourra se produire, on le devine, qu'à la faveur d'un équilibre difficile. Il faudra qu'il s'agisse d'abord d'une chair animale, le *bestial* étant en lui-même un état intermédiaire entre le vital et le matériel. Mais il faudra aussi que le cadavre reste tout proche encore d'une tiédeur. Si cette double condition n'est pas remplie — par exemple chair humaine, ou cadavre refroidi —, nous passons de l'autre côté de la frontière, du côté de l'horreur. Ainsi dans l'admirable série des *Charniers* (*E,* 189-203). La splendeur presque unique, mais peu tolérable, de ces poèmes tient au scandale qui y est rêvé jusqu'au bout, sans pitié ni faux-fuyant, d'une chair absolument déshumanisée : violée, déchirée, coupée en morceaux, envahie par l'informe, bue par la terre, et pourtant présente encore devant nous, terriblement existante pour nous en tant que chair, que chair abandonnée. Dans les charniers ne parlent plus alors qu'une affreuse absence, qu'une annulation radicale du vivant. Et pourtant, en vertu d'une structure qui gouverne chez Guillevic tout phénomène d'expression, cette absence même crie vers nous, cette annulation est une parole. Ces restes dépecés d'humanité nous sont à la fois repoussants et fraternels : mais c'est à travers l'horreur — ou la nausée — qui se dégage d'eux, et qui les écarte, que nous arrivons à une exacte intuition de notre destin commun (fidélité, fatalité, serment).

asservi à une lenteur, coincé en une carapace, il « se fait mal / A durer sous l'écorce » (*T,* 61). Mais, à travers le métabolisme de ses sucs, il parvient à ranimer temporellement la profondeur, puis à revitaliser l'espace horizontal. Un oiseau par exemple chante dans la forêt — oiseau, doublet actif, suite émancipée de l'arbre : « Or, glouglou du sang aux écluses du temps, / Un merle hébété pressant son passé / Siffle en la forêt / La montée des sèves » (*T,* 131). Sang et sève sont des humeurs également vitales ; leur montée — leur glouglou — signifie, par rapport au passé, au monde inanimé de l'en-dessous, à la fois accomplissement (encore incertain, « hébété ») et délivrance [1]. Accouchant ainsi la matérialité profonde, le végétal soutient en outre, dans l'espace aérien où il s'accroît, l'ouverture d'un réseau vivant de relations. Car s'il reste toujours captif de son écorce, il décide pourtant toujours d'en reculer la limite, de « tenter d'autres branches / Par où s'éparpiller / Dans des milliers de feuilles » (*T,* 61). Et ces feuilles se tendent elles-mêmes vers d'autres feuilles à travers l'unanime vibration de la forêt. Par sa part la plus extérieure, le végétal accède donc au tremblement, ce signe de l'humain. Mais, par sa région secrète, et aussi par sa densité, son calme, sa demi-torpeur, il reste complice de la matérialité profonde. Celle-ci toutefois ne s'y interdit plus : elle y devient pour nous retrait, réserve invisible d'être, source de sécurité et de puissance.

---

1. L'oiseau est l'expression vocale de l'arbre ; c'est à travers son chant que le végétal réussit le mieux à « tenter ses frontières », à donner une issue à « Tout ce grésillement qui a devoir / De s'ouvrir les frontières » (*S,* 131). Mais s'il est un thème de dégagement, l'oiseau peut se lier aussi aux états les plus bloqués de l'en-dessous. Par exemple au *métal,* ce qui donne lieu à cette étonnante rêverie : « Le rossignol avait chanté / Quand le métal restait caché... / Quand le métal restait caché, / Quand le métal restait brimé. / Or il chantait, le rossignol, / Pour le métal qui perd sa vie, / Chantait pour lui, *car c'est pareil / Métal sous terre ou gorge pleine* » (*E,* 118-119). Du métal à l'oiseau, il y a donc à la fois continuité et renversement (sublimation ?). L'oiseau délivre le métal, mais d'un cri qui reste en sa plénitude aussi *étranglé* que le métal lui-même. Et la fermeture du métal est aussi à sa façon un cri, un cri d'oiseau. Silence gorgé, chant silencieux : c'est encore la structure essentielle de l'expression chez Guillevic.

Cet équilibre de structure nous rend l'arbre essentiellement *bienveillant* :

> *Au dehors* l'arbre est là et *c'est bon qu'il soit là*,
> Signe constant des choses *qui plongent dans l'argile.*

> Il est vert, il est grand, *il a des bras puissants.*

> Ses feuilles comme des mains d'enfant *qui dort*
> *S'émeuvent et clignent* (*T*, 132).

Varions maintenant la combinaison de nos deux termes : après arbre et cadavre, ces schèmes de transitivité, tentons d'imaginer une figure d'interpénétration. Chaque instance essaierait de se glisser dans l'autre, et de s'y unir physiquement à son secret. Or, ce mouvement existe chez Guillevic, et dans les deux sens : de moi au monde il est condescendance à l'*humus,* vertige de fusion dans la terre ou dans le marécage (*T*, 114) ; du monde à moi il se cristallise le plus souvent autour d'un thème spectaculaire, le *taureau.* Plusieurs séries de poèmes interrogent ici le sens de cette agressivité noire, aveugle, massive. Le taureau nous y apparaît comme un mode bestialisé de la matière. Il en recueille en lui tous les attributs, toutes les contradictions qu'il dénoue dans l'élan de sa sauvagerie. A la fois obscur et clos, épais et absent, engourdi et explosé, il est le paradigme exaspéré de l'objet guillevicien lui-même. Comme l'objet, mais selon la poussée animale d'un instinct, il voudra donc passer à travers les murailles, *ses* murailles..., il foncera « sur des portes peut-être / Et sur des chairs fermées qui pour lui s'ouvriront » (*G*, 32). Mais son essence lui restera toujours extérieure : d'où cet assaut sans fin vers la « trouée qu'il faudra bien combler » (*G*, 30), et qui ne peut être comblée — cette quête éperdue de la « teneur du jour » —, mais elle « est en dehors de lui / Où son mufle recherche » (*G*, 27). Comme l'être, le taureau est donc, littéralement, *hors de lui-même :* « gouffre sans fleur, sans mica, sans fougère / Qui cherche un lieu » (*G*, 35), le lieu où se rejoindre enfin, où se résoudre. Lieu qui ne saurait être que charnel.

D'où une fureur de viol en laquelle se caricature un désir hystérisé de relation :

> Le taureau ne peut pas qu'il n'ait rencontré l'homme
> Et qu'il n'ait exploré son corps déshabillé,
> Sanglant sous la peau blanche (*T*, 48).

Mais, bientôt, cette « exploration » sadique ne se contrôle plus, elle devient frénésie, délire sensuel qui entraîne la bête vers les gestes extrêmes d'une sorte de destruction-fusion. Saigner, faire saigner, transfuser en soi le sang de sa victime, infuser en lui son propre sang, jouir du battement de cette double hémorragie, avant de se dissoudre en elle, et de mourir d'une double mort, mort rêvée d'autre part comme trépignement furieux et clos sur soi, comme extase focale, *tourbillonnaire...* — tel est sans doute le projet du taureau :

> Saigner dans l'autre chair et sentir dans la sienne
> Bouger les sangs qui se mélangent.
>
> Puis se défaire ensemble
> Au centre piétiné
> D'un tourbillon de rage (*G*, 37).

Mais ce projet nous avoue du même coup son impossibilité. Pour que réussisse en effet la tentative sadique de jonction, il eût fallu qu'au cœur obtenu de la fusion chacun des deux modes confondus, ici le bestial et l'humain, continuât à affirmer encore de quelque façon sa différence, que par exemple les deux sangs mélangés demeurassent distincts au sein de leur mélange, animés jusqu'au bout d'une palpitation qui leur soit propre, et d'une conscience de cette propriété... « Le difficile », dit fort bien Guillevic à propos de l'objet, ici du contact de l'océan et du soleil, « c'est d'*être lui* / Et si tu l'étais / C'est de *rester toi* / Assez pour savoir / *Que tu es les deux* / Et pour *en crier* » (*C*, 89). Mais ce cri de la dualité maintenue au sein de l'un, le taureau ne peut pas le pousser, puisqu'il se dissout au centre de sa rage : égaré dans la violence par laquelle il avait cru pouvoir se découvrir. La cruauté est donc un cercle vicieux, comme la perception, dont elle constitue peut-être une limite. Car si Guillevic constate le « Difficile que c'est / De voir le feu / Sans être le feu » (*G,* 225), combien plus difficile encore de continuer à le voir quand on a réussi à l'être... Comment être à la fois dedans et dehors ? C'est tout le problème de Guillevic. Le taureau marque quant à lui l'échec de l'immédiateté violente. Il va falloir explorer à nouveau les voies de la distance, de l'adhésion dans la distance.

Et, pour cela, il faudra laisser se creuser à nouveau l'*hiatus :* mais en le contrôlant désormais, en l'occupant par une activité humaine. S'écarter de l'objet, qui s'écarte de nous ; revenir à soi, puisqu'on ne saurait sortir de soi : c'est la décision d'une sagesse. Autrefois, Guillevic se laissait fasciner par les frontières : « Cherchant mon chemin / Vers le bord du temps / Ou pour le longer / Ou pour le quitter » — et vers le bord aussi des choses : « Quelquefois j'ai cru / L'avoir traversé » ; mais il renverse aujourd'hui sa direction : « Maintenant je vais / Plutôt vers le centre » (*S,* 93), c'est-à-dire vers moi. Cette conversion se rêve à travers la figure de la *sphère,* qui donne son titre au dernier recueil de Guillevic : repli sur un foyer de conscience à partir duquel le dehors sera ressaisi et dominé ; rejet de l'opacité sensible vers une périphérie où l'objet, éloigné, perdra de sa puissance d'attraction, mais aussi de sa qualité dangereuse et aliénante. Je repousse donc l'extérieur vers l'horizon d'une circonférence, et j'utilise l'espace ainsi gagné pour construire, à partir de cette extériorité lointaine, une demeure humaine : « Je *m'aménage un lieu* / Avec ce paysage / Assez lointain pour être / Et n'être que le poids / Qui vient m'atteindre ici. / *J'émerge de ce poids* / Je m'aménage un lieu / Avec ce paysage / Qui tournait au chaos. / De ce qu'il adviendra / Je suis pour quelque chose » (*S,* 86). Me voici donc responsable de mon monde, architecte du site où je vivrai. Cette assomption est-elle une élision, implique-t-elle un affaiblissement ontologique de l'objet ? Non, car celui-ci garde son « poids », un poids seulement qui ne m'accable plus, et vient « m'atteindre ici » à travers le volume de la sphère. Dénouement quasi newtonien, où l'espace devient la possibilité, la mise en équilibre des gravitations multiples. L'écart qui me séparait du monde, cette solution consiste donc à l'assumer au lieu de le subir, à en faire ma chance même, la donnée la plus positive de ma présence au monde. Point d'humanisme sans une décision de la limite, spatiale et temporelle ; point de projet qui ne postule l'espace d'une fin : «*Parce qu'il y a un terme / A ces jours devant toi, / Que d'aller vers ce terme / Fait par-dessous tes jours / Un creux qui les éclaire, / Tu as le goût / De ces rapports* qui sont de joie / Avec les murs et le rosier*» (*S*, 35). La ligne ultime du partage définit désormais un creux penché vers moi : étendue qui devient le lieu et l'instrument de ma maîtrise. Les choses s'y disposent en effet pour moi les unes par rapport aux autres. Je les saisis comme une structuration globale, en paysage, à travers le trajet d'un sens qui circule horizontalement entre elles et ne m'atteint plus qu'au terme de toute une série de médiations. Par la sphère, j'échappe au face à face. Je m'y délivre du vertige de l'être par la mise à distance de cet être — que je mue, harmonieusement, en un *avoir*.

Mais n'ai-je pas alors seulement déplacé les termes du problème ? Car cet objet lointain, périphérique, devenu segment de paysage ou morceau de propriété, il me faudra quand même continuer à le connaître. Et cette connaissance, même désamorcée ou distancée, continue à supposer un saut dans l'au-delà. Dans l'avoir, il y a toujours de l'être... Nous avons appris cependant à fuir les pièges de l'immédiateté, nous avons compris que le face à face ne risquait d'aboutir qu'au meurtre ou au vertige. La meilleure façon d'approcher l'objet, l'être de l'objet, n'est-ce pas dès lors de l'oublier, de regarder ailleurs, de penser à autre chose ? Autre chose qui, par un détour, nous ramènerait à lui... Ce médiateur, ce sera par exemple une femme, une femme aimée : à la fois mienne et autre que moi, intime et étrangère, elle me reliera indirectement au monde (« Mais toi, lui dit Guillevic, tu savais t'approcher des choses », *E*, 169). Mais ce lien sera plus fort encore s'il revêt une allure sociale, collective. Point ici d'hiatus entre le thème de l'objet et celui de la lutte politique : me tourner vers les hommes, c'est sans doute le meilleur moyen de régler mon débat avec les choses. Le simple fait du coude à coude, de la socialité joyeuse et créatrice me donnera, comme par surcroît, l'accès au monde. Avant la fraternité, dans la solitude morose du sujet contemplant, l'objet restait fermé : mais «C'est quand on était / *Au milieu des hommes* / *A faire autre chose,* / C'est quand on était / Avec ces hommes / Jusqu'à bout de souffle / A pousser plus loin / A boire avec eux / Et à rire aussi / *Que ça s'est ouvert* / *Et qu'on est entré* » (*G*, 136). Cette ouverture du réel se lie donc à la réussite d'un effort ouvrier [1]. L'homme communiste ne se laisse pas fasciner par les objets, il décide d'agir sur eux pour les changer. Il les détruit au besoin, pour les traverser vers leur lumière. Mais l'au-delà qu'il accomplit en eux n'est plus celui de leur passé ni de leur profondeur ; c'est celui d'un futur qui pénètre l'objet, l'illumine d'avance, et dont l'image guide, au travers d'une matérialité toujours rétive, la progression dialectique d'un travail. Point de mythe plus significatif, de ce point de vue, que celui des mineurs évoqués dans *Gagner*. Plongés dans l'objet, perdus dans l'obscur de la matière, ils « sont au fond / A creuser dans la roche / Qui a mémoire encore du feu ». Mais ils se soucient peu, comme pourrait le faire à leur place un illuminé nervalien, de réveiller cette mémoire, de rallumer

---

1. Cet effort ne s'exerce pas seulement contre la réalité naturelle, mais contre un réel transformé et aliéné par la méchanceté capitaliste. Les patrons construisent en effet autour de l'ouvrier un monde maléfique : « Vous creusez du vide / Autour de chacun. / Vous posez des murs / Autour de chacun. / Vous aspirez tout / Et laissez du vide / Cerné par des murs » (*G*, 64). Mais ce « vide cerné », n'était-ce pas déjà la définition de l'objet guillevicien lui-même ? La rêverie politique ne dément donc pas la thématique sensible. La négativité s'exprime çà et là par le même paradoxe (rencontre du creux et du clos, du creux cloturant, du clos évidé). L'objet capitaliste n'est qu'un surobjet, un objet prémédité, ou *fabriqué.*

le « noyau de braise ». Ce qu'ils veulent, c'est provoquer dans ce rocher l'apparition d'une autre flamme, future et collective :

> *A travers le charbon ils voient sur l'avenir*
> Et savent clair
>
> Qu'en arracher, encore, encore,
> Dans le magma,
>
> C'est *attirer le jour*
> Où les yeux de leurs frères
> Seront profonds de joie (*G*, 51).

Remplacement du feu central ancien par un jour central à venir, jour allumé dans la matière par l'action et pour le bonheur des hommes [1].

Mais le poète, du moins tant qu'il reste poète, n'est pas un transformateur de la nature. Il n'agit que sur et par des mots. Le langage est sa seule médiation : médiation il est vrai puissante, et mystérieuse en son fonctionnement. Car le simple fait de nommer, Guillevic le constate, apporte un soulagement à l'oppression des choses. Je parle, et quelque chose semble s'ouvrir, en moi et dans l'objet parlé :

> Les mots,
> C'est pour savoir.
>
> Quand tu regardes l'arbre et dis le mot : *tissu,*
> Tu crois savoir et toucher même
> Ce qui s'y fait (*E*, 37).

Le mot *tissu* nous introduit ainsi, de manière mystérieusement tactile, dans l'interne et active réalité de l'arbre. C'est une métaphore qui nous permet, à nouveau par un

---

1. Cet exposé a peut-être le tort de renverser l'ordre d'une évolution, la solution de l'équilibre humaniste, celle de la sphère, semblant postérieure à celle de la traversée dialectique (surtout développée dans *Gagner* et dans *Exécutoire*). Mais ces deux attitudes éthiques nous intéressent surtout en tant que réponses possibles à un seul problème, d'ordre existentiel.

détour, de nous glisser au vif du monde. Les mots nous conduisent vers le réel, mais indirectement. « De toi je parle à peine », dit Guillevic à la chose convoitée, « Je parle *autour de* toi / Pour t'épouser quand même / *En traversant les mots* » (*C,* 44). Entre la conscience et les objets, les mots forment ainsi une sorte de croûte, d'espace intermédiaire. Espace ductile, mais pourtant résistant : car ayant une chair, une sonorité, une existence antérieure à la pensée (je tombe toujours dans une langue déjà faite), ils m'obligent à les considérer aussi comme des choses. L'étendue verbale, celle que je dois traverser pour atteindre l'objet, est donc presque aussi difficile, aussi défendue que l'espace de l'objet lui-même. « Les mots, les mots / Ne se laissent pas faire / Comme des catafalques. / Et toute langue / Est étrangère » (*T,* 185).

C'est pourtant cette étrangeté, et elle seule, qui nous conduira finalement vers les objets. La poésie de Guillevic confirme sa mythologie de la parole. Il est vrai que ses poèmes possèdent un étonnant pouvoir d'*introduction,* mais aussi qu'ils se dressent devant nous, dans leur simplicité un peu butée, leur lente brièveté, dans leur transparence presque louche à force de clarté, comme les porteurs d'un *incommunicable*. Ils ont une sorte de poids absent : ou de poids, disons, qui les absente, ou qui les ouvre à une absence, à cette absence de réalité qui est, nous le savons, l'être même de la réalité. Or, si ce langage peut si bien nous signifier l'objet, c'est qu'il existe, entre l'objet et lui, une analogie profonde de structure. L'étrangeté du mot tient sans doute à l'arbitraire de son existence phonétique ; elle naît de la distance qui sépare en lui le signifiant de son signifié. Or, cette distance reproduit dans l'acte de la signification l' « hiatus » caractéristique de toute relation humaine avec le monde. Le langage n'est pas plus adéquat à soi que les objets. Et c'est cette inadéquation, soigneusement entretenue par le poète, devenue consciente, accrue par le « jeu » des métaphores, soulignée par l'intervention prosodique des blancs et des silences, qui nous donne à penser le monde. Écarté de soi, le langage reproduit en lui, et donc indique l'écart fondamental des choses (écart qui va d'elles à nous, et d'elles à elles-mêmes). Son écartèlement même nous fait signe, et nous voyageons alors en lui, et vers l'objet, vers l'objet distant, dans toute cette distance à soi qui le constitue comme langage. Le mot donc nous parle, et il se tait en nous parlant, pour nous faire entendre au fond de son mutisme le silence crié (l'agression-recul) de la réalité. L'expression poétique devient alors comme un ménage de la réticence. Pas assez de silence intérieur, et c'est le bavardage, fût-ce le bavardage du silence. Trop de silence, et le poème s'étouffe, asphyxié par son succès. Parler poétiquement, c'est donc inaugurer, puis maintenir, de mot en mot, une sorte d'équilibre organique, ou de respiration entre le langage proféré et ce non-langage muet qui doit lui rester toujours intérieur : c'est pousser un cri « qui ramènerait à ce qui se tait » (*S*, 72) ; c'est chanter un air « Où le silence aurait posé ses fondations » (*S*, 107) ; c'est trouver « son chant / Dans la chair du silence » (*S*, 77). La poésie est certes pour Guillevic une adhésion au monde (elle n'est même que cela). Mais cette adhésion, elle ne peut sans doute l'effectuer qu'à travers un recul, un retrait sur elle-même, que par la recherche, en elle, de quelque chose de « plus lointain », de « plus central » : « Un refus de dire / Creusé dans le oui » (*S*, 85). Mais c'est ce refus, alors, qui nous dit oui.

Novembre 1963.

Yves Bonnefoy

> A ma demeure, à Urbin, entre le
> nombre et la nuit...
> *Dévotion, l'Improbable*, p. 191.

Pour entrer dans l'univers poétique d'Yves Bonnefoy, le plus simple sera sans doute d'emprunter la voie *mauvaise :* j'entends celle que dénoncent tous ses écrits théoriques et dont entreprend de nous détourner chacun de ses poèmes, la voie à la fois enchanteresse et maléfique du *concept.* Car l'abstraction égare, mais enchante : nul doute que n'existe pour Bonnefoy un bonheur de l'idée, un charme profond du nombre. A travers la magie des notions la primitive opacité des choses se mue peu à peu en transparence ; leur tremblé, « tout le heurté, le hagard d'ici-bas » (*I,* 151[1]), s'apaise en une harmonie qui n'offre plus de prise aux déséquilibres du hasard. Réduisant l'originelle contingence de nos vies, dénouant en lui et fondant les pires des désordres, le système transforme l'existence en un calme discours. Décidons-nous de penser par concepts (comment d'ailleurs penser différemment ?), et nous voici délivrés de l'excès, de la liberté ou de l'angoisse, nous voici installés à jamais en une « demeure faite de mots, mais éternelle » (*I,* 12), grande maison de repos de toutes parts ouverte, du moins le semble-t-il, au rayonnement lumineux de l'être. Il y aura donc une *gloire* physique de l'idée, en

1. J'adopte les abréviations suivantes : *D : Du mouvement et de l'immobilité de Douve,* Mercure, 1953 ; *H : Hier régnant désert,* Mercure, 1958 ; *I : L'Improbable,* Mercure, 1959.

laquelle nous pourrons voir baigner les plus hautes œuvres de l'art et de la pensée : ainsi Bonnefoy regarde le temple grec s'endormir heureusement à l'imperturbable soleil du nombre ; il admire Masaccio immobilisant à jamais ses personnages dans l'aplomb héroïque de leur geste ; il voue, surtout, un culte à Piero qui, étalant ses plans dans la paix physique d'une géométrie et l'ordre humain d'une torpeur, semble nous donner accès à quelque éternité vivante. A travers ces chefs-d'œuvre, nous touchons à la tentation platonicienne d'un modèle idéal miraculeusement devenu chair, substance, éclat, réalité.

A cette réalité, pourtant — et voici l'autre face du concept — nous aurions tort de trop nous laisser prendre, car elle n'est peut-être que mensonge. La paix harmonieuse de l'abstrait, ce bonheur du nombre et de l'idée auquel Bonnefoy est si évidemment sensible, tout cela servirait-il seulement à nous leurrer ? Les essais réunis dans *l'Improbable* nous l'affirment inlassablement : çà et là s'y intente le même procès, s'y lance la même accusation contre l'idée, ou plutôt contre le concept, cette caricature d'idée, cette idée creuse. Le concept s'y voit successivement décrire comme piège, fuite, clôture, opium ou trahison. C'est pour nous égarer qu'il veut nous engourdir ; et s'il nous plonge en une fausse paix, c'est afin de nous détourner de l'essentiel. Il escamote en effet notre vérité la plus privée, la plus scandaleusement particulière, notre part la plus rebelle à toute réduction, notre passion, notre regard, notre temps, notre mort surtout : il peut arriver, certes, aux philosophies de nommer la mort, mais pour la dépasser ou l'effacer, bref, pour la transformer en une mort qui n'est plus la mort. D'où un confort qui se distingue mal d'une imposture, et auquel n'ont pas su échapper les penseurs les moins systématiques, ceux qui avaient au départ le plus vif sentiment de l'irréductibilité du moi : en cette « demeure faite de mots, mais éternelle » (*I*, 12), Socrate meurt par exemple « sans trop d'angoisse » ; et plus tard Kierkegaard conceptualise son horreur du concept, Heidegger parle trop bien la mort pour en éprou-

ver vraiment la déchirure... « Défini », donc « incorruptible » (*I, 12*), comment le concept ne se condamnerait-il
pas en effet à manquer ce qui se corrompt, c'est-à-dire
ce qui meurt, c'est-à-dire encore ce qui est ? Ce man-
quement, n'en doutons pas, est chez lui volontaire ; c'est
pour nous rassurer que nous philosophons, pour faire
« que la mort ne soit plus vraie » (*I, 17*). Mais par là même
nous passons à côté de la réalité, qui est d'abord concrète
et mortelle, qui est non point forme ni essence, mais
substance, chair ou grain. Le concept est donc « un
délaissement, une apostasie sans fin de ce qui est » (*I,
21*) ; élision et reniement, il constitue, au sens pleinement
pascalien du mot, un divertissement, et porte en lui un
principe de jeu, une gratuité. Quelques grands exemples
confirmeront cette analyse : ainsi Valéry, abusé peut-être
par les évidences trop faciles d'une langue spontanément
abstraite et d'une lucidité méditerranéenne, en vient-il à
se perdre en un faux jardin d'essences ; volontairement
fermée aux révélations de la nuit et au « mystère de la
substance », sa poésie se réduit alors à l'exercice, à la
gymnastique vide de l'esprit... Autre victime exemplaire
du concept, Uccello, qui, à force de géométriser l'apparence, découvre « la valeur démoniaque de l'aspect » (*I,
107*) et aboutit à une fantasmagorie maléfique de l'idée.
Çà et là le concept a bien enchanté ses victimes : sous
prétexte de les défendre du non-être, c'est de l'être qu'il
les a sevrés.

L'irrationalisme, existentiel ou romantique, d'Yves
Bonnefoy aboutit ainsi à une non-philosophie : fonder sur
le concept serait construire sur du vide, et nous devons
penser à seule fin de nous méfier de la pensée. Si nous
voulons retrouver le plein de l'être, si nous désirons
entendre résonner en nous cette qualité inqualifiable et
improuvable de l'objet, cet *improbable* absolu que Bonnefoy nomme la présence, il nous faudra donc écarter les
résultats traditionnels d'une investigation analytique de la
chose, tels que forme, couleur, essence, caractère, attribut, pour en éprouver au contraire l'évidence la plus

immédiate, physionomie, texture, nuance, animation. Au soleil du concept se substituera la nuit de l'existence, à l'ordre trop lisse et trop bien articulé de l'abstraction succéderont le désordre, la fugitivité, le déchirement hagard, mais fulgurant, des intuitions. Dans les architectures éternelles le temps se glissera, introduisant en elles, comme par une fissure, les vérités concrètes de l'instant, de la souffrance ou de la nostalgie. Les grandes, les vraiment grandes œuvres d'art seront ainsi, pour Bonnefoy, celles qui, après avoir beaucoup demandé à la raison sauront en apercevoir l'insuffisance, et qui, se retournant alors contre elles-mêmes, entreprendront de se défaire et ruiner, chercheront à détruire par tous les moyens en leur pouvoir la transparence même, l'harmonie sur lesquelles semblait s'être fondée leur royauté. Piero renonce par exemple à la fin de sa vie à la merveilleuse sécurité du nombre : son *Annonciation* se troue soudain d'incertitude et de lointain, et la grande *Pala* de Milan s'ouvre à toute l'horreur du temps retrouvé — un temps qui chez Cosmè Tura, puis chez Botticelli, devient bientôt celui de la déréliction et de l'angoisse. De nos jours, Balthus se partage, de façon un peu analogue, entre l'orgueil d'une domination intellectuelle de l'objet et la fascination non moins puissante du furtif, de l'étrangeté ou du sadisme ; c'est un « prince des chats » qui ne maîtrise pas totalement en lui la trouble tentation féline : autre image de l'affrontement du nombre et de la nuit.

La littérature, encore, nous fournirait maint exemple de cette tentation d'échec inscrite au cœur de la plus éclatante réussite. Est-il ainsi un monde plus transparent, plus lumineusement essentiel que celui de Racine ? Mais ces essences se heurtent les unes aux autres, et leur choc introduit alors en ce monde idéal une dimension profane, une saveur d'inexpiable, un goût de crime et de désastre. Mallarmé, quant à lui, ne se voue si héroïquement à la recherche, ou plutôt à la recréation de l'idée, que pour avouer en fin de compte sa faillite. Mais toutes ces figures de l'effort vain ou du partage pâlissent devant celle de

Baudelaire, véritable héros moderne de l'anticoncept, le premier à avoir ressenti la valeur poétique et ontologique d'une passante, le sens secret d'un lieu, la saveur d'un moment, et à avoir joué dans son corps même la comédie véridique de la mort. En cette découverte, Baudelaire aurait d'ailleurs pu s'autoriser d'un grand ancêtre, Sade, qui, transportant cette comédie dans le corps *des autres,* nous obligeait à voir en l'érotisme une puissance merveilleusement bouleversante, capable de nous révéler toute notre « fragilité naturelle » (*I,* 125), et d'afficher en elle « l'effréné, le trouble du temps ». Tous ces modèles — auxquels on regrette un peu que Bonnefoy n'ait pas joint l'image de Vigny, comme lui également tenté par l'idée et la mort, appelé à la fois par l'éternelle transparence du cristal et par la fragilité des corps, leur « amour taciturne et toujours menacé » — composent une sorte de musée imaginaire : *l'Improbable* est une galerie des grands intercesseurs. En chacun de ces créateurs exemplaires se manifeste un double besoin d'ordre et de réalité, un double appel de l'intelligence illuminante et de l'existence nue, cette nudité devant finalement envahir, aveugler cet éclat.

De cette double postulation — et il me paraît juste de reprendre à propos de Bonnefoy le langage même de Baudelaire —, l'architecture aussi pourrait nous proposer quelques belles images : ainsi ce lieu glorieux, vers lequel Bonnefoy tourne si souvent sa pensée, l'*Orangerie* du XVIIe siècle, construction de pierres dorées et de glaces, tout entière inondée par la paix d'une chaude lumière, mais qui contient en son cœur le plus clair comme la négation de cette éternité : « la nuit, ou le souvenir de la nuit [l'] emplit d'un léger goût de sang, sacrificiel, comme si un acte profond devait une fois y avoir lieu » (*I,* 159). Et le même phénomène d'évidement central, la même irruption d'une transcendance concrète et profonde seront encore rêvés dans le temple grec, dont la radiance enclôt elle aussi un espace nocturne, un « orage caché », comme un puits foré au noyau de l'autel pour y « retrouver les fonds inconnaissables du lieu » (*I,* 156). Le connaissable sert donc ici à protéger l'inconnaissable ; d'un ordre à l'autre, il n'y a plus rupture, mais involution. Au lieu que la nuit, comme chez Racine, Piero ou Mallarmé, vienne battre de ses vagues têtues et peu à peu envahir, déconcerter la gloire, au lieu que les deux principes s'équilibrent, comme chez Balthus, la loi, ou plutôt l'anarchie nocturne se contente ici d'affecter d'incertitude et de soupçon la trop parfaite exaltation du nombre. D'autres coexistences sont d'ailleurs possibles : à Leyde, par exemple, Bonnefoy découvre en un musée un tombeau extérieurement brut, mais dont les parois *internes* sont sculptées de merveilleuses scènes domestiques où le mort figuré continue le plus pur de sa vie. Et il s'émerveille alors de cette image d'une matière, d'une nuit, enveloppant en elle la tendre évidence d'une idée. Ou bien, devant les ornements abstraits des pierres tombales de Ravenne, il jouit de ce qui n'est plus involution réciproque, rapport de contenant à contenu, mais rencontre véritable, plein mariage de la forme et de la matière : union d'un type et d'un corps, « l'Idée faite présence » (*I,* 19). Pour qu'un objet, un lieu, une œuvre éveillent poétiquement Bonnefoy, il semble donc bien qu'il doive y retrouver, sous l'aspect du déchirement, du déni réciproque, ou de la rencontre, les deux « postulations » que nous avons décrites : « un trouble dans la lumière, quelque chose d'insaisissable, de noir, d'informe dans la pureté du cristal » (*I,* 183) — ou bien, inversement, une voix dans la nuit, un cri dans les pierres, une lueur dans l'épaisseur de l'informe et de l'insaisissable, bref, toutes les présences imaginaires que va tenter d'évoquer sa poésie.

Car, jusqu'ici, nous ne sommes pas sortis d'un art poétique, c'est-à-dire encore du concept... Tous les essais de *l'Improbable,* et même quelques poèmes de *Douve* ou de *Hier régnant désert,* nous racontent ainsi la présence, nous disent ce qu'elle est et comment la chercher, mais ne nous engagent pas, concrètement, dans cette quête. L'un des dangers qui guettent Bonnefoy, ce prophète de l'anticoncept, c'est peut-être, et paradoxalement, son trop grand amour de l'idée, son besoin du médiat pour vivre l'immédiat, et cette nécessité où il se trouve de n'épouser le concret qu'après une traversée, un épuisement, et comme une destruction interne de toutes les ressources de l'abstrait. S'il se met ainsi en posture de théoriser si souvent l'inthéorisable, c'est sans doute à cause du désir qu'il a de mieux nous entraîner ; c'est aussi que la présence ne peut être qu'*approchée,* et le peut aussi bien par les moyens négatifs d'une non-philosophie (cet équivalent profane de ce que Bonnefoy nomme « théologie négative ») que par ceux, positifs, d'une rêverie créatrice. Reste qu'à lire les essais d'Yves Bonnefoy nous pensons quelquefois à ce qu'il dit lui-même de Masaccio : « Son art, tout d'indications, autoritaire, allusif, propose l'intemporel comme un programme, un idéal — on pense à Rimbaud, à la *Lettre du Voyant* — mais il ne le prouve pas » (*I,* 106). Ce que nous demandons à Bonnefoy, c'est de même, ou inversement, de nous prouver le temporel, c'est-à-dire justement l'improbable... Et cette preuve, logiquement impossible à fournir, ne pourra être donnée, c'est évident, qu'en un acte vécu d'imagination. L'expérience immédiate qu'évoquent idéalement et indirectement tous ses essais, c'est donc celle encore que patiemment, monotonement, avec « une voix, toujours la même », essaie de recommencer, de recréer, de mimer verbalement chaque poème. Comment dès lors comprendre ces poèmes ? En définir la fin ou le projet ? Bonnefoy l'a fait pour nous, et mieux que nous. La meilleure façon de les lire, me semble-t-il, serait de s'enfoncer aveuglément dans leur ressassement et dans leur nuit, de laisser résonner en soi leur note sourde, d'ouvrir son regard à leur matité. Mais il faudrait aussi les traverser comme des épiphanies, tentant d'apercevoir comment quelque chose en chacun d'eux se dérobe et s'indique (s'indique par le mouvement même qui veut le dérober), quel est ce quelque chose, à travers quoi il cherche à se manifester ou à s'enfuir, dans quelles formes, quels lieux, quelles matières, bref, il faudrait décrire, si ces mots possèdent quelque sens, les catégories sensibles de la présence chez Yves Bonnefoy.

Or, pour mener cette description, il nous faudra encore, du moins me semble-t-il, en revenir à l'obsédante expérience du concept dont toute la pratique du monde sensible se veut dès l'abord ici le dépassement et le déni. Le sentiment de la présence, cette illumination profonde en vertu de laquelle l'objet le plus particulier rayonne comme un universel, ne s'atteint pas en effet, nous le savons, en un acte naïf ou heureux de l'imagination. Il ne s'obtient qu'au terme, ou bien au cœur d'une rêverie négatrice qui vise à l'opposé des fins ordinairement assignées aux actes de l'intelligence. Celle-ci cherchait par exemple à introduire en toute chose la loi, la transparence : Bonnefoy s'arrêtera donc avec prédilection sur les formes sensibles de l'anarchie ou de l'opacité. Sur la *pierre,* par exemple, dont *les Tombeaux de Ravenne* font un merveilleux éloge. Si elle l'attire si puissamment, c'est qu'elle forme pour lui comme une nuit absolue de la matière. Son pouvoir, elle le tient de son aveuglement et de son inertie. En elle point de vie en effet, ni même aucun signe de vie : point d'espace intérieur non plus où pourrait commencer à poindre une virtualité d'expression. Sa densité refuse la pensée et décourage *a priori* tout essai de pénétration et de métamorphose. Informe en outre en sa surface, anarchique en sa profondeur, rebelle de par sa grossièreté à tout effort numérique ou légal d'intégration, elle est l'irréductible même. Mais son plein nous donne le vertige, et son *non* nous attire beaucoup plus puissamment que tous les *oui...* Pourquoi dès lors ne pas imiter la salamandre, ne pas essayer de nous faire pierre, et, « par l'inerte Masse de tout [notre] corps, de retenir [notre] souffle, de tenir au sol » (*D,* 85), bref, de partager cette souveraine « hypnose de la pierre » (*D,* 53) qui nous introduira à toute la brutalité de l'être ?

Pour un tel roc il n'est point question, bien sûr, de luire ni de trancher : Bonnefoy ne cherche pas en lui, comme par exemple Saint-John Perse, l'instrument ascétique ou agressif d'une contraction ; il ne le prend pas non plus, comme Rimbaud, pour un objet destiné à assouvir une fringale de matérialité. La pierre n'est pour lui qu'un *cela,* un *quelque chose,* sur lequel doivent se briser toutes nos intentions. Elle sera donc terne et neutre — à l'opposé des coquetteries brillantes de l'idée, du vain « camaïeu du concept » (*I,* 25) : sans grâce, sans luisance (ce qui indiquerait une clarté positive de la profondeur), et même sans surface (celle-ci pourrait nous prêter un faux appui et nous cacher la vérité de l'épaisseur). Bonnefoy cultive ainsi « le gris profond, violent... des couloirs et des cirques de la pierre, qui sont l'entrée du réel » (*I,* 25) : entrée bouchée, bien sûr, et par là même infiniment béante, ouverture aveuglée, pure densité sans croûte, masse tout offerte en son premier contact, et cependant absolument impénétrable. Sa première qualité ce sera, on le devine, le *rugueux,* cette aspérité du plan en laquelle affleure la grande anarchie de l'épaisseur : rugosité usée des tombeaux antiques, pierre cendreuse d'Ubac, dont l'économie se resserre comme pour comprimer en elle un fondamental silence, ou, en un registre moins aride, effritement poussiéreux de la brique. Bonnefoy déclare ainsi sa dévotion « à une porte murée de briques couleur du sang sur ta façade grise, cathédrale de Valladolid. A de grands cercles de pierre. A un *paso* chargé de terre morte noire » (*I,* 190). La terre morte, cérémoniellement changée en un *paso,* prolonge de son humilité noire toute la brutalité des pierres, disposées elles-mêmes sur le sol en un acte peut-être rituel ou sacrificiel, en tout cas inexplicable. Mais plus admirable encore la rêverie sur ce mur de briques qui occulte et qui nie de son incongruité la paix organisée d'une façade. Ne parlons pas encore de ce sang dont nous verrons plus loin la valeur de déchirement et de blasphème : la première fonction de cette brique est de détruire un ordre trop parfait, de murer en lui un accès, et donc aussi de le creuser, de l'indiquer en l'obturant, bref, d'évider par le déséquilibre et la dissonance matérielle qu'elle y introduit de force, la grâce d'une architecture trop abstraite. C'est que la pierre — ou la brique — est quelque chose qui ne peut être ni pensé ni dépassé : en elle gît « l'irréfragable présence » (*I*, 22), qui nous renvoie à cet autre impensable, cet autre indépassable plus fondamental encore, « la présence de la mort » (*D*, 65). Dans tous les paysages favoris de Bonnefoy — falaises (pierre déchirée, dressée, offerte dans l'intimité de son abrupt), ravins (nids ou affaissements de pierres), cailloux qui glissent sous le pied (et leur fragilité qui dit tout le précaire de l'instant s'unit paradoxalement à l'immobilité morte de leur masse), murs (écrans fermés de pierre), terrasses, âtres ou tables (nudité de la pierre qui s'étale pour l'offre ou pour l'exposition), tombeaux (pierre éternelle, disant en un autre paradoxe, mais c'est aussi la plus centrale des vérités de Bonnefoy, la mort et la fugacité de l'être), « quais de nuit » ou jetées (pierres ouvertes sur une autre inertie, glauque et profonde, celle de l'eau) —, en toutes ces réalités naturelles, mais élues par l'imagination, il nous faudra donc déceler une même constante pierreuse, révélatrice d'un « indice de nuit ». Cet indice pourra affecter d'ailleurs d'autres matières voisines de la pierre, par exemple le fer, dont la brutalité, cette fois métallique, commande maint poème d'*Hier régnant désert*. Mais fer ou pierre, falaise ou pont, nous n'aurons pas quitté l'ordre matériel de l'impensable, le monde de l'obtus, le royaume terrible et salvateur de la substance.

Cette même substance, nous pourrons la rêver encore non plus obturée ni naufragée de plénitude, mais au contraire infiniment ouverte, vide, liée à une sorte de fascination agressive de l'absence : nous aurons imaginé ce frère aérien du roc, le vent. Pierre, nuit, vent se marient ici sous le même signe imaginaire. La pierre d'ailleurs nous préparait au vent, elle aimait à présenter l'aridité plate de ses « tables » ou de ses terrasses au grand souffle externe de l'espace, à cet « extérieur absolu » (*I,* 162) comme dit Bonnefoy, un *cela* encore, mais qui oppose sa mobilité, son dur caprice, son invisibilité à la paisible ténacité rocheuse. Car cette chose sans forme ni visage est cependant active, et c'est contre nous qu'elle choisit d'agir. Sous son attaque, dès les premières lignes de *Douve,* voici qu'hésite et trébuche la conscience : « Je te voyais lutter contre le vent » (*D,* 11), « Je criais, j'affrontais de ma face le vent » (*D,* 54), un vent ici rêvé comme la forme hostile de l'absence, comme le mode inamical de la neutralité. Cet assaut aura d'ailleurs valeur de délivrance : car nous secouant, s'insinuant en nos intimités les mieux gardées (« la jambe démeublée où le grand vent pénètre »), le vent y lave aussi nos déguisements et nos camouflages, il y met fin à notre divertissement : « Or est venu ce vent par quoi mes comédies / Se sont élucidées en l'acte de mourir » (*D,* 53). Mais cette élucidation, pour liquider en nous jeux ou mensonges, pour nous remettre au contact de notre condition la plus nue (point de concept qui tienne contre un grand vent), ne s'ouvre pas sur le positif d'une révélation. Le vent nous supplicie sans nous dire les raisons de ce supplice, sans surtout nous dire qui il est, lui qui nous supplicie. C'est sans doute qu'il n'a rien à dire, qu'il n'est rien, ou que plutôt — « seul vent de finitude » (*D,* 55), « stérilité » (*D,* 57) et « nuit de vent » (*D,* 66) — il ne pourrait nous dire que le rien, il est le rien, la négation vivante... Notre destin est donc de nous offrir à lui comme à l'épreuve de ce qui nous niera. Nous voici bien loin de Valéry et de l'heureuse brise qui se lève à la fin du *Cimetière marin,* « ce vent qui n'est pas le vent » (*I,* 145), puisqu'il souffle vers la vie, au lieu de nous pousser cruellement au non-être — à l'être. Bien plus près serions-nous du vent de Mallarmé, messager sans message, voix ironique de l'absence. Vent au demeurant glacé, avec des sautes — « Comme le vent du soir soudain plus brusque et froid » (*H,* 74) —, où se marquent l'irrégulière pulsation de la durée et la fondamentale contingence.

Par l'assaut du vent commence l'épreuve de la conscience, l'expérience initiatique de sa mort. Il faudrait
suivre ici les diverses étapes de cette agonie : l'inquiétude
du ciel bas, de l'étouffement et de « l'alarme » — le rêve
de la disjonction, du fendillement, bientôt devenu éclatement retentissant et frénétique (« La tête quadrillée, les
mains fendues et toute / En quête de la mort sur les
tambours exultants de tes gestes », *D,* 13) —, le cauchemar
de congélation et de paralysie (souvent associé à ce plan
de froid, cet espace vacant qui s'expose et nous expose
au gel, la *vitre*), le malaise du pâlissement, rattaché au
frisson des neiges, au blanc des murs ou des fards, à
l'horreur surtout de l'exsangue. Car la substance dont la
présence sous-jacente commande tout le rituel de cette
agonie, c'est bien évidemment le sang : avec la vitre à
laquelle il s'identifie, la pâleur qu'il dénonce, le froid qu'il
prend comme complice, il forme une puissante constellation tragique. Son importance tient ici à ce qu'il manifeste
notre précarité, notre vocation mortelle, et donc sacrificielle, dans l'espace pour nous le plus troublant qui soit,
celui d'une profondeur à la fois vivante et nocturne, notre
chair — tout comme pierre ou vent les indiquaient de leur
côté dans l'ordre de l'inerte, par les moyens d'une brutalité
toute matérielle. Comme la pierre, le sang possède une
appartenance souterraine ; comme le vent, il aime à
palpiter, voler, jaillir. D'eux à lui il y a pourtant une très
importante différence : c'est que la pierre était tout uniment
inerte, et le vent continuellement hostile, tandis que le
sang surgit en un accident de la durée, au terme d'une
crise, comme dénouement d'un traumatisme. Sa giclée
dénonce un déchirement interne de la vie. Dans l'exact
métabolisme de notre corps — cette autre réussite
spontanée du nombre —, quelque chose soudain se rompt,
et le sang coule alors pour manifester au-dehors cette
rupture, pour dire la joie folle d'un équilibre brisé, l'ivresse
d'une chair fulguramment livrée à l'hémorragie qui la
perdra : « Et je t'ai vue te rompre et jouir d'être morte
ô plus belle / Que la foudre, quand elle tache les vitres

blanches de ton sang » (*D,* 11)... Ce délire de l'anévrisme, cette éclatante rencontre du blanc et du rouge, du froid et du brûlant, pourront se transposer dans l'ordre plus terne de la nature : « Quelle pâleur te frappe, rivière souterraine, quelle artère en toi se rompt, où l'écho retentit de ta chute ? » (*D,* 16.) Belle rêverie où la douleur du vaisseau rompu s'unit cette fois au rêve du conduit souterrain, de la lividité abyssale, et encore de la cascade, d'une brisure qui serait à la fois chute et cri. C'est merveille alors de voir comment dans le tissu de la terre ou du corps, et par la volubilité, presque la volatilité du sang, cette déchirure se propage : « Rupture secrète, par quel oiseau de sang circulais-tu dans nos ténèbres ? » (*D,* 71.) De ce noir, le sang ressort enfin, venant à nos surfaces souiller les lèvres, éclabousser les vitres, marquer les pierres ou les tables, envahir de sa présence scandaleuse, de son parfum, la paix des temples ou des orangeries : « Partout régnait le sang » (*D,* 44), « Le goût du sang battra de vagues son rivage » (*H,* 17), « L'odeur du sang sera ce bien que tu cherchais » (*D,* 77), « La plus pure présence est un sang répandu » (*D,* 42)... Rêver la vérité d'un être, ce sera donc imaginer sa mort future, ce sera *voir* à l'avance l'effusion affreuse et merveilleuse de son sang, ce sera prévoir ce spasme, cette agression d'une nuit charnelle qui dirigera contre nous sa véhémence, mais qui pourra tout aussi bien, en un mouvement d'une extrême beauté, se retourner contre sa source même, cherchant alors à l'envahir, à l'absorber, à l'abolir :

Il sera bien un jour,
Il saura bien un jour être la bête morte,
L'absence au col tranché que dévore le sang (*H,* 17)...

Mais cette voration, ici posthume et paroxystique, pourra s'opérer aussi de manière plus lente, et dans l'espace même de nos vies. Il suffira pour cela de s'abandonner à la durée, de se laisser par elle éparpiller et recouvrir. Quand Yves Bonnefoy entreprend, à l'inverse de l'ordre regroupé que nous impose le concept, d'imaginer l'infinie dispersion où nous jette toute saisie un peu sincère de l'objet, sa pensée s'arrête de préférence dans l'ordre où la rupture semble se faire naturellement proliférante : l'ordre brut mais vivant du végétal. Ce qui séduit ici l'imagination, c'est, assez curieusement, une infinité de la cassure. Bonnefoy n'aime la feuille que rompue (la feuille brisée du lierre lui sert, dans *l'Improbable,* à soutenir toute une allégorie de la présence) et la cime des arbres que « crevassée par le gel » (*D,* 60). Le tronc l'attire s'il se brise, le buisson quand il cède, la branche lorsqu'elle se pourrit...

Cette rupture porte en effet atteinte à l'ordre formel du végétal ; elle en récuse la finalité, en efface l'équilibre, le « nombre » spontané. Délitement ou entaille mettent au contraire au jour l'impensable matérialité de l'arbre, et par là même, en en affichant la « fibreuse matière et densité » (*D,* 33), ils nous permettent d'adhérer en elle à « toute la profondeur de ce qui est » (*I,* 29). Comme il nous fallait aimer les pierres les plus grossières, nous rechercherons donc « les plus informes souches gravitantes » (*D,* 62) — pour les livrer au feu qui achèvera de les ronger. Cette essence foncièrement informe et cassée du végétal se retrouve d'ailleurs, et plus dynamiquement, plus dangereusement encore, dans l'espace, cette fois collectif, où celui-ci tend toujours à se répandre : forêt, buisson, touffe, gazon. Ce qui l'y signale, c'est alors la figure du lacis infini, vertigineux embrouillamini des branches, envahissante et microscopique irrégularité des herbes. Comme chez Sartre ou Mallarmé, le monde végétal nous offre ici l'image la plus probante du hasard. La forêt est le lieu d'une molle et trompeuse opacité (« Vous qui vous êtes effacés sur son passage, / Qui avez refermé sur elle vos chemins... »). En elle nos démarches s'enfoncent et s'égarent, égarement qui est aussi une dissémination, presque une dilution de l'être en une texture sans commencement ni fin : « Les cinq doigts se dispersent en hasards de forêt maintenant, / La tête première coule entre les herbes maintenant » (*D,* 27)...

Douve-forêt devient ainsi Douve-rivière, une rivière qui ne trouve plus son chemin dans la forêt, et qui se divise éperdument, se perd elle-même à la recherche d'une issue... Mais la forêt signifie justement qu'il n'y a pas d'issue, pas de sens non plus, que nous sommes désormais enfermés dans le piège illimité de l'épaisseur. Et ce qui constitue ici le piège, ce n'est pas, comme pour le roc, le drame de la densité : c'est le seul fait de la vie végétale, en vertu de laquelle toute unité doit se ramifier à l'infini, pour déboucher sur d'autres unités, elles-mêmes indéfiniment décomposées, la relation ne s'y opérant dès lors que par le plus ténu et le plus égaré, le plus désespérément futile, et cela sans terme possible, jusqu'à former un inextricable et absurde labyrinthe. Aucune voie par conséquent ici, aucune piste même dont on pourrait suivre horizontalement l'indication ; le feuillage apparaît plutôt comme un abîme, un « filet vertical de la mort » (*D*, 26), dans lequel, même si l'on croit avancer, on ne fait en réalité que *tomber*. Dans cette harassante confusion, la vie la plus tenace finit par abdiquer son espérance, « Blessée confuse dans les feuilles / Mais prise par le sang de pistes qui se perdent, / Complice encor du vivre » (*D*, 17)... Entrelacs et rupture associent ici leurs cauchemars : d'où le prix onirique, pour Yves Bonnefoy, d'une branche qui se casse et qui cède, d'un tronc qui craque dans la nuit, d'un corps qui, au creux d'un ravin, s'affaisse lentement parmi les feuilles...

Qu'au vertige du lacis s'ajoute le délire de la germination, et nous rencontrerons une autre forme de rêverie végétale, celle de l'herbe. Tout aussi anarchique que celui du feuillage, son schème prête davantage encore à la folie proliférante. L'herbe, c'est l'informe devenu envahissant, c'est l'absurde ténacité d'une durée qui se glisse dans les fissures, ronge les façades, altère les visages (« Les herbes signifient ton visage mort », *H*, 13 ; « à des statues dans l'herbe ; et comme moi peut-être sans visage », *I*, 190), bref, qui recouvre insidieusement toute expression, toute physionomie (« L'herbe nue sur tes lèvres et l'éclat du silex / Inventent ton dernier sourire », *D*, 25), toute forme. Avec elle, un grand pouvoir actif d'indistinction attaque les architectures les plus sûres, dont il manifeste à la fois la contingence et, en dessous du plaqué superficiel de l'ordre, la foncière, l'anarchique matérialité. Rien de plus séduisant pour l'imagination qu'une grande demeure envahie d'herbes, étouffée de feuillages (« A un palais désert et clos parmi les arbres », *I*, 190), ou bien, ce qui revient au même, largement ouverte à l'ombre (« A tous palais de ce monde pour l'accueil qu'ils font à la nuit », *ibid.*). Nous goûtons en elle la poignante joie d'une durée quasi visible et d'un ordre ruiné : mais nous y trouvons aussi l'exaltation d'une pierre ou d'une brique, bref, d'un matériau, d'une brutalité retrouvée par-delà l'érosion des ornements et le délabrement des reliefs. «Condamnée à l'herbe luxuriante qui l'envahit de toutes parts» (*D*, 24), la conscience mourante acceptera donc cette invasion : mieux, elle la sollicitera, s'offrira joyeusement à elle, s'ouvrira de toutes ses forces à la «diffraction de l'informe» (*I*, 77) qu'opère en elle le chaos végétal. Si la vocation du concept était de dresser partout barrières ou clôtures, l'herbe, on le voit, nous délivrera parfaitement de l'intelligence : étant un pouvoir absolu de recouvrement, d'ouverture, d'abolition.

Son indiscrétion ruinante possède d'ailleurs ici deux prolongements rêvés : s'il s'exaspère, le pullulement herbeux aboutit à l'anarchie plus agressive, plus ouvertement hostile encore, de ce qu'il faut tenir pour des atomes vivants et éclatés de végétal, les *insectes*. L'invasion des herbes s'achève, dans les premiers poèmes de *Douve,* en une voration, un festin délirant où de minuscules monstres pelucheux à la dent dure viennent disloquer nos «menuiseries faciales» (*D*, 18) et faire régner en un visage leur «musique affreuse», leur «joie stridente» (*D*, 22). Mais cette stridence peut aussi bien s'éteindre, et à l'autre bout de la dynamique herbeuse s'étend alors le rêve de l'engloutissement lent (« Il tombera dans l'herbe ayant trouvé / Dans l'herbe le profond de toute vérité », *H,* 17) qui s'achève sur le vœu d'une matière absolument inerte et infiniment divisée, celle des sables et des boues. Douve-rivière, après sa pénible traversée de la forêt, s'ensable « au terme de [sa] lutte » (*D,* 17), ou plutôt « se déchire en sables » (*H,* 49), s'enlise en une substance morte, et pourtant toute travaillée encore par la mouvance, marquée d'une durée où se mélangent lentement passé et avenir : « déjà soumise au devenir du sable » (*D,* 21), prise « dans ces rets de [sa] mort que furent sables » (*D,* 35), il ne lui reste plus qu'à retrouver, derrière et sous cette ultime figure de l'indéfinie division, la réalité cette fois absolument indifférenciée, véritablement éparse, c'est-à-dire homogène, qui soit le refus total de l'*un* et la négation même de l'esprit. Les « gestes de Douve, gestes déjà plus lents, gestes noirs » (*D,* 15), s'enfoncent dans le sable, mais s'endorment dans l'eau : l'agonie de la conscience, qui traverse pierres, vents, sang, feuillages, sables, insectes, s'achève ainsi sur un engloutissement liquide. « Ayant livré sa tête aux basses flammes / De la mer, ayant perdu ses mains / Dans son anxieuse profondeur, ayant jeté / Aux matières de l'eau sa chevelure » (*D,* 35), Douve peut enfin devenir elle-même, c'est-à-dire une inqualifiable, décourageante et immense passivité, un mouvement immobilisé, une « Douve profonde et noire, / Eau basse irréductible où l'effort se perdra » (*D,* 76).

Mais que l'effort se perde signifie en réalité pour Bonnefoy que l'effort a gagné : car cette perte authentifie notre expérience ; en elle s'inscrit la vérité du temps et de l'individu, donc de l'être… « Tout se défait, pensai-je, tout s'éloigne » (*D,* 40), d'un éloignement qui nous rapproche en fin de compte du réel. Nous touchons là à la contradiction qui se trouve chez Yves Bonnefoy au cœur de la pensée critique et de la quête imaginaire. C'est sur elle que bute chacun de ses poèmes, c'est elle qu'il essaie inlassablement de dire, et donc, d'une certaine façon, de dépasser. «Il y avait qu'il fallait détruire et détruire et détruire / Il y avait que le salut n'est qu'à ce prix» (*H*, 35). Voici la clef de son royaume : le salut sort de la destruction, l'être se révèle dans la nudité de l'*ici* et du *maintenant*, donc dans la fugacité, le tremblé, dans l' «irrémédiablement emporté [qui] est le degré poétique de l'univers» (*I*, 120), mais qui en est aussi la fatalité, l'indice de mort et de néant. Bonnefoy pourra donc placer son œuvre sous le signe du *non* philosophique le plus célèbre, celui de Hegel, car la vie de l'esprit, pour lui non plus, comme le répète la dédicace de *Douve*, «ne s'effraie point devant la mort et n'est pas celle qui s'en garde pure. Elle est la vie qui la supporte et se maintient en elle», vie vivante dans l'exacte mesure où elle sera mortelle, ou mourante... Il nous faut donc bien comprendre ici que «l'imperfection est la cime» (*H*, 35), il nous faut entendre l'accent de cette voix qui fait «de se tarir sa grandeur et sa preuve» (*H*, 33), il nous faut enfin apercevoir la sincérité et l'insécurité, le singulier inconfort d'une telle entreprise. Car Bonnefoy ne triche pas, nous l'avons vu, il reste parfaitement fidèle à son projet de mort : peu d'imaginations plus rigoureusement enfoncées que la sienne dans les zones de la pauvreté et de l'ingratitude matérielles, plus tendues vers ce «pays aux formes nues et dures« (*H*, 18), cet «horizon sans figure» où le nombre se dilue, la signification se perd, la réalité enfin se dépouille et s'évide — jusqu'à saisir paradoxalement le sens de son non-sens, le plein de sa viduité, le chiffre de son anarchie...

Le point crucial de cet itinéraire sera, on le devine, celui où se situe le retournement paradoxal. C'est le mystère de l'*instant*, si souvent évoqué par Bonnefoy et qui, plus que sur une articulation d'ordre dialectique (Hegel n'est ici cité que pour être «parodié»), me paraît fondé sur l'approche vertigineuse d'un seuil, sur un progrès interne tendant à la culmination de ce qui n'est pas en ce qui est : je tâcherai de prouver bientôt ce point de vue. Cet instant, Bonnefoy le pense, quant à lui, et de manière fort caractéristique, à la fois *pivotant* et *lent* : « L'astre morne de ce qui est, l'élémentaire Janus, tournant avec lenteur — mais dans l'instant — sur lui-même, nous [y] découvre son autre face » (*I*, 172)... Un moment calmement basculant, un *tempo* contradictoire, et cependant harmonieux, où se marient avec exactitude lenteur et fugacité, voici défini le climat temporel en lequel naît chacun de ces poèmes. L'acte poétique se situe ici au plus fugitif d'une évanescence, au centre même du moment (ce moment, par exemple, si souvent et admirablement évoqué où « l'ongle solaire » déchire « la dernière vitre heureuse »), mais ce moment n'éclate pas, il semble s'immobiliser, et comme s'agrandir dans la paix un peu douloureuse d'un *adagio*. Laissons de côté *Hier régnant désert* qui, nous le verrons plus loin, réintègre la ligne continue d'une durée, et prête donc plus naturellement à la mélodie ou à la plainte. Dans les plus beaux poèmes de *Douve*, la parole bénéficie de tous les prestiges contractés du bref (ces poèmes sont laconiques, et leur noir typographiquement renforcé se voudrait dévoré par le blanc environnant de la page), mais il semble aussi que cette brièveté y devienne de quelque manière *étale*, qu'elle cherche à s'y attarder, et comme à y mûrir à l'intérieur même des mots qui devraient en évoquer la fulgurance. A l'inverse de Char, chez qui la crispation se résout immédiatement en transparence, l'éclat engendre ici une mélancolie : je veux dire qu'au sein de la durée la plus volubile et la plus apparemment hétérogène se creuse soudain un espace vivant d'immobilité, une plage de paix, ce que Bonnefoy nomme une « éternité de présence ». Ainsi, dans les deux lignes suivantes, d'une simplicité si émouvante,

Tu as pris une lampe et tu ouvres la porte,
Que faire d'une lampe, il pleut, le jour se lève (*D*, 78),

nous sentons couler la nudité du temps lui-même, auquel

chaque geste fait accueil. A chaque pulsation de la durée semble correspondre alors un avènement sensible. Mais ces découvertes successives (lampe, porte, pluie, jour), si fragiles et si opposées — du moins le semblait-il d'abord — les unes aux autres, s'unissent finalement dans la nappe d'une seule, d'une calme évidence.

Ce jour ici levé dans la confusion nocturne, Bonnefoy aura divers moyens poétiques d'en provoquer l'apparition. L'un d'eux sera de recourir à une mythologie organisée de la naissance, ou plutôt de la résurrection. Comme pourrait le faire un poète savant du XVIe siècle (d'autres traits rattacheraient d'ailleurs Bonnefoy à la poétique de cette époque : ainsi l'organisation concertée, la structure symphonique de ses recueils[1]), il s'accorde le droit de recourir à quelques archétypes, grandes figures légendaires où l'imagination a de tout temps voulu enclore une sorte d'ontologie du paradoxe : ainsi la *ménade,* vie follement

---

1. Cette structure mériterait une étude spéciale que je ne veux pas entreprendre ici (il faudrait en particulier déceler la *dominante imaginaire* de chaque recueil, pour *Douve* par exemple, la constellation vent-pierre-végétal, pour *Hier régnant désert* le paysage du port, de la rive, de l'eau). J'indique seulement l'un des effets, assez inattendus, auxquels elle aboutit : à s'y voir préparée, répercutée ou modulée de poème en poème, chaque indication sensible ou rêveuse (les insectes par exemple, l'herbe ou la vitre égale au sang) n'y épuise pas d'un seul coup son pouvoir, mais y participe à une sorte de développement global du thème, s'y inscrit en somme en un *horizon imaginaire* d'insectes, d'herbes ou de sang. Elle agit alors comme une touche posée à l'intérieur d'un cadre, ou plutôt d'une absence de cadre..., qui déborde le poème de toutes parts. A l'inverse de ce qui se passe dans une poésie comme celle de Mallarmé, où la structuration du poème et du recueil de poèmes se lie au rêve de l'unité architecturalement reconstituée, le développement suivi des thèmes me semble procéder ici d'une volonté de dépassement et de fuite du motif, assez comparable à la manière baudelairienne. A la différence en effet du concept, le thème n'est pas, n'est jamais seulement ce qu'il est : qu'il soit toujours ailleurs et autre, ouvert, inorganique, voilà ce que, paradoxalement, nous suggère son organisation. Cette qualité de non-engagement, de débordement infini du thème s'indique à nous tout aussi bien d'ailleurs par son essence que par sa présentation : « Et il est vrai que dans une poésie véritable ne subsistent plus que ces errants du réel, ces catégories du possible, ces éléments sans passé ni avenir, jamais entièrement engagés dans la situation présente, toujours en avant d'elle et prometteurs d'autre chose, que sont le vent, le feu, la terre, les eaux — tout ce que l'univers propose d'indéfini » (*I,* 178).

amoureuse de la mort, *Cassandre,* voix ardente de la catastrophe, le *phénix,* mort brûlé et ressorti vivant de sa brûlure, la *salamandre,* chair qui se fait pierre et traverse le feu. Ou bien ce sont des thèmes d'annonce et de salut, plus nettement empruntés à des cycles médiévaux : chevalier de deuil vaincu auprès de la rivière, épée arrachée au roc, cerf blanc enfui parmi les feuilles, tout cela nous renvoie au mystère du Graal et de la terre *ghaste,* terre de Bonnefoy, bien sûr, mais aussi *waste land* de T. S. Eliot, poète sur lequel Bonnefoy a beaucoup réfléchi. Par la mémoire qu'elles touchent en nous, ces figures (joignons-y celle de l'*orante* aplatie sur la pierre, devenue pierre) possèdent certes un grand pouvoir de retentissement. Mais n'ont-elles pas, d'autre part, l'inconvénient de mettre en quelque façon la rêverie, et donc le réel, à distance, de résoudre en elles le paradoxe au lieu de nous obliger à en épouser personnellement le trajet ? A ce niveau d'universalité et d'abstraction, le mythe est-il donc si loin du concept ? Et l'allégorie trop consciente ne nous réengage-t-elle pas dans le monde facile de l'idée ? Bonnefoy a bien conscience de ce danger, qui semble vouloir revivre du dedans le mythe, le faire sien, devenir lui-même phénix, orante ou salamandre, mais qui surtout s'applique à le ruiner, à en assombrir poétiquement le dessin et la leçon, par un mouvement de la même nature que celui qui le faisait s'acharner contre les facilités conceptuelles. Ainsi, le Chevalier de la Mort, c'est aussi moi mourant qui tue la mort en moi, d'un geste qui suggère à la fois victoire et suicide... Quant au phénix, il n'est phénix que s'il renonce à l'être, c'est-à-dire s'il abandonne la certitude d'un salut pour courir le risque d'une mort véritable. Le mythe se recharge ainsi d'ambiguïté, sa lumière s'affecte d'une nouvelle nuit. Nous le laisserons cependant de côté pour suivre les chemins d'une résolution plus difficile, celle qui se produit concrètement dans les éléments et les substances, au cœur de cet univers mort dont nous avons déjà reconnu le visage, l'absence de visage.

Résoudre positivement la négation, ce sera peut-être

d'abord la resserrer sur elle-même, l'empiéger en une crispation qui en préparera la délivrance. L'épars, on s'en souvient, constituait pour Bonnefoy l'une des figures matérielles les plus cruellement négatives. Mais cette diffusion — qui se rencontre également dans le feuillage, le sable, la pierre et le vent —, nous pourrons tenter d'en rassembler soudain l'essence en quelques unités rigides, quelques formes contractées qui surgiront victorieusement alors au-dessus de l'opacité ou du chaos. Regardez par exemple le froid, ce grand paralyseur de l'être : si vous l'exaspérez, si vous le poussez jusqu'à la dernière extrémité de la froideur, si vous exploitez au maximum en lui ce goût de la constriction qui aboutit normalement au grelottement ou à l'horreur, vous aurez une chance de découvrir en son cœur le plus nu une zone, très mince, de densité superlative, un lieu de tension absolue où luira brusquement, comme une flamme, le sens de la présence : « Être *défait* que l'être invincible *rassemble / Présence ressaisie* dans la *torche du froid* » (*D,* 19)... Ailleurs, la même opération rêveuse engendrera non plus une torche, mais son équivalent pierreux, une sorte de roc obscurément flambant : nous voyons Douve « ... dressant dans l'air dur soudain comme une roche / *Un beau geste de houille* » (*D,* 17). Et qu'est-ce imaginairement que la houille, sinon le pourri, la mort du végétal, mais aussi une souterraine concrétion de matière, un gel devenu pierre : « Demande enfin le froid, désire cette houille » (*D,* 58), « Que le froid... se lève et prenne un sens » (*D,* 55)... Ce bloc dressé de froid ou de charbon — n'hésitons pas à prononcer encore le mot *houille,* qui dit admirablement, par sa sonorité seule, l'expiration violente et le vide jailli —, il nous est la merveilleuse image d'une nuit restée nuit, plus noire et froide et dense qu'aucune noirceur imaginable, mais pourtant devenue d'une certaine façon brillante et expressive, possédant désormais un élan, un éclat, une sombre valeur de surgissement et de défi, bref, un sens. Et ce sens n'est-il pas bien près de s'enclore en un nombre, au moment où cette forme, obscurément sortie d'un spasme de l'informe, est rêvée par l'imagination comme une architecture surgie, presque sacrale, «une cathédrale de froid» (*D*, 60)? Que cette cathédrale se durcisse, qu'elle aiguise encore sa pointe, et la voici devenue cet objet légendaire, mais qui répond si bien à l'obsession de Bonnefoy, *l'épée prise dans la pierre...* «Il y a qu'une épée était engagée / Dans la masse de pierre. / La garde était rouillée, l'antique fer / Avait rougi le flanc de la pierre grise» (*H*, 59). Comprenons bien que cette lame est un produit de la réalité rocheuse : l'acier est au rocher ce que la houille était à l'ombre ; il le comprime en lui, l'éclaire et s'en arrache, l'exprime pleinement afin de le nier. Il faudra donc rêver «l'arme enclose dans la pierre», parler «dans la nuit de l'arme» (*H*, 34), y risquer «le sens et l'au-delà du sens, le monde froid», seule façon de retourner ce froid en une ardeur et d'extraire de sa «gangue de nuit» «la flamme obscure» (*H*, 59). L'obtus rocheux se crispe donc ici en un tranchant de lame, le noir matériel engendre l'éclat spirituel, le néant devient être par l'interne logique de sa nullité. Nouveau Perceval, il ne me restera plus alors qu'à tirer cette épée pour faire cesser la malédiction de la matière, ou plutôt qu'à savoir en entendre l'appel, en deviner partout la présence cachée. Par exemple dans cet autre domaine de l'informe : le végétal. «Ici dans l'herbe ancienne tu verras / Briller le glaive nu qu'il te faudra saisir» (*H*, 56).

Imaginons enfin que cette épée jaillisse *d'elle-même* hors de l'opacité matérielle, qu'elle s'élève dans la hauteur du ciel et s'y mette à vibrer : nous nous retrouverons dans l'ivresse du *cri*, du chant d'oiseau, qui provoque chez Bonnefoy les plus heureuses invasions de la présence. «Tu entendras / Un grave cri d'oiseau comme une épée / Sur la paroi de l'inquiète montagne» (*H*, 56)... Car le cri est aussi lame et rupture, traversée fulgurante de l'épaisseur («Et dans le vide où je te hausse j'ouvrirai / La route de la foudre, / Ou plus grand cri qu'être ait jamais tenté», *D*, 51) ; il couronne de son bref éclat la tragique giclée sanguine («Émeus-toi de ce sang qui te traverse, / Ouvre-moi le port de ton cri», *H,* 41) ; mais il peut naître encore d'une humilité et d'une extinction, d'une restriction quasi morale de la réalité («Que le verbe s'éteigne / Dans cette pièce basse où tu m'as rejoint, / Que *l'âtre du cri se resserre* / Sur nos mots rougeoyants», *D,* 55). Dans le cri, déchirure et contraction ne font en somme qu'un, ce qui lui permet de jaillir au-dessus d'un réel dont il s'arrache, tout en en assumant absolument en lui la vérité (car il est le plus souvent un cri mourant, dans lequel l'oiseau «chancelle» et agonise). A plusieurs reprises, Bonnefoy évoque ainsi un paysage d'une valeur mémorielle et onirique bien évidemment essentielle : c'est un ravin peuplé de broussailles (au milieu de celles-ci un feu et sa lumière) et dominé par une falaise ; au sommet de ce mur rocheux s'élève soudain un chant d'oiseau. «L'oiseau chanta. Je devrais dire, pour être juste, qu'il parla, rauque à la crête de ses brumes, pour un instant de solitude parfaite. Arrachées au temps, à l'espace, je garde l'image des hautes herbes de la pente qui furent avec moi pour cet instant immortelles» (*I,* 31)... De cette extase si parfaite, nous pouvons maintenant saisir les composantes : herbe ou pierraille, les matières les plus négatives y ont préparé l'avènement du cri, qu'annonçait déjà plus sourdement l'éclat du feu ; la falaise, roc rompu et dressé, s'y est à la fois niée et accomplie dans la haute acuité de ce cristal vivant. Il fallait ce ravin pour engendrer cette altitude, cette obscure durée, cette existence broussailleuse pour annoncer cet éternel. Seule la plus ingrate opacité de la substance pouvait permettre la transparence de ce chant. A lire le dernier poème d'*Hier régnant désert,* nous comprenons d'ailleurs que la voix de l'oiseau, si elle semble s'écarter du roc, naît en réalité en lui, naît de lui, qu'elle y surgit dans la continuité la plus chaudement organique qui soit, celle d'une éclosion :

L'oiseau des ruines se sépare de la mort,
Il nidifie dans la pierre grise au soleil,
Il a franchi toute douleur, toute mémoire,
Il ne sait plus ce qu'est demain dans l'éternel (*H,* 75).

Cri, épée, houille, torche de froid, si la matière a pu, à travers ces diverses figures, résoudre heureusement sa négativité, c'est peut-être qu'au geste de l'autocontraction elle avait joint obscurément une vertu plus essentielle encore, celle d'animation : la nature a, en elles, abdiqué d'une certaine façon son inertie. Or, rien ne saurait satisfaire davantage Bonnefoy, rien ne pouvait lui être plus précieux qu'une mort, demeurée parfaitement fidèle à sa vocation de mort, et cependant émue, intérieurement tendue vers une expression vivante. Voyez par exemple le sang, ce fruit de la nuit charnelle : sa nature négative ne l'empêche pas de venir colorer par en dessous le gris fondamental des choses, ni même d'animer positivement leur ankylose. L'épée rouillée laissera derrière elle dans le roc, comme un présage de résurrection, un obscur sillon sanguinolent. Quant à la pierre naturellement sanglante, la brique, elle sera capable, du fond de son grand âge, de se mettre à proliférer en un ordre nouveau, en un art à l'intérieur duquel le nombre acceptera tous les caprices de l'informe et se pliera à l'émerveillement vivant de l'innombrable. A Sainte-Marthe-d'Agliè, Bonnefoy admire ainsi « la brique rouge et qui a vieilli *prononçant la joie baroque* » (*I,* 190)... La même joie se retrouvera, plus sourde, au cœur pétrifié de la salamandre, qui continue à battre doucement sous l'écorce du roc. Et c'est elle encore — joie d'une neutralité active presque parfaite — qui s'installe dans le tissu des éléments les plus morts ou les plus hostiles, vent ou feuillage, pour les soulever de son élan. Ainsi, dans le très beau poème *Aux arbres,* où la rêverie s'efforce de suivre du dehors la tragique odyssée d'une conscience végétale et l'agonie d'un *moi* voué aux branches, le vent qui balaie la cime des arbres, les bruissements des feuilles peuvent être interrogés comme des voix ; en eux s'inscrit et se transmet jusqu'au-dehors quelque chose de la plongée mortelle :

J'entends à travers vous quel dialogue elle tente
Avec les chiens, avec l'informe nautonier (*D,* 33)...

A travers la voix des feuilles — ailleurs comparée elle-même à l'aboiement d'un chien —, l'informité du nauto-nier, mort et nuit infernale, devient en somme signe, message formel, écho d'un *dialogue*... Et ce signe est encore prophétie, puisque le grondement du vent sur les feuillages semble y annoncer, et même y vouloir installer concrètement, comme un dénouement tout proche, la venue de l'incendie qui les consumera :

> Le tonnerre profond qui roule sur vos branches,
> Les fêtes qu'il enflamme au sommet de l'été
> Signifient qu'elle lie sa fortune à la mienne
> Dans la médiation de votre austérité *(ibid.)*.

D'insignifiants, de totalement imperméables à la pensée, voici donc les éléments devenus *médiateurs :* en eux nous atteindrons désormais à autre chose qu'eux ; leur ascétisme même développe et trahit une qualité de l'être ; tout en restant pure matière, ils sont devenus langage.

Et il est très normal, dès lors, que ce à quoi ce langage nous conduise ce soit finalement ici au paroxysme d'une flamme, à la « fête » annulante d'un incendie : l'élément où notre expérience ontologique inscrit le plus visi-blement son paradoxe étant pour Bonnefoy le *feu.* Ici, en effet, la destruction se fait directement éclairage, elle devient triomphe et explosion quasi vitale du détruit. L'ambiguïté de l'embrasement, c'est que d'un même geste il « hante et accomplit » (*H*, 21), annule et mani-feste, exalte et engloutit. La flamme est à la fois « le navire et le port » (*H*, 15). Le feu, c'est pour Bonnefoy l'éclair le plus noir de la négation, « la lumière profonde » (*D*, 42), le « feu sombre où convergent nos pentes » (*D*, 26) ; mais c'est aussi l'ardeur qui émeut le froid de la matière (« Le feu a pris, il est le destin des branches, / Il va toucher leur cœur de pierraille et de froid », *H*, 55) ; c'est enfin la torche rassemblée, le jour clair et surgi, où s'illumine une réalité d'abord déprise de l'illusion naïve, puis dégagée de l'épaisseur :

Visage séparé de ses branches premières...

En quel âtre dresser le feu de ton visage
O Ménade saisie jetée la tête en bas ? (*D*, 46.)

Seul le feu, ce sang suprêmement actif, pouvait autoriser ici, et avec quelle merveilleuse rapidité, le renversement imaginaire qui mue la chute en une élévation, ou qui, plutôt, rêve en la chute l'acte qui nous élèvera, le geste qui fera surgir l'approfondissement lui-même. « Dresser le feu », « le feu rouge de l'être » (*H*, 34) sur un âtre, un feuillage automnal (quand « l'automne *resserre* », « comme un feu », « tout le bruit de *l'orage* au cœur des frondaisons », *D*, 40), un visage détruit, tel sera le projet fondamental de Bonnefoy, ou, comme il le dit mieux lui-même, le dernier mot de son « art poétique ».

Mais le programme posé par cet art poétique ne sera jamais absolument réalisé. Resserrement, animation, embrasement, surgissement, aucun de ces gestes salvateurs ne nous donnera ce vrai bonheur de la matière : la transparence. L'opacité est l'attribut le plus tenace de l'ensoi. Le poète devra donc être, dit Bonnefoy, quelqu'un « qui brûle » : entendons qu'il se consumera en une nuit qui n'est autre que sa passion de la nuit, et donc sa flamme même, mais comprenons aussi que ce feu qui le possède, il ne pourra jamais, lui, vraiment le posséder. Sa brûlure, qui est une possession par le non-être, reste seulement une approche de l'être : elle nous indique la présence comme toute voisine, et comme cependant insaisissable. Pour la posséder enfin, sans doute faudrait-il pouvoir faire un pas de plus, aller un peu plus loin dans l'harassante expérience de l'opaque, passer un seuil : d'où la puissance, chez Bonnefoy, d'une rêverie de l'*à travers* qui privilégie toutes les frontières, « crêtes de la nuit » (*D*, 43), « limites sourdes » du froid (*D*, 28), « bord de cette aube glacée » (*D*, 74), « ligne d'écume » qui est aussi le « seuil d'un autre froid » (*H*, 19), « muraille du jour » qu'il s'agit de trouer avec une « parole d'aube » (*H*, 27), plage ou quai de canal à partir desquels on aperçoit « l'autre rive encore plus nocturne» (*H, 29*)... Comme chez Reverdy, la rêverie s'hallucine ici sur toutes les images de l'obstacle, de la route coupée, de l'écran qui voile un au-delà. Mais alors que Reverdy parvient quelquefois, et sans bouger du lieu où il se trouve, à une sorte d'aveugle et divinante appréhension du *là-bas,* en s'aidant pour cela de toute une gamme d'espèces naturelles, souffles, rumeurs, vapeurs, ou neiges, dont l'impalpabilité vivante semble tisser entre l'invisible et lui un fragile chemin, Bonnefoy songera plutôt à une crevaison active de l'opaque, à une «ouverture tentée dans l'épaisseur du monde» (*D, 29*), à l'acte qui nous ferait «franchir la mort» (*D,* 42) pour que l'on vive, acte plus facile bien sûr à esquisser ou à imaginer qu'à réaliser vraiment. Et pour cela son regard recherchera partout des «*trouées*», «des signes consumés par la présence très proche du bien qu'ils ont évoqué» (*I,* 182), signes d'autant plus précieux que leur précarité parviendra à rendre manifestes à la fois un interne rongement par la durée, donc l'estampille d'un temps, d'une mortalité, et l'amincissement d'une épaisseur.

En réalité, l'épaisseur ici se défend bien et succombe rarement à la poussée amincissante : l'usure pathétise l'objet et le temporalise, mais sans en attaquer vraiment le grain. L'espace de Bonnefoy n'est pas un espace crevé, il lui faut bien s'y résigner : ce sont d'ailleurs peut-être cette solidité, cette noire résistance de l'*étant,* si caractéristiques de sa rêverie, qui confèrent à sa création sa qualité de densité, son étonnante consistance. Mais il lui reste alors une ressource : renversant les termes de ce même vœu qui le poussait à une traversée de l'épaisseur, il pourra attendre *ici,* en un lieu soigneusement choisi, que l'au-delà vienne tout seul l'y retrouver et s'y déclarer, qu'il y devienne cette transcendance immanente, la présence. Au lieu de crever éperdument l'écran des choses, il s'agira, un peu comme un Mallarmé renonçant à l'azur pour s'enfermer entre les parois nocturnes d'une chambre, de construire soi-même cet écran, d'aménager au sein du paysage un creux sensible, d'édifier en somme une sorte de piège naturel où viendrait, littéralement, se prendre l'être. Ce monde humainement truqué où le désir accepte de se faire attente, c'est celui du *décor :* fabriquer un décor, transformer l'opacité en un décor, c'est-à-dire en une paroi qui, au lieu de nous induire à la vaine poursuite d'un dehors, nous dirigera heureusement vers un dedans, voilà le rôle des architectures. Heureuses, elles aboutissent à un *théâtre,* comme celui dont la première partie de *Douve* déroule devant nous les gestes. Mais même si rien ne s'y produit encore, les grands espaces architecturaux séduisent l'âme grâce à l'organisation très calculée d'un vide qui semble réclamer impérieusement d'être rempli, accompli par quelque apparition, chose, corps ou événement. Places, terrasses, avenues, cloîtres ou colonnades, ils sont attente et imminence, subtile interrogation de l'invisible, provocation rêveuse du possible : instrument d'évidement et de clôture, le décor est en somme au paysage vrai ce que le concept est à la réalité, mais son mensonge se destine désormais non à éluder, bien plutôt à capter le vrai ; il est comme un concept qui se condamnerait lui-même à l'illusion, qui s'affirmerait ouvertement tricheur afin de permettre en lui un possible dévoilement de l'être.

Pour excitante qu'elle soit, l'attente qu'engendrent en nous les grands décors se sait cependant condamnée à n'être jamais comblée, ce qui lie la réussite d'architecture à une sorte de tristesse. Bonnefoy évoque ainsi quelque part, en termes significatifs, «ce rare tableau de notre époque où vienne flotter le sang spirituel : / *Mystère et mélancolie d'une rue* ». Mélancolique cette rue, *parce que* mystérieuse, et non vraiment élucidée. Les grandes architectures nous donneront encore la sensation d'une quête, d'une poursuite : «Je marche dans cette ville. Cette distance mystérieuse qui sépare l'écho du cri se retrouve entre ma présence et quelque chose d'absolu qui me précède» (*I, 28*). Cet absolu qui se dérobe, il s'inscrit devant moi, en creux, et négativement, comme un *envers* que le décor se chargerait de dessiner, mais envers si puissant, peut-être si fidèle à son invisible *verso,* qu'il pourra provoquer en moi l'irruption de la réalité même dont il paraissait d'abord la parodie. Ainsi, en certains lieux magiques, l'écho fabrique-t-il le cri qui l'a fait naître : « Et c'est par intuition de ce cri toujours à venir que les hommes ont inventé l'architecture ; par intuition de la valeur sacrificielle d'un décor » (*I,* 28). En cette intuition, d'ailleurs, ne pouvons-nous pas reconnaître encore un produit de la « théologie négative » ? Le décor, ici, n'est-il pas le vide organisé, la négation spatiale, qui, étendant entre moi et moi-même la « distance mystérieuse » d'une réflexion, me servira de médiation pour atteindre à la double vérité de la présence et de la conscience ? Pour se réaliser lui-même, et pour réaliser l'être en lui, Bonnefoy a peut-être besoin de l'aide d'une architecture — d'un nombre vide et appelant (ou d'une matérialité, d'une substance informe) —, tout comme Mallarmé l'avait eu avant lui d'une dramaturgie, d'une étendue collectivement et narrativement organisée, ou Nerval d'une cosmologie, d'une ronde céleste. Cette qualité « sacrificielle », c'est elle en tout cas que Bonnefoy essaie de conférer à chacune de ses mises en scène favorites : offertoires, calmement proposés aux condescendances de l'espace, que sont tables dressées, vitres, âtres, terrasses (« Je suis sur une terrasse, dans un trou de la mort », *D,* 14) ; ou bien encore lieux d'attente, « cloîtres morts », « salles vides » étrangement éclairées (comme la chapelle du Graal) par des « lampes allumées » (*I,* 174), « salles quelconques, pour le maintien des dieux parmi nous » (*I,* 191).

Mais les dieux, et Bonnefoy le sait mieux que personne, ne peuvent pas vraiment se maintenir chez nous. Tout au plus accepteront-ils de traverser un court moment les espaces divers que nous leur aurons tendus comme des pièges. Et cela est dans l'ordre : car l' « immortalité... n'est la fraîcheur et l'écho d'une demeure que pour ceux seulement qui passent. Pour ceux qui veulent posséder, elle sera un mensonge, une déception, une nuit » (*I,* 32). Reconnaissons donc dans l'*avoir* le contraire exact de l'être, qui se lie au non-avoir, au maintenant, à la dissipation. Vouloir m'en tenir à l'immobile éternité du nombre serait m'exposer à la pire des nuits. Mais si, inversement, j'accepte de laisser régner en moi la nuit, si je tente de l'installer au cœur du nombre, et en particulier, comme le fait chaque poème de Bonnefoy, au cœur du nombre prosodique (je ne veux pas étudier ici les procédés qu'il évoque lui-même à cette fin, et qui tous, *e* muet, impair, fausses chevilles, visent à provoquer un « brisement de la perfection formelle » et une « catastrophe de la Beauté », *I,* 163), bref, si je refuse le spontané bonheur de la sensation ou de l'expression au profit d'une expérience plus vraie et moins heureuse, j'aurai quelque chance d'atteindre à ce bonheur second, à cette harmonie issue de mon malaise même et qu'il me faudrait sans doute nommer — dépassant l'explicite leçon de Bonnefoy — le nombre de ma nuit. Car si *Douve* approchait de tous côtés, du dehors, du dedans, par description ou monologue, à travers un témoin, par vœu ou par allégorie, le mystère d'un instant unique, l'acte de la mort révélante où étincelle la présence, *Hier régnant désert* va peut-être plus loin, établissant la même rêverie en une perspective plus familièrement humaine, celle d'une durée plus continue, tantôt oublieuse, tantôt nostalgique, parfois — mais trop fulguramment — comblée. Le plus difficile n'est pas en effet de « hanter » ni de guetter la présence, mais de savoir inscrire cette quête dans le tissu le plus sincère d'une vie : « car *entre-temps*, écrit Bonnefoy dans *l'Improbable*, nous aurons vieilli. L'acte de la parole aura eu lieu dans la même durée que nos autres actes. Il nous aura donné telle vie plutôt que telle autre, dans le danger du poème et les contradictions de l'exil. Qu'aurons-nous eu en vérité, si nous n'atteignons pas le vrai lieu ? » (*I,* 184).

Et il répond lui-même un peu plus loin à sa question que nous aurons eu un désir demeuré désir, cette union d'espoir et de lucidité nommée mélancolie. J'ajouterais que nous aurons eu aussi une *vraie vie :* je veux dire une vie réellement engagée dans le moins « poétique » de la

vie et par là même plus puissante, en ses temps morts ou
perdus, ses quiproquos et ses ensablements, que bien des
existences poétiques. Notre vie prendra sens en effet non
seulement par les moments parfaits auxquels elle nous
aura conduits, mais par le rythme même de son imperfection, par la loi, le nombre inimitable de sa négativité.
Ainsi dans les plus beaux poèmes de Bonnefoy, celui-ci
par exemple où se développe à nouveau dans toute son
histoire le thème du cri surgi :

Que l'oiseau se déchire en sables, disais-tu,
Qu'il soit, haut dans son ciel de l'aube, notre rive.
Mais lui, le naufragé de la voûte chantante,
Pleurant déjà tombait dans l'argile des morts (*H*, 49).

Le sable ici déchire, éparpille l'oiseau : il le nie, et par
là même l'accomplit. L'oiseau élevé dans le ciel y devient
chant, aube, rive : donc très bientôt silence, chute,
naufrage et nuit. Mais dans la nuit enfin où est tombé
l'oiseau, la tendre nuit d'argile où mûrissent les morts, le
même oiseau prépare son élan... Cycle parfait et indéfiniment recommencé, car il est l'existence même : en lui
me semble résonner, sauvée, et de quelque manière
éternelle en sa fragilité ou son ressassement, absoute en
tout cas dans le bonheur verbal d'un nombre admirable,
la force qui, chez Bonnefoy, détruit nos vies et les avère,
« l'ardeur que tu nommes le temps » (*H*, 70).

Février 1961.

André du Bouchet

Existe-t-il sur la terre une mesure ? Il
n'en existe aucune. Car les mondes
Du Créateur jamais ne suspendent le
cours du tonnerre.

HÖLDERLIN, *En bleu adorable*,
trad. A. du Bouchet.

« Je vais droit au jour turbulent » (*C*, 11)[1] : tels sont
l'élan premier, le vœu originel qui emportent ici poète et
poème. Un tropisme de l'ardeur diurne commande, et
avec quelle sécheresse, quelle nudité têtue, tout le paysage
rêvé d'André du Bouchet. Jamais peut-être mieux que
pour lui la littérature ne s'était voulue *projet,* c'est-à-dire
à la fois aspiration à un autre que soi et jaillissement de
soi, tension d'une intimité vers le dehors d'un monde. Le
poète est un homme qui sort de chez lui, et qui se met
en marche : à travers champs, routes, murailles, il avance,
sans s'accorder détour ni station, vers cette « turbulence »,
ce foyer de lumière qui attire et dirige son pas. Ce feu,
remarquons-le, ne lui est pas *donné,* il ne fait pas l'objet
d'une prise immédiate ; il faut aller à lui et le rejoindre :
c'est moins un lieu qu'un but, et un but lointain, peut-être
insaisissable. Ceci distingue l'extase diurne de Du Bouchet
de la joie matinale de Char, avec laquelle on pourrait être

1. J'adopte les abréviations suivantes : *C : Dans la chaleur vacante,*
Mercure de France, 1961 ; *B : Baudelaire irrémédiable, Courrier du
Centre international d'études poétiques,* 9 ; *R : Résolution de la poésie,
Arguments,* n° 19, 3ᵉ trimestre 1960 ; *P : Sur un tableau de Poussin,
Preuves,* juillet 1959.

d'abord tenté de la confondre : il ne saurait s'agir ici d'inaugurer un être neuf au contact de la nouveauté du jour, mais de marcher à la conquête de ce jour, de ce principe lumineux dont l'énigme embrase l'horizon révélé de notre vie.

Cette marche pourra être aussi une ascension ; dans le lointain de Du Bouchet, la turbulence enflammée se mue parfois en une dureté terreuse et montante : une *montagne*. « Tout commence à la montagne   inachevée,   à un moment de terre perdu » (*C,* 53) : montagne que notre élan vers elle réussira peut-être à faire vraiment surgir, à *achever* — moment dont notre quête voudra retrouver la brutalité, le rapt substantiel. A travers l'image montagneuse se traduisent ainsi pour moi la tentation d'une profondeur où m'enfoncer, l'appel d'une altitude en laquelle me hausser, le vœu d'une matière dont ma rêverie éprouve la densité noire et rêche, la plénitude. La hantise du mont, qui domine chez Du Bouchet maint arrière-fond de paysage, enveloppe enfin le mystère de quelque chose que son apparition même nous dérobe, l'attrait d'un verso caché : « le côté sourd du ciel, le côté que je n'avais jamais vu » (*C,* 59), « la face de la terre qu'on ne voit pas » (*C,* 85), bref, cette fascination de l'inconnu, de l'*autre,* qui ne cesse de relancer la quête poétique, tout cela existe magiquement en elle comme un lointain dans le lointain, comme le secret même, ou l'aveu refusé de sa massivité. Un *là-bas* à la fois donné et clos, rayonnant et pauvre (« vert-de-grisé »…) surgit donc pour nous au sein de « cette profondeur où la lointaine montagne se trouve immergée » (*P,* 45) : profondeur hors de laquelle aussi la montagne allumée peut émerger et culminer, nous effleurant à demi de son ardeur : « La montagne.   Le feu,   reçu,   aux sommets du sol,   me rejoint, presque » (*C,* 27).

La montagne porte donc le feu, et le feu embrase la montagne. Le jour ne se sépare pas ici d'une profondeur dévoilée de la matière : il est l'*être* lui-même, un être qui ne se confond pas avec toutes les choses qui sont, mais qui se situe au-dessus, derrière, au-delà d'elles, les dépassant et les fondant comme « l'immensité de la nature sans nom — le jour » (*P*, 45). Cette nature, transcendante à tous les objets de la nature, Du Bouchet la rêve comme un sol devenu lumière, comme une densité absorbée par l'éclat : pierre muée en lampe, ou « montagne, la terre *bue par le jour* » (*C*, 10). Ce jour qui boit le monde possède pour lui la même fonction d'exaltation ontologique et de soutien que pour Baudelaire la splendeur des années profondes, ou pour Hölderlin la paix lumineuse des dieux grecs. Ce qui pourtant distingue Du Bouchet de ces deux poètes, pour lui également exemplaires et fraternels, c'est que son jour possède un extraordinaire pouvoir de consomption, il est la pure vibration éclairante où toute réalité sensible se voit contrainte à la fois de s'avouer et de s'anéantir, afin de céder la place à *son être...* En lui va donc s'illuminer, se manifester, se volatiliser l'objet. L'opération de la lumière ressemble presque ici à une abstraction. Ce « fond du jour » qui est « encore devant nous », ce « fond embrasé de la terre » (*C*, 105), cette plénitude du feu ne sont en réalité qu'un vide, un « vide bourgeonnant » un « foyer sans reflet » (*C*, 48) : point de reflet en lui, puisque la réflexion supposerait un objet réflecteur, et que cette ardeur prolifère, « bourgeonne » justement pour abolir tout ce qui n'est pas elle. Les choses ne s'ouvriront donc au jour, à leur jour profond, leur transcendance, qu'en renonçant à leur matérialité, et aussi à leur humanité, à leur tendresse, Du Bouchet dit à leur « rosée », pour se vouer à la siccité la plus exténuante. Rongé par cette ardeur, bu par ce désertisme, l'objet ne nous atteindra plus dès lors par ses déterminations visibles : forme, couleur, masse ni apparence ; il nous touchera par son halo irradiateur, son avant-souffle : moins objet à vrai dire que signe brûlant de ce qui fut objet, et a cessé de l'être. « Tout a disparu. La chaleur déjà » (*C*, 85) : un *déjà* qui naît de l'effacement du *tout*. L'être de Du Bouchet est ainsi à la fois une ardeur et un vide, ou, plus précisément, un évidement actif de cette ardeur ; c'est quelque chose qui à la fois nous comble et nous creuse, nous englobe dans le brûlant bienfait de sa présence, et nous ouvre à l'infinie vacuité de son absence : en lui nous nous trouvons *Dans la chaleur vacante.* Cette « vacance » représente au sein de l'être le signe de ma *conscience* d'être : elle est « l'aridité qui découvre le jour » (*C,* 9).

Cette aridité, comprenons-le donc bien, est *mienne :* je vis en elle et elle naît en moi. La chaleur vacante ne tremble pas seulement pour moi dans le lointain visé de l'étendue, elle m'entoure et me soutient dans l'élan même qui me fait progresser vers elle. Ce « feu qui nous précède dans l'été » (*C,* 87), comment aurions-nous en effet aucune chance de le joindre, si nous n'en étions pas déjà d'une certaine manière possédés ? Il brûle en moi aussi, comme un « moteur blanc » : chaleur que je ne poursuis plus, mais que « je mène » (*C,* 87), jour interne qui me pousse vers le fond du jour, s'affirmant capable peut-être de provoquer, d'éclairer cette transcendance lumineuse elle-même... Le moi, en effet — et la rêverie de Du Bouchet rejoint ici certains thèmes de Heidegger —, existe d'abord comme ouverture, comme don de dévoilement : « inséparable de ce qui est ouvert, de la lumière ambulante » (*C,* 78), il découvre à la fois, par la marche qui l'ouvre et qui ouvre le monde, son être propre et l'être de ce monde. Ainsi se développe la fausse énigme d'une lueur à la fois transcendante et immanente : « feu de pierres » auquel je m'alimente *ici,* et grâce auquel, sur « la terre compacte », « je continue de brûler » (*C,* 21), feu auquel je reste « réuni » (*C,* 63) et auquel je « ne renonce pas », même au cours de l'effort qui me pousse le long de la pente la plus glacée, la plus ingrate (*C,* 75) ; mais feu aussi qui m'attend *là-bas, là-haut,* et que je « recevrai » peut-être une fois parvenu au haut de la montagne, au fond de l'horizon. Ce paradoxe, dont on verra bientôt qu'il est chez Du Bouchet fondamental — paradoxe d'un être appréhendé en même temps, et de la même manière *ici* et *là-bas,* dans son immanence et dans sa transcendance —, nous pouvons le dénouer en invoquant ici l'essence de la poésie. N'est-elle pas à la fois *visée* et *pressentiment* de l'être ? M'emportant au-delà des objets immédiats de la nature, elle m'accorde d'emblée, d'un « accord évident », dit Du Bouchet, quoique « hors de vue » (*P,* 46), à la totalité du monde, au lointain le moins saisissable, au feu le plus ardent, et me place donc directement au sein de cette ardeur, de cet ensemble ou de cette étendue. « Tu ne me chercherais pas », pourrait dire ici le jour à la conscience poétique, « si tu ne m'avais trouvé » : trouvé, ajouterai-je, en toi.

Le poète ne se contente donc pas de marcher vers le jour, il est lui-même un jour qui marche, et qui, conséquence surprenante, n'aperçoit pas ce jour dans lequel, en direction duquel il marche. Car l'exercice du regard supposerait ici une distance entre l'œil et l'objet regardé, il réclamerait une séparation de l'être et de la conscience d'être : mais si je me situe dans le sentiment, ou dans le pressentiment de l'être, dans l'ouverture réciproque de l'être et de mon être-au-monde, cette distance disparaît ; je ne suis plus alors un voyeur placé *devant* un visible, mais une existence absorbée par sa vision, une conscience immergée *dans* son voir. Être lumineux, cela revient donc, pour Du Bouchet, à être aveugle. Cette vérité prendra pour lui forme de mythe lorsqu'il rencontrera, et commentera de façon admirable, le tableau de Poussin qui s'intitule *Orion aveugle à la recherche du soleil levant :* tableau symbolique selon lui de toute l'aventure de Poussin, mais aussi bien, du moins me semble-t-il, de sa propre démarche. Car ce jour aveuglé, ce jour noir, ou « cette obscurité du jour » (*C,* 24), cette pénombre de la chaleur (et, inversement, cette « blancheur furieuse » de la nuit) éclairent ses plus beaux poèmes. Comme le géant Orion, l'infatigable marcheur de Du Bouchet appartient déjà à la clarté vers laquelle il s'avance, et dans le feu de laquelle il se néglige. Son « lien avec les choses — à la fois lucidité et oubli de soi » — se nomme très exactement « aveuglement » (*P,* 44). La lumière en effet ne voit pas la lumière, elle éclaire mais n'est pas éclairée ; le serait-elle qu'elle se trouverait aussitôt rejetée de la dignité de source ontologique au rang d'objet, et donc glacée, arrêtée dans son jaillissement même (« La chaleur qui nous renvoie, éclairés », *C*, 24), nous exclut de la clarté et de la chaleur). Le jour rayonne donc ici comme une cécité. Orion, dit Du Bouchet, regarde la profondeur du paysage, ou plutôt, « il incarne cette vision ». « Mais, l'incarnant, il devient aveugle. Ainsi, nous saisissant de la lumière, nous cessons de voir — et se traverse le jour » (*P*, 45).

Mais Orion, ce voyant aveugle, n'est qu'une figure d'utopie : dans la réalité, le jour se franchit moins aisément que dans l'univers magique de Poussin. Et, d'ailleurs, Orion lui-même est-il vraiment, totalement aveugle ? Héros de la conscience immergée, ou de l'avancée tactile, « fabuleux passant qui se crée un chemin dans l'air, aussi tangible et aussi indistinct que le sol de la terre qu'il foule et qui échappe presque totalement à nos regards lorsque nous le traversons » (*P*, 46), il n'en porte pas moins sur sa tête un homme, qui lui sert de conducteur : reconnaissons en ce guide la réémergence d'une conscience visuelle qui se distingue à nouveau nettement de ses objets pour les poser en face d'elle — champs, fleurs, arbres ou personnages — comme autant d'objets *de* conscience. Comment viser en effet l'être sans se cogner aux êtres dont il constitue la transcendance ? Comment atteindre l'horizon sans percevoir l'espace qui l'écarte de nous — et le relie à nous ? Comment toucher le haut de la montagne sans emprunter le petit chemin zigzagant qui lentement s'élève sur son flanc ? Entre *ici* et *là-bas* s'étend en somme tout le tissu d'un monde : d'un monde qu'il nous faudra bien connaître et éprouver dans sa substance, même si celle-ci, et c'est le cas, doit ne nous répondre que par sa résistance, que par son opposition noire et glacée.

Car si le *moi* a pour vocation de se dévoiler en dévoilant la vérité des choses, l'objet — qu'il vaudrait sans doute mieux écrire ob-jet, pour souligner sa nature externe et opposante, son apparition *en face de* — semble avoir au contraire pour fonction d'être afin d'obstruer l'être. D'un seul mouvement donc, le réel se découvre et s'offusque : comme Reverdy, auquel il a consacré deux belles études, Du Bouchet sera hanté par la notion d'*obstacle*. Cet obstacle pourra prendre des formes très diverses, et au premier regard contradictoires. Souvent il se présentera comme une fuite en avant de l'étendue : vertigineux départ des choses, que nous ne parviendrons jamais ensuite à rattraper. C'est, par exemple, l'image de la *route,* du « chemin qui commence avant moi » (*C,* 85), « route sur laquelle notre souffle se retire » (*C,* 25), « route où je sombre encore » et qui « me devance, comme le vent » (*C,* 24), à moins qu'elle ne se perde, et ne me perde, « à la surface des pierres ». Ou bien, voisine, c'est la rêverie du papier blanc sur lequel je suis en train d'écrire mon poème, et dont l'espace vide semble à la fois vouloir stopper mon avancée et se dérober à mon atteinte. D'où, un peu comme chez Mallarmé, mais de façon plus mobile, plus dynamique, un véritable vertige de la page qui peut déboucher sur une sorte de course, sur une poursuite intérieure à l'écriture même. Tantôt en effet je me sens soutenu par mon invention et par l'ardeur qu'elle me donne, porté par l'étendue ; « Je marche, réuni au feu, dans le papier vague confondu avec l'air, la terre désamorcée. Je prête mon bras au vent » (*C,* 63) : je suis un Orion, « une invisible paroi en marche qui se fraie un chemin dans l'air », en jouant sur la complicité de celui-ci. Mais voici que ce papier, cet air me redeviennent étrangers, qu'ils semblent se détacher de moi : d'un double mouvement ils bloquent alors mon avancée et se retirent sous le couvert de ce blocage, m'obligeant à poursuivre éperdument *mon* étendue... « Je ne vais pas plus loin que mon papier. Très loin au-devant de moi, il comble un ravin. Un peu plus loin dans le champ, nous sommes presque à égalité. A mi-genoux dans les pierres » (*C,* 63). Je me retrouve donc à demi prisonnier de l'épaisseur («l'épaisseur ravinée» de la matière, *C,* 49), dans une situation d'enserrement, d'empierrement qui va développer çà et là son phantasme avec une extraordinaire et infiniment douleureuse richesse d'imagination. Car l'obstacle, ce pourra être tantôt une opacité, une noirceur visuellement repérables («Là il se défend sur toute la ligne, avec ces arbres retranchés, ces êtres noirs», *C,* 61), tantôt une dureté luisante (pierres aiguës de la route, mottes du champ), tantôt un revêtement glacé : c'est le mythe de la planitude blanche, ou du nivellement, papier, «incroyable glacier» qui recouvre et dérobe la montagne. L'inhibition s'intériorise quelquefois, elle devient notre épuisement lui-même : «Là encore, il prend la forme lourde et chaude de la fatigue, comme des membres de terre écorchés par une charrue» (*C,* 61), fatigue qui pourra provoquer, au bout de notre effort pour vaincre l'étendue, une véritable rupture interne de notre être : «Grand champ obstiné   embolie.» (*C,* 53), écrit admirablement Du Bouchet, avec un laconisme qui dit à la fois la longueur d'une tension muette et l'éclatement fulgurant qui la dénoue. Le même cauchemar pourra se présenter enfin comme un emprisonnement dans l'essence la plus intime, la plus physiologique de notre moi : c'est le thème du *souffle contraignant,* souffle de ma respiration, donc de ma vie — mais qui semble étendre tout autour de moi le cercle d'une nécessité biologique d'où je ne puis jamais sortir, et qui m'empêche d'accéder, en dehors de moi et de mon souffle, à la réalité des choses.

Symbolique de toutes ces difficultés, un mur va donc dresser ici son omniprésente obsession. Mais l'originalité de Du Bouchet — en particulier par rapport à Reverdy, cet autre persécuté de la muraille —, c'est qu'en cette paroi je puis continuer à *avancer :* elle me résiste certes, empêtre mon progrès, mais son obstruction s'étale en profondeur, elle se diffuse à peu près également dans toute l'épaisseur de l'intervalle. Le grand obstacle n'est

autre en effet ici que l'espace lui-même, que l' « air blanc »,
le « grand visage glacé » (*C,* 20) auquel je me heurte dès
l'ouverture de ma porte, air qui « me serre à mourir » (*C,*
21), mais dans lequel pourtant je réussirai à m'insérer.
C'est d'ailleurs cette insertion même qui fera surgir en
lui la résistance... Nul mieux que Du Bouchet n'a décrit
la dialectique douloureuse de l'élan et du freinage, le
mariage ennemi de la vitesse, qui coupe l'étendue, et de
l'air, qui par sa seule présence, sa masse interposée ralentit
violemment cette enfoncée. « Le courant force   se
risquer dans le jour comme dans l'eau froide et blanche
        dure pour le motocycliste   comme un couteau
déplacé par le souffle » (*C,* 31) : pour le motocycliste (et
maint paysage paraît éprouvé ici à partir de son engin),
l'air représente la même force obstruante et mordante, et
pourtant en elle-même inerte, que l'eau pour le nageur
ou que la terre pour la taupe. Mais cette morsure, cette
douleur, c'est moi en réalité qui, par mon avancée, le
tranchant de mon souffle, les ai provoquées, introduites
en lui... Ou disons, si l'on veut, que tout le mal de ce
contact manqué provient du fait que notre souffle se
distingue essentiellement de l'air que nous touchons : au
lieu d'être alors portés par l'étendue, et de devenir elle
(nous vivrions le bonheur d' « un torrent sans souffle »,
C, 75, d'une asphyxie se conjuguant à un aveuglement),
nous nous posons en face d'elle, et contre elle, contigus
mais distincts : « Je sens la peau de l'air, et pourtant nous
demeurons séparés » (*C,* 67). Cette tangence n'est donc
en réalité qu'un écartement, qu'un refus de la chose,
de l'air en lesquels je me projette en vain. D'extase
(d'ek-stase...) mon projet est devenu une insistance (une
insistance), évidemment liée à une résistance... A qui la
faute ? Non point certes à moi, ni à l'objet : plutôt à
l'extériorité spatiale elle-même qui constitue ici le principe
de tous les épidermes, l'âme de toutes les surfaces
— papier, glacier, air, champ, route — qui obturent pour
nous la profondeur. D'où le vœu d'une impossible liberté,
née d'un dégagement, et introductrice à une conquête :

« Que l'étendue nous déserte, et nous avancerons, comme la nue,   au fond de l'air » (*C*, 26).

Mais puisque l'étendue ne nous déserte pas, puisque nous ne sommes ni un nuage ni un vent, mais une conscience humaine condamnée à l'espace, et vouée à sa promiscuité, à son insupportable densité, nous devrons rechercher les postures mentales les plus propres à nous permettre de nous enfoncer en lui. Nous explorerons ainsi naturellement les schèmes d'*incision :* le moi se rêvera couteau, soc labourant la terre, herse mordant le champ ; il épousera « le lent travail du métal des faux à travers les pierres » (*C*, 94) ; il se situera lui-même « au bord de la faux », sur le fil de la lame, là où la déchirure annonce le contact. Le rêve d'acuité traduit ainsi à la fois le vœu d'une insertion forcée dans le dehors des choses, et l'utopie d'une conscience éperdument dirigée vers ce dehors, toute tendue vers une pointe extatique d'elle-même. Car c'est là où le moi cesse que le réel commence (« tout flambe, tout recommence au-delà », *C*, 48) ; c'est en ce lieu, cette ligne-frontière, à cette « extrémité du jour,   du souffle, où la terre débute » (*C*, 41), « de l'autre côté de ce mur » (*C*, 40), « à la coupure du souffle » (*C*, 42), « au début de la poitrine froide et blanche », « au-dessus du mur, dans la lumière sauvage » (*C*, 34), c'est là qu'en un effort extraordinaire d'extension j'essaierai de projeter le plus pur de ma vie. « J'écris » donc « aussi loin que possible de moi » (*C*, 36), j'écris au bout de moi, sur le seuil, ou au « deuxième étage » ; j'écris dans la tension qui vise à m'absenter au maximum de moi, à installer en moi une « absence qui me tient lieu de souffle » et qui tombe « sur les papiers comme de la neige » (*C*, 36), absence que je ne puis pourtant connaître qu'en étant là pour l'éprouver absente, donc en demeurant d'une certaine façon présent à son absentement. Nous découvrons ainsi la situation paradoxale de la conscience humaine, à la fois présence et arrachement à soi, présence arrachée, arrachement auquel je suis présent, Du Bouchet dit, admirablement, *météore*.

Ce météore s'insère dans la réalité : mon impact, mon héroïque acuité servent à crever l'écran des choses. Il faut marquer ici la différence qui sépare Du Bouchet de Reverdy : alors que ce dernier se savait incapable de franchir à lui tout seul le mur, et attendait par conséquent qu'arrivent jusqu'à lui — voix chuchotées, clignotements, pas, portes ouvertes — les signes feutrés d'un ultra-monde, Du Bouchet choisit les chemins d'une action directe, agressive. Mais cette agression, il fallait s'y attendre, prendra bien vite entre le monde et lui les allures de la réciprocité... Car, dans la mesure où j'incise la chose, et dans le geste même de mon incision, c'est elle qui m'entaille aussi et qui me fait saigner. Insistance, nous le savons déjà, provoque résistance. Entre l'acte par lequel je coupe l'air et celui par lequel la froideur de l'air me coupe, il n'existe pas de différence. Charrue, je suis donc labouré (« Labour, c'est cette lame que je verrais, j'entendrais », *C,* 18, lame par laquelle existence et conscience se déchirent, se possèdent mutuellement) ; cisaille, je suis tenaillé (par le feu dont « la tenaille court toute la nuit », *C,* 16) ; pioche, je suis bêché (« Et le jour bêchera notre poitrine », *C,* 16) ; herse, je me déchiquette au « lit mordant de l'air » (*C,* 43). J'entame donc ce qui m'ébrèche, victime et auteur d'une fente à double face qui devient parfois fissure souffrante et saignante, blessure : « A côté on parle de plaie, on parle d'un arbre » (*C,* 63) ; « comme une plaie qui se répète   la lumière   où nous nous enfonçons » (*C,* 74) se déchire à nous et nous déchire à son déchirement. Quelquefois cette déchirure s'indique seulement ; elle inscrit sur le fond de décor la ligne d'une possible découpure. L'arbre — déjà voisin de la plaie — dessine ainsi, enfonce dans l'espace la dure nudité de son graphisme : son écriture matérielle semble vouloir à la fois bloquer et perforer la profondeur. Belle image d'un discours compact et désertique, celui de Du Bouchet, que son seul abrupt, ses sautes et ses surprises, ses changements de direction seraient capables de projeter derrière l'épaisseur, en un au-delà du monde et du sens : « Mon

récit sera la *branche noire* qui *fait un coude* dans le ciel »
(*C*, 60[1]).

Coudes, plaies, tenaillements, cassures, tout ce labourage effréné de l'étendue aboutit-il au moins à un résultat ?
Il semble quelquefois que oui : « La maison s'anime. L'air
se fend » (*C*, 42) ; « Entre l'air et la pierre, j'entre dans
un champ sans mur » (*C*, 67) ; « J'occupe soudain ce vide
en avant de toi » (*C*, 21). L'embrasure apparue, le champ
ou le glacier troués, le paysage disloqué par la frénésie
de ma poussée ou de ma vitesse signalent alors pour moi
comme une éclaircie de l'être. De même que, chez
Baudelaire — c'est une remarque de Du Bouchet —, la
profondeur s'esquisse quelquefois vertigineusement dans
la minceur d'une échappée urbaine, entre deux cheminées,
deux toits, le lointain aime à s'accorder ici par les fissures
provoquées de l'objectivité — et par les ruptures du
langage. « En plusieurs fractures, la terre se précise... »
(*C*, 105) : j'ajoute qu'elle se précise d'une manière fort
fugitive et incomplète, et que le mode le plus satisfaisant
(ou le moins insatisfaisant) du contact avec l'être reste
ici un mélange de l'*entre* et du *presque*. « Montagne
presque rien   montagne   dont nous suivons la
montée   vert-de-grisée » (*C*, 35), écrit Du Bouchet au
moment où l'altitude lui semblait enfin ouverte. Et ailleurs :
« Le feu,   reçu,   aux sommets du sol,   me
rejoint, presque » (*C*, 27) ; le feu ne me rejoint jamais
absolument : ou plutôt, à peine s'est-il donné à moi qu'il
s'écarte à nouveau, me rejetant à ma quête du feu. Ce
rythme commande ici la structure vécue de maint poème.
Si nous relisons par exemple les dernières lignes de
l'admirable *Avant que la blancheur* (*C*, 25), nous y
partagerons l'extase d'un égarement, d'un aveuglement
(« dans l'obscurité du jour ») qui est aussi accès à,
immergement dans l'être : « J'ignore la route sur laquelle

---

1. Le lien du langage à la blessure peut être plus direct encore :
définissant la poésie, Du Bouchet peut écrire (*R*, 42) : « *Ici la plaie
parle*, elle est devenue nécessaire. »

notre souffle se retire. Le jour, en tombant, m'entoure »
(*C*, 25). Mais à peine nous trouvons-nous entourés de ce
jour, compris en lui, que notre conscience s'en écarte,
se récupère en face et hors de lui — pour inaugurer à
nouveau le mouvement qui la portera vers lui : « Ma main,
reprise déjà, fend à peine la sécheresse, le flamboiement. »
Nous voici donc hors de ce flamboiement, exclus et freinés
par lui. Le pressentiment de l'être que nous accordait la
poésie n'est-il pas ici assez cruellement déçu ? Un schème
de transcendance polarise tout l'univers de Du Bouchet :
mais cette transcendance — et n'est-ce pas normal
puisqu'elle signifie à la fois terme impossible et visée
éternellement reprise de ce terme ? — y sera plus rêvée
ou invoquée que réellement saisie.

Faut-il conclure de ces analyses à l'échec de la poursuite
d'être ici menée par le poète ? Une telle conclusion nous
ferait manquer le sens même de l'œuvre de Du Bouchet :
nous arriverons en effet au cœur de cette poésie, nous
toucherons à ce qu'elle a de plus original en comprenant
que cet échec, lorsqu'il est saisi et assumé par la conscience
qui l'éprouve, se transforme en un acte de révélation.
Chaque poésie, chaque phrase presque de Du Bouchet
nous oblige ainsi à épouser un extraordinaire renversement
métaphysique au cours duquel le plus négatif de l'expérience nous apparaît soudain comme source de positivité :
le voile nous dévoile alors, l'irrémédiable devient notre
remède même. En un retournement central, et sans cesse
repris, la transcendance intermittente ou refusée nous
donne accès à notre transcendance vraie.

Pour mieux saisir le sens et la valeur de ce revirement,
sur lequel repose toute l'entreprise poétique de Du Bouchet, on se référera aux quelques analyses qu'il a lui-même
consacrées à l'œuvre de Baudelaire : Baudelaire étant à
la fois ici le vrai Baudelaire, et le miroir où notre poète
cherche à se déchiffrer lui-même. Or ce qui définit, selon
Du Bouchet, le génie poétique de Baudelaire, c'est le fait

d'avoir pu rassembler en un seul geste le vœu de transcendance, la reconnaissance que cette transcendance est transcendante, donc inaccessible à notre vœu, l'acceptation de cette impossibilité, et son inclusion dans le poème. Baudelaire vise « l'inconnu », le « ciel », l' « idéal », l'ailleurs, constate que tout cela lui échappe, et tire de ce constat même la magie révélante de son verbe. « L'essentiel est inimaginable — ne peut être *représenté,* mais de l'impossibilité même que nous éprouvons à l'imaginer nous tirons une force positive » (*B,* 17). Si l'on demande comment une impossibilité a pu engendrer une force, Du Bouchet répondra en invoquant la notion de *contradiction,* dont on sait à quel point la pensée contemporaine a exploré et utilisé la fécondité. Contradiction qu'ont analysée nos pages précédentes, et qui se situe essentiellement entre l'être et les êtres — plus spécialement, pour Baudelaire, entre le gouffre et l'altitude, l'enfer et le ciel, pour Du Bouchet entre la profondeur et la surface, entre le dévoilement et l'obnubilation. Du choc de ces contradictions — et chaque mouvement authentiquement vécu conduit à un tel choc —, « au cœur d'un remous » (*B,* 6), dans l'une de ces cassures de l'expérience dont nous avons déjà analysé le phénomène, surgit alors pour moi la vérité de l'être : l'être non pas du *là-bas* brûlant, ni de l'objet qui l'oblitère, mais l'être de l'*ici,* mon être propre et immédiat, mon « sol » — « ce sol irréductible dont l'imagination ne peut embrasser que la surface » (*B,* 6) —, Bonnefoy dirait « mon lieu », l'espace en somme de ma vérité.

« Au cœur de la contradiction » transparaît donc « par instants le sol qui appartient en propre à l'être ainsi altéré — le sol immuable qui lui est révélé dans ce déchirement... ce sol irrémédiable qui se révèle sous son pas comme le pivot de tout ce tournoiement » (*B,* 11). Et nous découvrons alors — trouvaille essentielle, mais que nos analyses initiales nous permettaient déjà de pressentir — que ce sol sous mon pied, c'est *aussi* celui de la montagne vers laquelle se dirigeait mon pied, que mon *ici* n'est autre

que ce *là-bas* éperdument et vainement visé, qu'entre *ici*
et *là-bas* il n'existe pas en réalité de distinction ni de
distance, « que rien ne nous en sépare » (*B*, 17). « Pour
qui s'arrête auprès des lointains », c'est « le même lit, la
même faux, le même vent » (*C*, 87) : çà et là s'avouent
à nous la même profondeur de terre, le même rapt aérien.
Baudelaire passe donc par l'expérience crucifiante de
l'ailleurs pour se retrouver en fin de compte à l'endroit
même d'où il était parti. « Au terme de ce trajet inestimable,
Baudelaire » — et nous pourrions dire aussi Du Bouchet
si le mot de *trajet* ne lui était évidemment impropre (dans
le cas de sa poésie, moins discursive qu'instantanée, ou
faite d'une suite enchaînée d' « instantanés », il vaudrait
mieux parler de circuit, de *court-circuit*) —, Baudelaire
donc « se retrouve là où il n'a jamais cessé d'être — et
retrouve une étendue non fictive qu'il nous permet
d'entrevoir, ce fond immédiat et insaisissable qui nous
appartient autant qu'à lui. C'est dans le rapport de
l'infiniment éloigné et de cette proximité immédiate que
bat encore pour nous ce *Cœur mis à nu* » (*B*, 8).

C'est ce rapport aussi qui anime toute la poésie de
Du Bouchet. Nous ne la comprendrons qu'en déchiffrant
en elle, inversement à son vœu d'arrachement et de départ
— mais, en fin de compte, identiquement à ce vœu... —
une volonté de retour : redescente vers « la vérité que
nous croyons connaître, la vérité familière », qui éclate
soudain « avec une violence et une intensité inconnue »
dans la dénégation d'une transcendance refusée (*B*, 17).
Vérité que nous ne visons plus alors, mais *incarnons,* et
choisissons de vivre. La « résolution », la « décision
résolue » de la poésie consistent ainsi à m'enraciner de
nouveau, à m'attacher à ce monde de l'*ici* et du *maintenant,*
qui était au départ mon monde, et dont j'avais voulu fuir
la pauvreté pour les problématiques prestiges d'un ailleurs :
« ce monde mortel auquel [je me] trouve enfin, c'est-à-dire
de nouveau, lié, comme à l'origine, par une sorte de
naissance, et non par la mort — au terme d'un progrès
qui, paraissant [me] conduire à l'objet infaillible de [mon]

attente, [me] ramène en fait — encore — au dénuement irrémédiable des données initiales auxquelles nous adhérons de la façon la plus rude et la plus immédiate » (*B,* 15). L'ailleurs, c'est *cela* même que je suis, mon existence ; et le terme de la poésie s'identifie à son commencement. Ou plutôt il est, comme eût dit Mallarmé, la vérification, la « preuve » de ce commencement, et donc son expulsion du temps, son éternisation. « Je touche le fond d'un lit rugueux, je ne commence pas. J'ai toujours vécu » (*C,* 69).

Ce fond ainsi touché dans la montée d'une rugosité sans fond, ce commencement sans commencement ni terme, maint poème de Du Bouchet tente d'en éclairer pour nous l'immédiat mystère. Ainsi, dans *Loin du souffle* (*C,* 102) — qui évoque d'abord le choc contre l'obstacle et la redescente vers l'humain (« M'étant heurté, sans l'avoir reconnu, à l'air, je sais, maintenant, descendre vers le jour »), puis décrit, sur le site même de leur source, le renoncement à tous projets de flamme ou de lointain (« Comme une voix, qui, sur ses lèvres même, assécherait l'éclat »), qui dépeint enfin les tortures à moi infligées par l'espace, un espace désormais refusé, mais dont le refus me permet d'accéder *ici,* à mon espace (« Les tenailles de cette étendue, perdue pour nous, mais jusqu'ici ») —, nous débouchons sur la réalité d'une rencontre, d'une *étreinte* entre ma conscience et mon sol : « J'accède à ce sol qui ne parvient pas à notre bouche, le sol qui étreint la rosée. » Bel exemple d'aporie sensible, comme aime à les vivre Du Bouchet : j'accède à ce sol *bien qu*'il ne parvienne pas à ma bouche, ou plutôt *parce qu*'il n'y parvient pas ; c'est sa distance (son *là-bas*) qui me donne sa proximité (son *ici*)... Une dernière phrase, elle aussi intérieurement contradictoire, me permet d'épouser à la fois la solidité, la fixité de ce lieu reconquis, et son expansion nouvelle, son gonflement en un second espace : « Ce que je foule ne se déplace pas, l'étendue grandit. » Mais elle grandit désormais à partir de moi, sa source et son pivot. Ainsi la poésie « prend fin et commence ». « Par-delà ce déchirement — la félicité » —, déchirement des contradictoires qui découvre en sa faille l'être de mon ici (un *ici* qui est également d'ailleurs l'un des contradictoires...), elle proclame sa vraie définition : « *Accéder à l'étendue terrestre* durant un instant dont la mémoire nous est retirée, mais dont nous savons qu'il ne sera pas unique » (*R*, 44).

Tentons de mieux cerner cette démarche en la comparant à deux autres grandes aventures poétiques d'aujourd'hui. Le caractère instantané de son dévoilement et le fait que l'éclair sorte pour lui d'un heurt des antinomiques pourrait nous faire rapprocher Du Bouchet de René Char. Le ton de ces deux œuvres est d'ailleurs analogue : d'une concision plus proférée, plus éclatée aussi chez Char, plus mate, plus envahie de blanc et de silence chez Du Bouchet. Mais la contradiction sur laquelle joue ici et là la vision poétique n'y a ni la même valeur ni le même projet. Chez Char, ce sont deux éléments du monde, placés au même niveau de l'expérience, qui entrent en conflit, afin de créer, par contradiction et par synthèse, par *métaphore,* le soulèvement d'être qui permettra à la réalité d'être *franchie.* Chez Du Bouchet, c'est le fait au contraire du franchissement (réalisé ou raté, raté parce que réalisé, ou réalisé parce que raté...) qui me renvoie à la vérité « rugueuse » de l'*ici :* la contradiction s'exerce entre l'obstacle et le lointain, elle joue en profondeur, non en extension ; elle est une structure de ma quête elle-même, non pas une disposition, sensible ou morale, du champ dans lequel ma quête se déploie. Ce trait rapproche-rait plutôt Du Bouchet d'un poète comme Yves Bonnefoy, attaché lui aussi à un dévoilement de l'étrangeté substan-tielle, au vœu de l'*ici* et du *maintenant,* de la *présence* — et réclamant la révélation de celle-ci à toute une ascèse négative. J'ajoute que le climat dans lequel s'affirme la présence, climat de dénuement, d'aridité fulgurante et crevassée, est, çà et là, étrangement semblable. Mais si, de part et d'autre, l'immédiateté de l'être s'atteint au terme d'une médiation, celle-ci s'exerce pour Bonnefoy à travers une destruction du concept, de la forme ou de

302

la qualité, bref, de toutes les déterminations essentielles de l'objet qui nous en voilaient le rayonnement ontologique, tandis qu'il s'agira plutôt pour Du Bouchet de nier la transcendance même de la chose, présente en elle comme un appel naturel et véridique. La négation ne dissipe pas ici un mensonge ou une illusion de l'esprit : elle développe, dépasse et redécouvre une vérité de l'existence.

Revenant aux poèmes eux-mêmes, il s'agirait maintenant d'examiner comment cette vérité, cette difficile vérité, arrive à s'y faire jour, à nous y envahir de sa fulgurante et fuyante évidence. Il faudrait, par exemple, y interroger à nouveau le schème de la *déchirure,* et voir comment celle-ci y affecte à la fois le paysage, où elle effectue une sorte de trouée renversée vers l'*ici* (je reconnais « à la déchirure dans le ciel, l'épaisseur du sol », *C,* 9), et la signification abstraite elle-même, qui se trouve à chaque instant rompue, fendue par l'insolite enchaînement des notations les moins concordantes : dans cette faille doublement creusée, dans cette absurdité devenue lumière, il nous faudra reconnaître le sens véritable du poème. Soit, par exemple, la très belle deuxième partie du poème intitulé *Du bord de la faux* où ces brisures de sens apparaissent à chaque stade de la progression imaginaire. Nous nous y heurtons d'abord à la plus scandaleuse rencontre, rencontre qui est aussi, et c'est en cela que réside le scandale, une identité, entre l'ouvert absolu (l'absorption lumineuse) et l'obtus total (l'immobilité de la paroi) : « La montagne   la terre bue par le jour sans   que le mur bouge. » Puis dans ce mur, qui est aussi l'obstacle pneumatique de notre respiration, apparaît (peut-être grâce à la « force ou génie de la toux » invoqués en un poème voisin — toux, cet éclatement du souffle) une fente : mais celle-ci débouche seulement sur une nouvelle masse interposée, celle de « l'incroyable glacier » (*C,* 12) : « La montagne comme une faille dans le souffle   le corps du glacier » (*C,* 10). Puis surgit une autre forme d'obstacle, le nuage, qui bouche l'altitude, clôt le lointain, mais par là même éclaire le lieu — la route — où je me trouve, et où je marche vers cette altitude, ce lointain : «Les nuées volant bas, au ras de la route,   illuminant le papier.» C'est alors la naissance de la parole qui éclôt à la pointe du moi, au bout du monde, au bord du ciel, dans la lame de la déchirure mais pour me redonner aussitôt, comme une demeure, l'aérienne possession de mon *ici :* «Je ne parle pas avant ce ciel,   la déchirure,   comme   une maison rendue au souffle.» Un dernier mouvement me permet d'affirmer, sur le ton cette fois du témoignage, le recommencement du même paradoxe concret : «J'ai vu le jour ébranlé, sans que le mur bouge.»

Les plus beaux poèmes de Du Bouchet *signifient* ainsi la contradiction essentielle, et l'*expriment,* nous obligeant à en vivre le brisement à travers les failles de la signification même qui l'indique : celle-ci signifiant par conséquent pour nous à la fois comme posée et comme détruite, ce qui reproduit à l'étage sémiologique le même paradoxe (choc d'une évidence voilante et d'une obnubilation dévoilante) qu'au niveau le plus brut de l'expérience. Dans le signifiant comme dans le signifié, la vérité poétique fait donc irruption comme le don perpétuel *de se détruire :* «C'est dans cette destruction qu'elle se projette, qu'elle se recompose. Le point où se confondent enfin l'évidence admise et l'évidence qu'on repousse, la consume, et elle respire par cette ouverture qui est l'image qu'elle forme de l'avenir» (*R*, 43). En elle, donc, aucune fixité possible : à peine ici, elle se veut là-bas, à peine a-t-elle joint là-bas, qu'elle revient ici, «car rien n'est fait pour elle, et elle ne se perd jamais suffisamment» *(ibid.).* Comme le jour auquel elle s'identifie, et dont elle constitue l'affirmation, ou, mieux, la déclaration, elle est «ce feu qui ne tient pas en place» : son caractère littéralement intenable pose d'ailleurs, avouons-le, les limites de toute appréhension critique [1]...

---

1. Ou du moins de toute critique qui s'en tiendrait à une analyse intentionnelle des thèmes : le thème n'existe ici, je tâcherai de le montrer plus loin, qu'en une rupture interne, un renversement fondamental et permanent de ses valeurs.

Ce que devrait saisir ici l'acte critique, c'est ce «feu interrompu», ce «scintillement» *(ibid.),* cette consomption-ouverture *à l'œuvre* dans le développement même du poème, dans sa respiration, dans le rythme de son avancée ou de ses blocages. Car, en un autre paradoxe, cette autodestruction constante est aussi un progrès, le poème nous mène quelque part... Pour le comprendre, il faudrait donc le saisir comme un mouvement entier, total, formé à partir d'un certain nombre de *stations* — avancées ou cassures, avancées-cassures. Cette appréhension organique permettrait de qualifier les modes, les variations de son extraordinaire *impact,* la valeur ou le poids de ses silences. On apercevrait le rôle essentiel des blancs, lieux d'un vécu non dit, peut-être indicible; on verrait l'efficacité de la typographie, qui casse en des endroits cruciaux la continuité du phrasé, ménageant entre les révélations contradictoires soit de simples espaces vides, soit des «à la ligne» enchaînés en cours de ligne, qui produiront sur le lecteur un effet un peu semblable à celui d'une marche brusquement absente sous le pied. D'où, l'espace d'un éclair, notre respiration manquante, l'angoisse d'une chute — c'est l'ouvert consumant —, aussitôt réparée par notre atterrissage sur la marche suivante, la notation antithétique[1]. Le corps physique du poème reproduit directement ainsi en lui, et dans l'espace, les gestes d'une quête elle-même corporelle et spatiale : Du Bouchet reprenant sans doute ici l'une des leçons de Reverdy, et derrière lui de Mallarmé. La syntaxe participe enfin à cette mimétique de la contradiction : multipliant les articulations impossibles — par exemple *sans que* entre deux égalités, *avant que, jusqu'à* entre deux simultanéités, *comme* entre les deux pôles d'une antinomie, *près de* uni à *aussi loin que,* avec

---

1. J'ai essayé, dans la reproduction des textes cités, de transposer ces vides typographiques. Fort mal d'ailleurs : car ces espaces restent ici horizontaux, alors qu'ils sont dans le poème soit horizontaux, soit obliques, soit verticaux, etc. J'ai donc trahi le *visage* même de ces textes.

le même complément, etc. —, elle aide à provoquer en nous un véritable vertige de l'esprit. A partir de ce vertige, notre « logique » capitule : nous reconnaissons enfin « l'identité » (mais je dirais aussi la distance, la distance dans l'identité) « de ces termes dont l'antagonisme, à l'origine, paraissait donner lieu à des mouvements incompatibles » (*B*, 6).

Poétiquement éprouvée, cette identité des incompatibles se vérifiera au plus profond de l'expérience imaginaire : dans le mouvement par lequel la rêverie interroge directement formes, matières, couleurs, lumières, tout le tissu concret des choses. Du Bouchet découvre ainsi les divers éléments de son monde comme à la fois ouverts et voilés, poreux et obturants, cette dualité se posant en eux comme une unité pivotante, une ipséité à double face. Il n'y aura plus alors seulement pour lui brisure dans l'étendue physique du paysage, ni dans le phrasé de la signification, mais, ce qui revient plus profondément au même, rupture dans la valeur des thèmes, qui vireront d'un pôle à l'autre de leur possibilité imaginaire. Ils seront donc essentiellement ambigus, instables, scintillants (un beau poème de *Dans la chaleur vacante*, s'intitule *Scintillation*) : et, pour cela, il leur faudra être *peu nombreux*. Trop riche, trop ouverte à une ampleur externe d'expérience, cette poésie ne parviendrait sans doute pas à articuler ce qu'elle a à dire, ou à produire. Elle se veut par conséquent, et de plus en plus depuis ses premières créations, pauvre et ressassante, regagnant en profondeur ce qu'elle a refusé en extension. Car ces thèmes si simples, si peu nombreux, qui se répètent çà et là avec une monotonie si fascinante — ainsi le souffle, la faux, l'orage, le glacier, la paille, le jour, le mur, l'arbre, le lit, la chambre, le vent, la pierre, la montagne, le foyer, la route, etc. —, servent finalement, et de par leur itération, mais aussi à travers leur mariage, leurs télescopages, leur influence réciproque, leurs modifications topologiques, à porter jusqu'à nous une extraordinaire richesse de sens. Un peu comme chez Mallarmé, et en vertu des mêmes causes, la pauvreté même du matériau poétique aboutit à une plénitude de la suggestion.

Cela pourrait se vérifier sur maint thème déjà étudié : le *souffle,* par exemple, qui est à la fois air subjectif (prison pneumatique) et air absolu (vent, rapt extérieur de l'être), le « sol » se découvrant pour Du Bouchet à la limite même, et dans la déchirure de ces deux significations contraires :

> A l'extrémité du jour,
> du souffle, où la terre
> débute, cette extrémité qui souffle. J'atteins le sol
> au fond de ce souffle,
> le sol grandissant (*C,* 41).

Ou bien, c'est le *feu,* à la fois chaud et froid, sec et humide feu synthétique, ou alternatif, de l'*orage estival* qui va « de *long en large.*

Sur une voie qui demeure *sèche malgré la* pluie » (*C,* 9). On pourrait poursuivre encore la même ambiguïté dans la rêverie du *corps humain* et de ses diverses parties : le *front* y étant à la fois par exemple *mon* front, la proue de mon progrès, et le front *de l'espace,* le ciel où je m'enfonce, le *genou mon* genou, mais aussi celui de la porte, du feu que je repousse, ou qui se dérobe, du genou ; la *main* surtout, *ma* main qui me dirige et fend l'air devant moi, et la main qui là-bas m'appelle au fond de l'air... Le membre et l'élément, l'humain et le naturel semblent ainsi jouer à cache-cache ; dedans et dehors échangent leurs symboles, se passent leurs propriétés : quoi de plus aisé puisqu'ils ne forment, nous le savions déjà, qu'une seule réalité, une réalité, il est vrai, alternative et déchirée, toujours indéfiniment distante d'elle-même ?

Regardez par exemple l'image, si séduisante, de la *paille.* Sous la forme amoncelée du tas de paille, elle fixe d'abord l'éclat transcendantal : en elle, c'est l'été lui-même qui rayonne. Mais ce rayonnement reste lointain :

retranchée en une autre saison, en un autre lieu, presque invisible, sa flamme reste cependant — grâce à sa structure parcellaire, à la présence en elle de multiples brins de paille — capable d'une étrange palpitation : « *La meule de l'autre été scintille.* Comme la face de la terre qu'on ne voit pas » (*C,* 85). Si la paille figure ainsi le but lumineux de notre quête, elle incarne également l'obstacle qui nous empêche d'arriver à ce but, ou qui du moins freine notre avancée : « Nous allons sur la *paille molle et froide* de ce ciel,   à peine plus froide que nous, par grandes brassées, comme un feu rompu dont il faut franchir le genou, qui s'éclipse » (*C,* 93). Nous devinons alors que cette opposition tient à la fois à l'humidité nouvelle de la paille et au caractère rompu, épars du feu qu'elle figure : il est bien vrai qu'existe en elle un schème de dispersion. Mais ce caractère rompu lui permettra inversement de rompre : grâce à sa petitesse incisive, fulgurante, la paille brise la barrière (la chaleur) qu'elle avait elle-même dressée autour de nous : nous irons « Vers la paille. Vers le mur de plusieurs étés, comme un *éclat de paille dans l'épaisseur de l'été* » (*C,* 85). Ce brin sauvage déchire donc l'épaisseur, et en découvre alors toute l'humaine tiédeur, toute la tendresse : site du blottissement, support léger de l'incubation, la paille n'est-elle pas toute voisine d'une chair ? « Je tiens *deux mains chaudes,* deux *mains de paille.* Un *front de paille* avance près de moi dans le champ obscur, sous ce genou blanc » (*C,* 93). Mais cette humanité, ce champ, cette réalité de mon *ici* se découvriront mieux encore à moi sous la forme de la retombée et de l'échec — que la paille peut encore, et inversement, assumer. Herbe ou blé fauchés, elle vient en effet après la lame ; triste résidu de notre quête, elle « jonche le champ » (*C,* 85) : mais le jonchant, elle nous le dénonce... Signe de la transcendance éparse et refusée, elle nous oblige en effet à découvrir la terre même sur laquelle elle se trouve répandue : « Entre mes membres et ma voix » (dans l'hiatus qui sépare ce que je suis de ce que je projette),

elle m'ouvre «le sol, avant le matin» (*C,* 93). Son
humilité, son éparpillement, sa radiance, son double
caractère de familiarité et d'étrangeté, peut-être même la
trace de la négation (de la coupure) qu'elle continue à
porter en elle, tous ces traits lui permettent de devenir
un «signe du jour» — une base de l'être — et un soutien
de l'homme : «La paille à laquelle nous restons adossés,
la paille après la faux» (*C,* 87). Voici donc une réalité
qui réussit à signifier à la fois pour Du Bouchet le *vers*
et l'*à travers,* le froid et la tiédeur, le proche et le
lointain, la terre et le feu, la paroi et la trouée de la
paroi : toutes ces valeurs découvertes en une rêverie
authentique de l'objet, puis rapprochées, identifiées les
unes aux autres par l'imagination métaphysique.

Une analyse du même ordre devrait être menée sur la
notion, ici cardinale, de *jour,* la paille pouvant d'ailleurs
déjà être tenue pour un morceau de jour. A lire de près
ces poèmes, le jour nous y apparaît en effet à la fois
comme chaud et froid, ardent et gelé ; il y prend
alternativement pour nous le visage du lointain désiré et
de la proximité-paroi : car on se heurte aussi à lui, on se
brise à «la chaleur de la pierre   qui ressemble à du
froid   contre le corps du champ» (*C,* 57). «Mais je
connais la chaleur et le froid», ajoute Du Bouchet,
signifiant sans doute qu'il les connaît égaux, semblables
l'un à l'autre. D'où la beauté profonde, nécessaire de
cette image surprenante : «Le jour, papillon glacé» (*C,*
32) : car dans le jour il y a bien cette ardeur voletante,
cet insaisissable feu ailé, mais la flamme en est aussi
gelée, paralysée par l'air de la distance, une distance qui
est encore le jour, le même jour... Nous voici donc livrés
au tremblement d'une unique blancheur, qui appartient à
la fois au *là-bas* et à l'*ici,* à un *ici* dénoncé par le *là-bas,*
à un *là-bas* visé par notre *ici :* c'est «cette *vérité froide,*
ce présent authentique, ce présent transparent de la
clarté matinale, où le pressentiment et la constatation
coïncident et paraissent réversibles» (*B,* 16). Constatation de notre sol, pressentiment d'un autre monde s'éclai-

rent réciproquement, passent l'un dans l'autre à travers l'épreuve de cette lumière à la fois solaire et glaciaire. A partir de « la partie blanche et la partie bruyante », et dans le constat de leur réversibilité, Du Bouchet peut écrire alors : « J'ai reconnu le jour exact   dans sa nudité   qui s'éclaircit et se glace   son exacte nudité   la paroi sans tableau les ardoises   les glaciers   la neige des vitres   des glaciers » (*C*, 80). Des deux pôles intérieurs de la blancheur, celui de l'ouverture et de la vibration (le jour-papillon, l'âme « inséparable de qui est ouvert, de la lumière ambulante ») et l'autre, celui de la clôture, de l'englobement, de la pétrification gelée (le jour glacé ; « J'ai négligé l'air blanc qui s'abat autour de nous sans un mot,   jusqu'à la pluie sans reproche, au cri des moellons », *C*, 78), c'est le second qui semble prévaloir. Mais cet avantage ne dure pas ; aussitôt établi, il se renverse : ce jour exact et nu, qui paraissait devoir nous rejeter aux quatre murs dépouillés de notre chambre, nous montre finalement en cette chambre la montagne même que sa blancheur semblait vouloir nous dérober : « Cette *chambre* dont je vois déjà les gravats, *comme une montagne blanche* » (*C*, 81). Nouvelle descente, et grâce cette fois au feu glacé, à la lumière-obstacle, du *là-bas* transcendant dans la matérialité la plus délabrée de l'*ici*.

Mais cet ici redévoilé, la conscience pourra-t-elle vraiment l'*incarner* et le *tenir ?* S'installera-t-elle solidement, et à jamais, dans l'immédiateté reconquise de son « sol » ? Nous savons déjà que non, que la vérité poétique est par essence même l'intenable. Cette base retrouvée n'est base justement qu'en se faisant l'origine ou le « ressort » d'un redépart. Il nous faut compléter ici notre dernière citation, artificiellement tronquée pour y souligner l'un de ces hiatus révélateurs si chers à Du Bouchet. « Cette chambre dont je vois déjà les gravats comme une montagne blanche », c'est aussi une montagne

« qui nous chasse de l'endroit où nous dormons ». A peine installés chez nous, au contact le plus proche de nous-mêmes, nous voici donc à nouveau jetés dehors, et loin de nous. Tout comme l'absolu lointain la pleine adhésion à soi représente ici une limite : on tend à elle, on la touche presque, on l'entrevoit, on ne la saisit pas vraiment. On ne peut en tout cas pas la dire, car elle est l'*innommable* lui-même. « Est-ce que *cela* peut s'appeler quelque chose ? Est-ce que *cela* a un nom ? Cette révélation comme décevante ou illuminante de l'inconnu est celle même de notre existence, alors qu'elle s'avère soudain dépouillée de son nom — et trop proche » (*R*, 43). L'excessive proximité à soi n'entraîne donc qu'étouffement et que mutisme : il existe pour Du Bouchet une asphyxie du *cela*, de l'*ici* (on n'en peut rien dire sinon que c'est *cela*, que c'est *ici...*) tout aussi redoutable que l'asphyxie du *là-bas*, de l'absolu — et c'est d'ailleurs *la même* asphyxie... Vouloir posséder de trop près son existence serait s'exposer dès lors soit à un silence qui ne serait qu'un ressassement muet, une tautologie vide de soi-même, soit à un brusque et déchirant écartement : « Si la réalité est venue entre nous comme un coin et nous a séparés, c'est que j'étais trop près de cette chaleur, de ce feu » (*C*, 70). Il vaut mieux accepter alors franchement cette impossibilité et se dire, en une nouvelle « résolution », que l'existence est en effet une ek-sistence, c'est-à-dire une sortie, une fuite éternelle hors de soi, ce «*feu comme une main ouverte* auquel je renonce à donner un nom » (*C*, 70).

Telle est la situation finale, et initiale, que m'obligent à vivre les poèmes d'André du Bouchet. J'y suis toujours ailleurs, dehors, auprès des choses, tendu vers l'être profond du monde, vers ce feu, ce vide, qui brûlent au cœur de l'horizon ou au sommet de la montagne ; mais, en même temps, j'y suis toujours ici, dans la conscience qui me permet de viser cet ailleurs, dans l'obstacle concret qui m'en sépare. Je suis donc à la fois ici et là-bas, immanence et transcendance. Mieux, ces deux modes de mon existence ne se contentent pas de coexister en moi, ils s'engrènent directement l'un à l'autre : c'est ma progression rompue, ou à demi réalisée, vers l'au-delà qui me signifie l'immédiate vérité de mon ici, et c'est l'incapacité où je me trouve d'adhérer absolument à cet ici, d'en faire *ma présence,* qui me renvoie toujours vers l'au-delà[1]. La « constance presque insaisissable de ce renversement », c'est mon « identité même » (*B,* 9). La situation fondamentale de notre être le voue donc à la fois au dévoilement et à la finitude, elle le condamne à se déchirer entre l'arrachement à soi et l'enracinement en soi : pour aboutir à une sorte d'arrachement enraciné, ou d'enracinement arraché... Comme Rimbaud, Du Bouchet pourrait en somme dire, et dire d'un même mouvement : « La vraie vie est absente » et « Ce n'est rien, j'y suis ; j'y suis toujours » — l'absence et le « j'y suis » y renvoyant éternellement l'un à l'autre, s'y fondant même l'un l'autre par l'impossibilité où ils nous mettent de les vivre totalement l'un ou l'autre. L'obstacle — le monde sensible — constitue finalement ici la médiation, la négation féconde qui permet à ces deux pôles de notre conscience d'exister face à face, se posant et se contestant, se voilant et se dévoilant l'un l'autre : sa douleur est une nécessaire tension.

Un tel univers, on l'aura compris, ne connaîtra ni repos ni mesure : aucune solution, rien qu'une résolution ; dans la vibration de ce va-et-vient, ou plutôt de ce pivotement, continuel, ne s'offrira à l'homme aucune station,

---

1. Ce redépart peut être interprété aussi comme une reprise de la poésie, comme une « remise en jeu de l'imaginaire » fondé sur le sol même qui m'avait permis d'atteindre au « désaveu de l'imaginaire » (*B,* 17). Ainsi, dans *Autre ressort* (*C,* 78), Du Bouchet évoque son poème, « ce texte comme une pierre perdue, *une deuxième fois arraché à la terre,* dans la chambre qui m'enrobe. Exposé au feu insignifiant, au feu imaginaire ». Car si l'*ailleurs* n'est qu'un *ici,* la rêverie pourra toujours relancer l'*ici* vers un *ailleurs.* « *Si l'autre n'est que le même* — Baudelaire, Baudelaire, lui, doit être ailleurs, *le même doit être l'autre* » (*B,* 9). La force de ce mouvement, c'est qu'il permet de développer en lui une dialectique double, et parallèle : dialectique de la perception (rapports de la conscience et du monde sensible) et dialectique de l'imagination (rapports de l'objet constaté et de l'objet rêvé).

aucune fixité sur laquelle il puisse s'appuyer afin de s'estimer et de se reconnaître. Hors de l'homme il n'est pas de critère de l'humain, et dans l'homme non plus, puisqu'il n'est que déchirement et fuite, que réversibilité interne, que passage d'une dimension à l'autre de lui-même. Comme Hölderlin, qu'il a admirablement traduit, Du Bouchet pourrait donc se demander : « Existe-t-il sur la terre une mesure ? » et se répondre : « Il n'en existe aucune. Car les mondes du Créateur jamais ne suspendent le cours du tonnerre. » Ce cours jamais suspendu de notre existence fait d'elle le lieu même de la *démesure.*

Au cœur de ce non-mesurable intervient pourtant quelquefois une suspension : court moment d'arrêt et d'équilibre où je m'immobilise *auprès de* l'être. Non point collé à lui ni coupé de lui, mais voisin : réuni, si l'on veut, à lui par l'humaine distance que je maintiens entre lui et moi. Je reste « au niveau, *à quelques pouces* du front » (*C*, 12) ; « Je reste *au-dessus* de l'herbe, dans l'air aveuglant.   Le sol *fait sans cesse irruption* vers nous,   sans que je m'éloigne   du jour » (*C*, 43) : irruption due sans doute à la sagesse de mon demi-écartement. Le véritable été, ou du moins l'été humainement vivable, c'est celui que « j'ai construit... en quelques jours, *au-dessus de* mes mains, *au-dessus* de la terre » (*C*, 15). Une autre rémission de notre démesure nous serait donnée par le phénomène du *relief :* ouverture d'un ici qui s'écarterait peu à peu de lui-même (« Aujourd'hui la lampe parle   elle a pris une couleur violente », *C*, 37), mais en se situant encore dans la limitation des autres objets de son espace (« *tout éclate* et *rayonne* et *sert*   jusqu'aux *miettes,*   la *soucoupe* blanche que je vois sur la table que *l'air modèle* »), dans l'abandon de sa prétention absolue, dans la reconnaissance d'une étendue expansive, mais humaine (« la vérité morte froide vivante maintenant   et sans arrêt   à voix haute »), où l'homme existerait, selon le mot de Heidegger, comme un berger de l'être. Mais ces moments d'équilibre, où « l'air qui s'empare des lointains nous laisse vivants derrière lui »

André du Bouchet

(*C*, 99), ne représentent pourtant ici que d'heureuses parenthèses. Fondamentalement, ma vie est renversement et déchirure, aller et retour, extase et conscience, dissolution (dans l'air, dans le feu de là-bas) et recomposition (dans le froid, ou le bleu de l'ici). Sa fin est de n'avoir pas de fin ; elle ne se mesure qu'à son absence de mesure. Le dernier recueil de Du Bouchet, *Dans la chaleur vacante*, commençait sur une phrase qui marquait l'ouverture même de notre chasse à l'être : « L'aridité qui découvre le jour » ; il se clôt sur un autre trait, tout aussi aride, qui évoque le redépart de ce chasseur éternellement insatisfait, sa soif démesurée : « Rien ne désaltère mon pas. »

Janvier 1962.

Philippe Jaccottet

A partir du rien. Là est ma loi.
Tout le reste : fumée lointaine.
La Semaison, p. 50.

« L'air aspire et appelle : loin d'imposer la prosterna-
tion résignée, il paraît tirer vers le rire, l'ardeur, l'essor,
il nous change en oiseaux légers » (*P*, 60[1]). Tel est ici le
premier élan de l'existence. Pour la conscience poétique,
il s'agit d'abord de s'élever, d'accéder, par-delà un
univers d'objets lourds et opaques, à une vérité évaporée
de l'être. Cet envol devra s'opérer sans déchirures :
Philippe Jaccottet n'est pas le poète des arrachements
dramatiques, des mutations ni des hiatus, des dualismes
sans issue. Son don, c'est de surprendre au niveau le plus
humble, le plus familièrement offert de l'expérience, les
manifestations de l'instinct qui permet aux choses de se
laisser doucement glisser dans l'air, vers la hauteur. Un
rire ainsi s'égrène dans l'espace ; des abeilles bour-
donnent ; « déracinées comme des graines » (*E*, 32), des
voix montent au-dessus de nous ; des regards brillent et
se perdent ; sur l'herbe une rosée s'exhale ; ou bien un
arbre s'effrange, une chevelure se déploie, comme pour
mieux se diluer en atmosphère ; une colline s'élève vers
sa cime, mais semble aussi, de toute l'harmonie conver-

1. J'adopte les abréviations suivantes : *P* : *La Promenade sous les
arbres*, Mermod, nouv. éd., 1957 ; *E* : *L'Effraie*, Gallimard, 1953 ; *I* :
L'Ignorant, Gallimard, 1957 ; *O* : *L'Obscurité*, Gallimard, 1961 ; *El* :
Eléments d'un songe, Gallimard, 1961 ; *CS* : *Airs*, dans les *Cahiers du
Sud*, n° 361 ; *NRF* : *Airs*, dans la *NRF*, juin 1962.

gente de ses lignes, se prolonger, s'ouvrir au-delà de celle-ci dans le tremblement incertain d'une aube ou d'un soir. «Pareilles à des fumées», les montagnes possèdent à Grignan une «légèreté de buée» (*P,* 64), et celui qui les contemple surprend chaque jour en elles le miracle, délicieusement progressif, d'«une pesanteur changée en souffle» (*P,* 66). «Ne rien rompre», mais «changer imperceptiblement pour finalement se confondre avec l'air» (*P,* 119) : ce vœu essentiel entraîne ici un double mouvement ; il réclame à la fois notre envol au-dessus du monde et l'insensible volatilisation de celui-ci. La matière s'élève donc, s'aérise avec nous, devient nuage ; l'épaisseur se mue en une sorte de poudre éparse et suspendue. La traverser, dit merveilleusement Jaccottet, «c'est fêter de la poussière allumée» *(CS).*

Au bout de sa métamorphose, le grain de poussière s'efface donc en un point de clarté. Pleinement aéré, l'objet devient lumière. Mais attention : cette lumière qu'invoquent et célèbrent tant de textes de Jaccottet, ne peut, ne doit même pas être absorbée par la conscience qui vise à la saisir. Insaisissable, elle l'est d'abord de par sa diffusion : point de soleils dans ces paysages du Midi ; point non plus, comme chez d'autres amoureux de la lumière, Baudelaire par exemple, ou Mallarmé, de ces pierres précieuses qui ne concentreraient en elles la limpidité qu'au prix de son durcissement et de sa clôture. L'éclat transparent demeure ici étale, homogène ; ni foyers ni limites n'en viennent brutaliser la fluidité. Mais cet étalement ne recouvre pas non plus qu'une paralysie : l'air palpite au contraire, il bouge, et c'est sans doute son frémissement qui l'amène à s'illuminer. Les cieux les plus brillants sont en effet pour Jaccottet ceux qu'agite, que brasse, que mélange sans cesse à eux-mêmes cette vitalité particulière à l'espace, «cette animation et cette vigueur de l'air» (*O,* 136) : le vent. Éventée, parcourue par exemple par la sèche violence du mistral, la transparence devient vivante, *scintillante.* Entendons sans doute que les divers atomes d'air, ces morceaux de «poussière allumée» dont Jaccottet nous parlait tout à l'heure, y entament sous sa poussée une sorte de danse qui les oblige à se heurter, à s'épouser et à se renvoyer, bref, à s'activer mutuellement, la lumière n'étant rien d'autre peut-être que la somme exaltée de leurs rapports. L'effervescence interne de l'espace, l'émotion, toute relationnelle, de ces minuscules et infiniment nombreux grains d'étendue provoquent alors comme une illumination de l'altitude. La lumière n'est ainsi sans doute que «le mouvement de la lumière au sein de la lumière» (*O*, 141) : à la fois source et but, commencement et terme, ardeur pleinement immanente à elle-même et force qui nous entraîne sans répit à son propre dépassement, elle veut nous pousser, ou peut-être nous aspirer quasi physiquement dans le vertige de son horizon sans horizon, vers une ouverture infinie de l'être. Livrés à «l'air plus léger que l'air» (*I*, 65), nous passerons ainsi «à travers toutes ces portes que le vent, la lumière nous ouvrent» (*E*, 35), «à travers des cloisons à mesure emportées vers un but plus limpide à mesure et plus haut» (*I*, 78) : «enfilades de portes invisibles», «spirales de transparences» (*P*, 60), dont l'irrésistible glissement semble vouloir nous transporter au cœur de la lumière, et peut-être même au-delà de ce cœur, en une région où il n'y aurait plus ni ombre ni lumière, dans ce là-bas absolu auquel n'ont jamais cessé de rêver mystiques et poètes.

Ce mouvement n'est point cependant dénué de risques : Philippe Jaccottet s'en aperçoit bien vite, comme s'en étaient avant lui aperçus tant d'autres rêveurs de l'invisible, Rilke par exemple, auquel il nous fait souvent songer. Il y aura d'abord le danger d'une immobilisation, d'une sorte de paralysie de la limpidité, qui provoquera fatalement une extinction de la lumière et un écroulement de la hauteur. Si en effet «le vibrant séjour» s'arrête de vibrer, les morceaux de clarté que seul leur incessant commerce réciproque avait revêtus du don d'irradiation et de suspens redeviendront tout simplement grains de poussière. C'est le cauchemar d'un ciel soudain opacifié et affaissé, la menace d'une lumière qui « s'enténèbre de poussière en peu de jours » (*I*, 48), d'une étendue qui se voit avec horreur envahie par le « spectre » (*I*, 79), le « tourbillon » (*O*, 83) de la poussière. Il nous faut reconnaître en ce tourbillon un mouvement foncièrement maléfique, non plus le départ en spirale de tout à l'heure, ni le subtil lacis relationnel que le vent et les heures tendaient, pour le cloisonner et le vitaliser, au sein de l'invisible, mais une sorte de maelström aérien dont la circularité, toujours davantage affolée et refermée sur elle-même, viserait seulement à nous projeter vers le bas, sur le sol, contre cette épaisseur néfaste que nous avions cru, trop facilement sans doute, pouvoir métamorphoser en transparence.

Mais si Jaccottet redoute, comme les anciens Gaulois, que son ciel ne lui tombe un jour sur la tête, il envisage avec une égale appréhension la perspective inverse, celle d'une étendue infiniment fuyante et que nous ne pourrions plus dès lors peupler d'aucun mouvement humain. Il n'y a pas finalement moins de malaise à se trouver pris dans les spirales ascendantes de l'ouvert que dans les tourbillons descendants de la poussière. Car l'ouverture se mue bien trop facilement en gouffre, et le ciel-abîme a tôt fait alors de nous abandonner derrière lui, sans que nous puissions imputer avec certitude cette fuite à un refus de l'être ou à une carence humaine. Le sûr c'est que, seuls désormais, douloureusement décollés de l'étendue, nous nous retrouvons sur cette terre, au contact du réel le plus hostile, le plus lourdement matériel :

> Tout s'éloigne et à quelle distance
> ou serait-ce moi qui vous quitte
> sans avoir l'air de faire un pas ?
> Seuls sont proches les ennemis,
> toujours plus proches à mesure
> que les choses perdent leur poids (*I*, 22).

Voici donc que l'allégement, que l'évidement rêvé des choses comportent comme corollaire mon rejet au niveau le plus suffocant de l'expérience. Conséquence, peut-être, d'un péché d'angélisme, ou d'une tentation d'irréalité : pour avoir refusé la densité, je m'y trouve malgré moi replongé ; pour avoir voulu aller trop haut, je suis ramené de force au plus bas.

Que faire alors ? Faudra-t-il délaisser le ciel et la lumière puisque, par définition déjà insaisissables, ils risquent en outre de nous entraîner vers les plus cruels déboires ? Mais comment d'autre part renoncer à une quête qui donne de toute évidence à notre vie son prix et son sens ? La solution, suggère Jaccottet, consisterait peut-être à accepter à la fois toutes nos coordonnées spirituelles, même si elles paraissent d'abord se contredire : à assumer en même temps en nous le vœu d'illimité et la nécessité de la limite. Il faudrait pour cela adorer certes la lumière, mais en l'inclinant à nouveau vers la terre, en l'attachant à des objets humains et à des réalités familières, en la posant sur des surfaces, en l'introduisant en des substances, bref, en lui donnant — et cela sans rien perdre de sa qualité instable, volatile — un poids, une saveur. Toute l'entreprise de Jaccottet vise à la réussite d'une telle opération : un peu comme pour André du Bouchet, il s'agira pour lui, à partir de la transcendance d'un *là-bas,* de retrouver la présence comblante d'un *ici,* de diviniser en quelque sorte l'immanence. Mais alors que Du Bouchet n'opère ce retour, un retour jamais d'ailleurs définitif, qu'à travers une suite harcelante de négations et de ruptures, Jaccottet, fidèle aux schèmes de continuité qui sont les siens, cherche à apprivoiser l'éclat transcendantal et à l'installer doucement, presque tendrement, au cœur recréé d'une intimité. Au mouvement de l'essor succède ainsi pour lui celui d'une redescente, mais d'une redescente qui voudrait préserver, et même, s'il se peut, prolonger en elle toutes les découvertes de l'envol. Jaccottet s'écarte ainsi de Rilke, chez qui la conversion à l'homme et à la mort laisse subsister, au-dessus du destin terrestre souhaité, l'inaccessible vérité des anges. Ici point d'ange séparé, point de dieu qui vive dans l'écartement : le divin, s'il existe, se laissera surprendre à fleur de sol, et l'herbe sera le tapis choisi de la légende. Faire que la splendeur aérienne revienne en profondeur transfigurer la terre, tout en étant elle-même transformée et comme une deuxième fois illuminée par cette traversée ; amener la lumière, volontairement prisonnière des ombres, des obstacles, à découvrir dans la limite la source d'un rayonnement plus vrai ; explorer alors le mystère d'une opacité éclairante ; interroger le double paradoxe d'une infinité saisissable et d'une familiarité insaisissable, telle sera pour Jaccottet la première tâche de la rêverie. Tâche maintes fois par lui méditée et décrite, mais qu'il nous faut maintenant épouser en son accomplissement vécu, à travers les bonheurs de l'imagination.

Pour me défendre du vertige de l'air, pour l'empêcher de « m'entraîner » en « une absence éblouissante ou embrumée » (*E*, 137) où je ne pourrais que me dissoudre, il me faudra donc opérer une conversion de l'étendue : la retourner vers son propre dedans, la refermer en quelque façon sur elle-même, et sur moi. C'est le rêve, souvent caressé par Jaccottet, de la *maison d'air,* espace où je me trouverais à la fois recueilli et suspendu, livré à l'ambiguïté d'une limpidité-paroi. Des toiles — voiles, draps, linges étendus — pourront claquer ainsi autour de moi : tissus dont la légèreté flottante se situera à mi-chemin entre la densité des montagnes (celles-ci deviennent chez Jaccottet étoffes, avant de se muer en vapeurs ou en buées) et l'excessive volatilité de l'air. Mais il existe une cloison d'espace plus transparente encore que la toile, et plus heureuse aussi, parce que plus lumineuse, plus fluide, plus mystérieusement accordée à l'impalpabilité de la hauteur : c'est la *pluie,* qui nourrit ici une rêverie originale. Dans la pluie, c'est la lumière même qui de toutes parts me baigne et me protège : mais une lumière qui s'écoule, s'éparpille, une diaphanéité-substance, une ardeur adoucie en tiédeur. En elle je puis caresser la limpidité, comme une soie : en elle je puis surtout me recueillir puisqu'elle étend autour de moi, comme « des roseaux liquides », ses « rideaux de verre », sa « cascade très grise », son « étrange abri de brumes..., d'ombres brillantes » (*E,* 56). M'y voici replacé dans le bonheur d'un scintillement fondu, d'une liquidité à la fois fragile et régulière, et aussi d'une humilité : car si le voile pluvieux recrée autour de moi un cercle intime — intimité qui reste miraculeusement aussi liberté et ouverture —, je ne dois pas oublier que la pluie *tombe,* et qu'elle a pour projet essentiel de ramener au sol, vers notre *ici,* puis d'enfoncer doucement dans l'épaisseur terrestre, comme un fragment de vérité future, l'incompréhensible éclat de l'au-delà.

Cette lumière que la pluie a penchée vers nos surfaces, l'y voici donc maintenant couchée et rassemblée, devenue eau courante. S'il aime peu les lacs ou les mers — leur liquidité, trop massive, ayant toujours tendance à s'engourdir ou à s'obscurcir —, Jaccottet adore les rivières, et plus encore peut-être les ruisseaux, dont la minceur, la véhémence encore discrète, la tendre volubilité semblent vouloir n'accepter en elles la clarté que pour mieux la faire circuler à ras de terre. Ce qui séduit ici l'imagination, c'est un mariage de la fraîcheur et de la brisure. Dans ces eaux vives, nous voyons la transparence se mêler et se caresser en quelque sorte à elle-même : mais nous aimons aussi qu'elle se casse, se poursuive, se rétablisse à chaque choc, et de la manière la plus imprévue, comme si nous n'en pouvions goûter vraiment la pureté qu'en la découvrant à tout moment perdue et recréée, présente et dispersée, insaisissable. Car « c'est l'eau qui saisit la lumière, la brise, la prodigue dans un rire attirant, comme si nous allions trouver là une demeure pleine d'enfants ou de très jeunes filles » (*P,* 85) : eau, demeure chaste *parce que* brisée, et rassemblée autour de nous *parce que* éclatée, rieuse, infiniment prodigue de nous, et d'elle-même... Sa nature successive la fait participer à la magie de la durée. Elle est, comme le temps, « ce qui nous consume, mais aussi cette fraîcheur exquise qui nous enveloppe, ces ruptures de la lumière, ce ruissellement purifiant» (*E,* 101). Si bien que l'idéal serait de pouvoir affirmer comme Claudel — et comme Char, bien que chez lui la rêverie des eaux courantes possède une intention quelque peu différente : «J'habite à l'intérieur d'une cascade. »

Plus satisfaisant encore que le monde successif des eaux — pluies, ruisseaux ou cascades — sera l'univers sous-jacent où elles abritent le plus souvent leur aventure : celui du végétal. Tout y appelle en effet au geste de l'enfoncement :

> Forêt marine à l'aurore,
> Touffue et trempée de vent,
> J'entre et je suffoque en toi (*I,* 25),

peut écrire ainsi Jaccottet en un immédiat élan de poésie. Nous voici, après l'écoulement de la rivière, plongés dans la magie d'une substance obtuse, dense, immobile, saturée cependant d'impalpable et de futur : souffles marins, vents, clarté pressentie de l'aube... Les mots eux-mêmes traduisent admirablement ici toute la complexité du vécu végétal : la violence initiale des *t* (*t*ouffue, *t*rempée, en*t*re) y marquant la force passionnée de la plongée, l'élégiaque tremblement des *f* (*f*orêt, tou*f*fue, su*ff*oque), modulé par le *v* de *v*ent et la plus dure vibration des *r* (fo*r*êt, ma*r*ine, t*r*empée, au*r*o*r*e, ent*r*e), y mimant une sorte de respiration de l'épaisseur, et celle-ci tantôt s'y creusant vers l'ombre, avec les *en* ou les *ou* profonds de *tou*ffue, tr*em*pée, v*en*t, *en*tre, tantôt s'y ouvrant vers l'étendue et la lumière (mais une lumière et un espace peut-être encore tout intérieurs) avec les voyelles les plus généreusement épanouies : *au*ro*re*, for*êt*, t*oi*... Nous pouvons alors accepter, voire reprendre à notre compte l'énigme finale de cette suffocation souhaitée — une suffocation qui s'affirmerait comme notre souffle le plus vrai — et de ce tutoiement, qui est à la fois prière et amitié.

La valeur rêveuse de l'arbre tient donc à son dynamisme ambigu. Il est «quelque chose qui se nourrit du sol pour mieux s'élever vers la légèreté des hauteurs en éclairant, en animant ce qui l'entoure» (*E,* 76). Surgi vers une altitude, et souvent, on l'a vu, effrangé, presque dissous en elle, il s'enracine cependant en une profondeur, reliant donc, par un mouvement léger comme une flamme, le plus épais et le plus volatil, les obligeant à communiquer, peut-être à se nourrir, à s'engendrer l'un l'autre. Mais s'il résout ainsi en lui la contradiction inhérente à tout espace, c'est bien à cause de son humilité, de sa fidélité tenace au plus bas de notre condition : organiquement attaché à notre terre, il réussit, et cela surtout sous sa forme la plus fragilement étalée, la plus herbeuse, à en recueillir en lui les valeurs essentielles. L'herbe, si amicalement célébrée par Jaccottet, sera donc le tissu aéré mais sombre, l'espace de nuit, de caresse et de frémissement en lequel se résumera le plus pur de notre horizontalité. Nous reconnaîtrons en elle comme une perfection de la surface, ou, si l'on veut, de la limite : mais d'une limite entrouverte et intimisée. C'est comme si le plan, las de son univalence, se dépliait vers un dehors, tout en se repliant vers un dedans — et en demeurant plan ; ou comme si l'écorce devenait à la fois mousse et maison. Dans l'herbe résident, et c'est là ce qui fait son prix métaphysique, l'évidence de notre pesanteur et de notre opacité, le signe aussi de notre précarité, l'annonce donc de notre mort. A travers cependant ses «bras merveilleux» et ses «ruisselants cheveux» (*I,* 19), dans son humidité «cachée» et «parfumée» (*P,* 56), dans la perspective d'un approfondissement tout à la fois spatial et temporel en lequel se dévoilent à nous nos plus «épaisses couches de temps» (*O,* 154), souvenirs enfantins ou schèmes légendaires, ces révélations n'apparaissent plus amères : nous comprenons qu'elles nous introduisent, et avec quels amoureux ménagements, quelle délicatesse, à une poursuite authentique de l'être et de nous-mêmes. Point de lumière en effet, nous le savons, qui ne doive s'avérer au cœur d'une ombre, d'une mort. Le chemin qui mène à la clarté devra passer par tous les étouffements de ce néant tendrement humain, notre existence : une existence qui se nomme ici arbre, sous-bois, taillis, prairie.

Forêt ou herbe constitueront donc pour Jaccottet tout à la fois la négation, le champ, le nid de la lumière. Il prendra « le chemin sous les arbres au bout duquel une lampe éclaire » le lieu d'un avènement possible (*E,* 129) ; il écoutera parler à voix basse le « feu sous les arbres » (*I,* 40) ; il tentera de lire le message des « constellations au fond des forêts » (*E,* 135), regardera passer « une charrette avec des meubles blancs dans le sous-bois des ombres » (*E,* 50). Mieux encore, il essaiera de surprendre, au plus obscur des feuilles et des tiges, les signes d'une nuit métamorphosée en jour : moment où la lumière « écrit sur l'herbe avec une encre légère » (*I,* 18), où « déjà, par l'appel le plus faible touchée l'heure d'avant le jour se devine dans l'herbe » (*I,* 33), où, plus simplement encore, « l'aube est dans l'herbe humide » (*E,* 50). Cette naissance lui aura d'ailleurs été souvent annoncée par le lent glissement à travers les branchages d'un astre en lequel la lumière n'existerait encore qu'à l'état d'incertain reflet, d'attente, presque d'autonégation : la lune. Transposée en d'autres registres de la sensibilité, la même rêverie y interrogera le mystère des « voix sous les tilleuls » (*I,* 41) — tilleul, dont l'essence est de s'exhaler, à la fois par son tremblement et par son parfum — ou la magie d'un chant d'oiseau surgi dans le silence, tout proche et cependant insaisissable, intime et infini, ainsi « le cœur du merle » qui « bat dans le lierre sombre » (*E,* 28).

Un mariage pourtant d'ombre et de lueur sollicite avec prédilection l'imagination de Jaccottet : car il accole l'un à l'autre les deux bonheurs, par nous déjà reconnus, d'une limpidité-substance — les eaux courantes — et d'une opacité aérisée — l'herbe des champs. Nul doute que le « frémissement des froides eaux dans l'herbe » (*E,* 76), que le « bruit de la rivière qui coule derrière la forêt » (*I,* 42) ou que la découverte d'une source au cœur de la touffe végétale (« Sous l'herbe ta beauté ruisselant fut ma source / Celle qui dissimule aux regards sa clarté. / Tu as été le lit du plus parfait silence » *E,* 40) ne représentent ici des impressions-mères, longuement reprises, médi-tées, par rapport auxquelles vient s'ordonner et prendre sens tout un univers imaginaire. Peu de sensations plus exaltantes que de voir, au printemps,

> Les eaux abondantes descendre
> Aux degrés d'herbe ou de roche *(NRF)*

ou de surprendre, au cours d'une randonnée en Corrèze, des milliers de « minces veines d'eau étincelante, irrégu-lière comme les lignes de la main », assurant l'irrigation naturelle d'un paysage de pierre et de châtaigniers (*P,* 89). Ce ruisseau qui glisse dans « l'humide maison des plantes » (*I,* 49), ce n'est point par combat, mais au contraire par complicité, tendre et frêle tangence, qu'il y traverse, y dépasse, y assume leur ombre. En elle sa limpidité trace certes une route, dessine la ligne possible d'un passage : mais celui-ci ne s'y insinue que grâce à leur soutien et comme à leur nourriture de nuit. Entre les principes du clair et de l'obscur, du dense et du volatil, du bas et du haut, cette rêverie de l'eau qui coule dans les prés établit ainsi bien mieux qu'une rencontre : un rapport nécessaire, vital, de réciprocité. Ce rapport, Jaccottet l'y fait exister sans crispation : son don du pro-grès insensible et des transitions heureuses l'amène à ne rêver l'affrontement des mondes ennemis qu'au moment, au niveau où chacun d'eux s'est à demi métamorphosé en l'autre. Car l'herbe est un peu air déjà, et l'eau alourdit en elle la volatilité spatiale. Là où Char, par exemple, cherche à faire jaillir une étincelle de l'exaspération et du choc des antinomiques, ainsi dans le heurt du roc le plus dur et du ciel le plus vide, Jaccottet poursuit sa vérité dans un univers de franges, à travers l'interne contestation des demi-teintes. Mais que la rêverie les y mette en rapport de caressante familiarité, presque d'osmose, n'enlève rien à la rigueur des deux termes qui continuent à s'y contredire. Herbe et ruisseau, lune et feuillage poursuivent bien ici le vrai débat : le dialogue de notre ombre et de notre clarté, l'hypothèse de ce qui sera peut-être, posée à travers la relation rêvée de ce qui est et de ce qui n'est pas.

Qu'être et non-être, vie et mort achèvent maintenant de glisser l'une dans l'autre, tout en préservant encore leur plénitude, que nous les retrouvions tous les deux installés au cœur d'un *même* objet, d'une *même* substance, et ce sera la grâce, souvent évoquée par Jaccottet, d'une densité naturellement éclairante, d'une opacité diaphane et comme illuminée de l'intérieur. La lumière ne vient plus se poser alors sur l'épiderme de l'objet, ni même en épouser l'obscur tissu : « Sa source était plus invisible qu'une vraie source sous les arbres, elle semblait émaner du dedans de la terre, du cœur de la roche » (*O*, 145). Devant certains espaces terreux, l'ocre rugosité par exemple de tel champ méridional, et à certains moments choisis, aube, crépuscule, dont on verra plus loin le prix poétique, Jaccottet a l'impression que la lumière leur est « intérieure, comme à une lampe ou à un feu » (*O*, 144), que brille devant lui le « dedans des choses », que « le monde rayonne de sa lumière intérieure », qu'il lui apparaît « dans sa gloire » (*P*, 55), transfiguré au niveau même de la réalité — la matière inerte — qui semblait devoir s'opposer avec le plus de force à toute transfiguration. C'est d'une lumière semblable, ajoute-t-il, que lui semble baigné maint poème de Hölderlin : lumière d'une transcendance naïvement issue de l'immanent, d'une ombre qui éclairerait, d'une simplicité divine, et comme naturellement signifiante. Heureuse, ou innocente, la poésie parvient à reproduire en elle un tel langage. A la fois légers et denses, j'allais dire denses de légèreté, les *Airs* de Jaccottet retrouvent quelquefois cette réussite d'un poids évaporé, d'une matérialité irradiante. « Mesure tremblante », clarté qui s'équilibre dans l'obscur, « espèce de suspens vibrant et sourdement sonore » (*E*, 137), la poésie installe alors jusque dans les mots qui la déroulent l'énigme d'une opacité voluptueusement volatilisée en sens. Ainsi dans ce petit poème, où signifiant et signifié s'éclairent pour nous de la même luminosité, tendre et mortelle :

> Dans l'enceinte du bois d'hiver
> sans entrer tu peux t'emparer
> de l'unique lumière due.
> Elle n'est pas ardent bûcher
> ni lampe aux branches suspendues.
>
> Elle est le jour sur l'écorce
> l'amour qui se dissémine,
> peut-être la clarté divine
> à qui la hache donne force *(NRF).*

Cette « clarté divine », à peine cependant l'avons-nous saisie dans l'arbre qu'elle s'y « dissémine », tout comme l'amour, ou s'y égare, la hache retombée. Le bonheur poétique dure peu. Essentiellement instable, volatil, il nous fait participer de manière à la fois exquise et déchirante à la rapidité d'un temps. Nous voici jetés par lui au contact d'une autre limite, plus angoissante encore que celle que nous imposait l'horizontalité fermée de notre sol. La durée nous contraint plus tragiquement sans doute que l'espace, puisque rien, ni sourire, ni transparence, ni lumière envolée, ne nous permet d'éluder la certitude d'une fin. Obsédante, l'image de la mort, de notre mort lointaine certes, mais aussi de la mort immédiate de chaque instant vécu, de chaque parole prononcée, vient alors frapper d'inanité ou grever de mauvaise foi tout simple essai de réussite humaine. Un profond pessimisme du temps colore ainsi l'œuvre de Jaccottet. Évoqué de manière directe et élégiaque dans les premiers poèmes, il nourrit ensuite mainte figure de cauchemar. C'est par exemple, dans le champ humoral, l'obsession de l'*hémorragie,* sang qui se perd, qui souille, et dont l'épanchement opaque signifie le progrès d'une sorte de négation affreuse et absolue, non point aveu mais vidange et défection de l'être, expansion vers rien, pour rien, non-sens. Ou bien, dans le registre des formes et des lignes, c'est l'angoisse de la *déchirure*, le rien de Jaccottet n'étant pas un sommeil confortable, « une douce absence cotonneuse », mais « un rien hérissé, armé, épineux : des lames affilées sur lesquelles on nous jette » (*O*, 49) et dont l'aigu a tôt fait de mettre en pièces la continuité rêvée de notre vie. Autre figure sensible du néant, toute proche d'ailleurs de l'horreur déjà analysée de la poussière : la multiplicité éclatée des êtres, « cette prolifération de mouvements et de mots », « cette infinité de jours, d'objets, de pierres » où nous pouvons lire comme un « pourrissement du cadavre divin : prolifération, liquéfaction, vermine » (*O*, 37). Toutes ces images de la mort la font se dresser devant nous comme l'obstacle absolu, la limite véritablement infranchissable.

Pourtant, en un paradoxal et central retournement, Jaccottet décide d'accepter cette limite, et même d'en rechercher l'épreuve. Puisque la mort constitue notre vérité la plus indubitable, c'est par la mort qu'il nous faudra passer si nous voulons trouver, en nous et dans le monde, quelque chose qui dépasse la mort. Renversons donc les termes du problème : ne fuyons pas notre mortalité, mais assumons-la bien au contraire, cultivons-en ardemment les signes, les images, ce sera le meilleur moyen de nous élancer au-delà d'elle. Comme nous nous étions déjà enfermés dans le fini de notre espace pour en découvrir ensuite le rayonnement infini, limitons-nous à notre humble durée, et nous la verrons peut-être s'ouvrir à quelque suggestion d'éternité. De terme tragique qu'elle était, muons notre mort en une source d'énergie, faisons de notre fin l'origine passionnée de tous nos actes. « Nous volions, écrit ainsi le narrateur de *l'Obscurité*, sans avoir oublié qu'à ce vol il y aurait une fin nécessaire ; mais cette fin... était en même temps le moteur de notre course : renversant presque follement les termes, il [le maître] voyait dans la mort l'élément premier de la vie, dans cette obscurité absolue la flamme, dans cette cible, étrangement, la force même qui tendait l'arc » (*O*, 147). C'est l'exercice imaginaire d'une telle « folie » qui donne à l'entreprise de Jaccottet son sens, sa saveur toute particulière. Elle consiste à saisir rêveusement l'être dans la pratique de ce qui semblait le nier, et à retourner en une affirmation cette expérience négative. Pivotement ontologique dont toute la pensée de notre temps semble vouloir explorer les conditions, et dont la poésie moderne — songeons à Bonnefoy, à Du Bouchet, à Dupin par exemple — illustre la fécondité. Mais si le choix d'une négation-ferment retrouve chez Jaccottet certaines tendances très vivantes de la spiritualité contemporaine (elle-même héritière en cela de courants mystiques fort anciens), les chemins auxquels ce parti pris l'entraîne lui restent personnels. Il est le seul par exemple aujourd'hui à pouvoir se chuchoter, en mineur, et avec un exquis feutrage d'expression, cette romance de la nuit traversée :

> Entre maintenant dans l'ombre
> avec l'ombre en main pour lampe
>
> Pour seul laurier à tes tempes
> Orne-toi de songe sombre
>
> Prends pour guide le danger
> pour compagnon l'étranger
>
> Par l'ignorance conduit
> franchis l'ignorante nuit *(CS)*.

Reste à savoir comment l'ignorant réussira à franchir *réellement* l'ignorante nuit... Comment son imagination va-t-elle permettre à Philippe Jaccottet de retourner l'obscurité en jour et le désespoir en espérance ? Contre le rien, comment lui accordera-t-elle de tenir, sans tricher, son pari ?

Elle pourra s'en prendre tout d'abord à l'une des formes les plus douloureuses de la négativité du temps, celle qui nous signifie notre éloignement, et comme notre exil de l'origine. Chaque jour — et nous songeons ici à Nerval, à Hölderlin — nous écarte un peu plus de notre intégrité première. La durée, c'est l'espace quotidien en lequel les corps s'usent, les sentiments s'épuisent, les objets se ternissent, duquel les « dieux » semblent peu à peu se retirer. Mais ce retrait, et voici un premier retournement imaginaire, pourquoi ne pas le vivre comme une sorte de contact second ? L'être nous semblera plus proche alors en son lointain et en sa fuite — en son insaisissable — qu'il ne l'eût été en sa contiguïté. Nous utiliserons la fatigue même de l'objet comme un moyen d'en ressaisir et d'en entretenir la flamme : comme chez tant d'autres poètes du lointain, Baudelaire, Nerval, Verlaine, Mallarmé, le *fané* se chargera de nous mettre en rapport avec l'infinie distance. En un paysage onirique Jaccottet saisira ainsi l'écho « d'une fête ou cérémonie lointaine » : tout un décor d'exténuation sensible, « colorations d'une richesse éteinte, paraissant amassées dans l'épaisseur plutôt qu'étalées en surface », épaisseur d'où la richesse colorante pourra bien évidemment resurgir, « vêtements de paysans usés, drapeaux délavés, bleus de ciel blanchis par la chaleur d'août, rouge des vieux sangs ou de roses fanées », y prépare à l'avènement de quelques éclairs d'être, « éclats d'épée, stridulation de flûte suraiguë, son d'une trompe à travers les brumes », toutes choses qui réveillent en nous, dit Jaccottet, « le pas des dieux » (*E,* 140). Ce choix du fané n'encourage cependant pas en nous la nostalgie : car, plus encore qu'avec l'être perdu, il nous met en rapport avec la force qui nous en écarte, avec la puissance même qui nous fane, c'est-à-dire avec l'interne vitalité de la durée. Le fané nous conseille ainsi de « nous laisser porter par le temps » (*E,* 85), et d'en éprouver les atteintes comme des signes, ou des grâces. « La fragilité et l'obscurité, le manque d'appuis, la solitude » (*E,* 141), « la femme dont la beauté change et se fatigue » (*E,* 130), « l'irrésistible usure des corps » (*E,* 134), tout cela nous l'accueillerons désormais sans révolte, avec reconnaissance même : car nous y trouverons, derrière une façade de négativité, les indices d'une vérité très éclairante, celle qui fait de nous des vivants.

Cette vie, nous serons alors tentés de la surprendre au plus près de son énigme, dans l'opération qui, à chaque moment, nous fait et nous défait, nous efface et nous crée de cet effacement lui-même. Nous chercherons dans la vibratilité pure des instants un moyen d'accéder au mystère de l'être. « Un seul baiser, une aile, une plume, un peu de paille », cela nous suffira pour opposer une barrière « à la mer illimitée des plaintes » (*E*, 95). Dans le bonheur momentané que nous apporteront ces objets ou ces actes, nous saisirons en effet comme une absolue limite temporelle, comme un point ultime du vécu où l'existence s'appréhenderait elle-même, tout à la fois périssable et lumineuse, lumineuse parce que périssable. Le brin de paille brille de tout l'éclat de sa minceur, de sa précarité (c'est comme un brin de paille que l'enfant « tient le temps serré dans sa main », *I*, 9). Aile ou plume ne nous caressent, ne s'envolent, n'existent en somme qu'en raison même de leur peu de conviction à être. Et le plus fugitif sera le baiser le plus profond. La négativité du temps s'annule donc en quelque sorte à travers ces réalités heureuses, ne laissant subsister derrière elle que quelques attributs bénéfiques : légèreté, volatilité, luisance, ténuité.

Il nous faut d'ailleurs noter que Jaccottet n'aime pas à risquer son alchimie de la durée dans des régions ou des substances qui risqueraient d'en bloquer le si souple exercice. Alors que Bonnefoy, par exemple, n'hésite pas à éprouver une dialectique un peu semblable à travers les réalités les plus refusées, les plus durement hostiles, ainsi roc, boue ou sang, Jaccottet se cantonne dans le registre plus protégé du frêle, de l'évasif, du gracile, j'allais presque dire du gracieux. Cette répugnance l'amène à laisser en dehors de son entreprise salvatrice quelques substances décisivement maléfiques et qui resteront jusqu'au bout affectées d'un indice de négativité : le sang justement, ou la poussière. Rien ne les rédimera, et nous demeurerons sans défense, l'histoire contée dans *l'Obscurité* le montre bien, contre leur contagion et leur horreur. Jaccottet

s'avoue donc impuissant devant certaines formes concrètes de la souillure et du mal, celles sans doute qui
relèvent de « l'immobile mort » : la mort *mobile,* dont il
poursuit partout l'insaisissable image, le séduit au contraire
parce qu'en elle le principe de mouvement semble à la
fois poser et annuler la nécessité mortelle. J'ajoute que
cette mobilité pourra jouer dans les directions les plus
diverses · : horizontale, elle deviendra volubilité, délire
actif de succession et de métamorphose, ainsi dans l'eau
courante (si heureusement mariée, sur ce plan encore, à
la fragilité menacée de l'herbe) ; verticale, elle prendra la
forme de l'évaporation, ou de l'exhalaison vibrante (ainsi
dans l'image, si satisfaisante, de la « tremblante tige de
roseau cueillie au bord d'une eau rapide », *I,* 77). Mais
cette instabilité ascendante de l'objet, n'est-ce point à elle
justement que Jaccottet confiait déjà son vœu d'envol,
de libération aérienne ? Ce que nous avons perdu dans le
registre du temps, nous l'aurons donc peut-être regagné
dans celui de l'espace : le même glissement qui nous mène
à la mort pourra nous conduire aussi au ciel, vers la
lumière. Passer, n'est-ce point encore dépasser ?

Si l'instant peut nous être ainsi, de toutes les façons,
lieu de passage, c'est que son essence le voue à l'ouverture.
Jaccottet ne le tient pas pour un petit point étanche de
durée. Rien en lui non plus d'angulaire, ni même d'éclatant
ou de déchirant, et ceci sépare définitivement notre poète
d'autres amoureux du présent, mais d'un présent-foudre,
comme Saint-John Perse ou René Char. Roseau qui
tremble, œil qui luit, voix ou rire égrenés, l'instantané
nous arrive ici déjà tout enrobé de transparence, telle une
« larme ou une faible flamme dans du verre » ; et il se
prolonge, en nous quittant, par un précieux halo d'irradia-
tions, « brume une seule seconde sur l'astre des yeux
brûlants » (*I,* 17). Nous comprenons alors que ce moment
frangé puisse, mieux que tout autre, se prêter au jeu
latéral des associations ou des osmoses. Ses marges lui
sont l'espace transitif où rechercher et épouser d'autres
instants semblables. Par-delà la ponctualité négative du

présent, se reconstruit ainsi une sorte de lié de l'existence : et nous apercevons alors que cette liaison ne s'exerce pas seulement dans l'horizontal d'une continuité temporelle, mais qu'elle joue aussi dans l'espace beaucoup plus complexe où s'établissent relations et significations humaines. Elle nous permet de passer à la fois d'une sensation à celle qui la suit, et d'une conscience solitaire à un autre éclat lointain de conscience. Ainsi se crée, à partir d'une succession et d'un éparpillement d'abord tout négatif de lueurs, de gestes, de paroles vides, un espace vivant d'intersubjectivité. Tel est du moins le vœu que prononce Jaccottet dans *l'Ignorant* :

> Des lumières dans l'air et d'autres dans les glaces,
> des gens qui passent et d'autres immobiles,
> toutes ces voix parlant, projetant, trahissant,
> qui interrogent et qui parfois répondent...
> Qu'éternellement se croisent ces voix mourantes
> pour tisser un voile de vie (*I,* 15).

Un croisement de données absurdes et inertes qui aboutirait à leur «tissage», puis à leur avivement réciproque, à leur scintillation : c'est bien là, déjà analysé à propos du passage de la poussière à la lumière, le schème sensible dans lequel Jaccottet enferme sa plus solide espérance de salut. Les très beaux poèmes du *Livre des morts* vérifient concrètement cet espoir : ils nous montrent comment, au-dessus du vide et du délitement universels, mais à partir d'eux tout aussi bien, peut se tendre un triple réseau d'espace, de temps et de langage qui absout en lui le sentiment, peut-être même la réalité du rien.

Mais comment ce réseau a-t-il *commencé* à se tisser ? La rêverie ne se contente pas d'en appeler ou d'en constater l'heureuse opération, elle veut aussi en suivre la genèse, et tente pour cela de se placer non plus au cœur de l'instant, mais dans ses marges, au plus incertain de cette zone où s'en opèrent véritablement la mutation et le dépassement. Vivre à l'extrême bord de la durée, cela signifiera cultiver le *presque,* sous son double aspect

du *bientôt* et du *ne plus ;* cela entraînera le goût du retard
et des derniers échos, celui inversement des imminences.
Feu de bois qui va s'éteindre sous les branches, hiver sur
le point de s'ouvrir à la chaleur nouvelle d'un printemps,
demi-saisons, minutes qui précèdent l'aube ou prolongent
le soir, Jaccottet chérit tout ce qui lui permet de prendre
sur le fait l'énigme de la frontière temporelle. Ainsi attaché
tantôt aux lisières de l'instant qui finit, tantôt à celles de
celui qui commence, il pourra rêver aussi de tenir à la
fois ces deux limites, s'établissant alors au-dessus même
de l'espace où la durée exerce son pouvoir de renversement
et de métamorphose. Car l'insaisissable surgit bien moins
« dans un lieu que dans ce qui sépare et relie les lieux,
neiges emportées au-dessus des champs dans le gouffre
de l'hiver, jardins qui croissent dans la nuit, et feux glacés
des eaux, s'enfonçant au printemps dans la terre » (*E*, 94)...

Dans l'état le plus accompli de cette rêverie, le temps
semblera s'arrêter un court instant entre deux grains de
temps, la lumière hésitera entre deux états successifs, et
antinomiques, de la lumière. Les merveilleux petits vers
suivants nous montrent par exemple une lune qui, sans
arrêter son glissement, s'équilibre pourtant au moment
de l'aube, ou avant-aube, entre la limpidité passée de son
éclat nocturne et l'ardeur future d'un matin :

> Dans l'air de plus en plus clair
> scintille encore cette larme
> ou faible flamme dans du verre
> quand du sommeil des montagnes
> monte une vapeur dorée.

> Demeure ainsi suspendue
> sur la balance de l'aube
> entre la braise promise
> et cette perle perdue *(NRF)*.

Ce charme d'une transparence arrêtée entre deux transparences, il nous atteint ici grâce à l'extrême subtilité sonore
d'un langage. Dans les quatre derniers vers, par exemple,

l'interne vibration du suspens se transmet jusqu'à nous à travers le tremblement des *r,* la fluidité des *l,* l'effusive douceur des *s* ou des *z,* toutes ces valeurs associées en un accord coulé de mot en mot. La modulation du *b* et du *p,* c'est-à-dire leur rapport double de proximité et d'opposition, nous permet d'autre part de ressentir toute l'ambiguïté de la relation qui s'établit entre la clarté cristalline mourante (*p*erle *p*erdue) et celle, plus large, plus chaude, qui commence (au*b*e, *b*raise). Plus difficile à analyser, le vocalisme contribue sans doute lui aussi à la réussite expressive de cette suspension de jour : ne serait-ce que par l'élargissement que les voyelles profondes et ouvertes (dem*eu*re, susp*en*due, bal*an*ce, *au*be, br*ai*se) apportent à l'instant en réalité très mince de l'aurore, tandis que passé et futur marquent leur double absence par l'acuité légèrement douloureuse, et posée à la rime, des *i* et des *u*. Entre promesse et nostalgie, il semble alors que la déchirure du temps s'apaise, s'engourdisse. Nous nous immobilisons dans le mobile, comme nous nous épanchions tout à l'heure dans le clos. La durée ne nous fait plus mourir, mais être. Elle est la puissance qui se charge, en une succession d'anéantissements, de faire glisser de l'une à l'autre les diverses nuances éclairantes de la vie.

Ces nuances sont pourtant, ne l'oublions pas, contradictoires. Si nous avons approché le mystère de leur enchaînement, nous n'avons pas encore éclairé celui qui les fait tout à la fois, et dans le coulé du même geste, se détruire et s'engendrer les unes les autres. Or, l'originalité de Jaccottet, par rapport à des aventures voisines de la sienne, comme celles de Bonnefoy ou de Du Bouchet, me paraît tenir à ce caractère lié, toujours continué, jamais rompu, qu'y prend la négation-genèse. Si certaines de ses rêveries interrogent en effet l'énigme de la déchirure révélante (ainsi, dans le bois, «la clarté divine à qui la hache donne force», *NRF*) ou celle de l'éblouissement (fusion-fission de l'étendue, vœu d'insérer dans l'ombre «une sorte de lame étincelante pour la disjoindre, la disloquer », *O,* 75), ou celle encore de l'immédiate substitution de terme à terme (ainsi dans l'arbre qui se consume en cendres et en feu [1]), le plus souvent c'est la puissance formante et déformante des images qui, s'exerçant à l'intérieur d'un seul objet choisi, y prépare les voies de sa métamorphose. Je ne citerai que deux exemples de cette mutation d'être obtenue par l'intime logique des analogies. Le premier nous renvoie au domaine aquatique. On se souvient des multiples valeurs — clarté, souplesse, humilité, volubilité — que possède l'eau pour Jaccottet. Mais la même fluidité qui la fait s'écouler si heureusement dans l'herbe lui permet aussi, et sur un autre plan, de glisser d'une extrémité à l'autre de ses possibles valorisations ontologiques. Car il existe une eau-néant, c'est l'eau des larmes, qui creuse les visages, qui ravine les paysages : que ces larmes pourtant s'unissent en un torrent (de larmes...), que ce torrent s'enfonce en une terre printanière, que celle-ci y trouve le germe d'un changement qui tout à la fois la révulse et la rénove, que cette eau de douleur réussisse enfin à féconder le sol, à susciter en lui un nouvel être — et voilà très simplement réalisé, dans le parcours imaginaire d'une seule substance-mère, l'un de ces retournements métaphysiques que recherche ici la rêverie :

> Une semaison de larmes
> sur le visage changé
> la scintillante saison
> des rivières dérangées :
> chagrin qui creuse la terre *(NRF).*

Ou bien ce sera la *lune,* autre luminosité, autre liquidité, qui autorisera une métamorphose un peu semblable. Méditons par exemple les six petits vers de cet autre *Air*

---

1. Chez Bonnefoy aussi l'arbre mort retourne son signe métaphysique en devenant feu ardent. Mais c'est un vieux bois dur, sans âge ni figure, et il se mue directement en flamme. Chez Jaccottet, fort significativement, ce bois est souvent un bois vert et tendre ; et sa métamorphose en feu passe par les transitions gracieuses de la fumée, de la braise, de la cendre...

qui, par le biais d'une simple substitution d'images, nous
font assister à une heureuse traversée du négatif :

> Pour entrer dans l'obscurité
> prends ce miroir où s'éteint
> un glacial incendie.
> Atteint le centre de la nuit
> tu n'y verras plus reflété
> qu'un baptême de brebis *(NRF).*

D'abord négative, quand elle recueille en elle le malaise
d'un feu gelé, où la lumière semble tout à la fois mourante
et paralysée, la lune change de signe dès qu'elle a dépassé
minuit, l'acmé nocturne. Il lui suffit d'évoquer pour cela
l'image faste des brebis, blancheur de laine et de lait,
douceur de naissance et d'innocence. « Agneau, je suis
tombé dans du lait » : cette phrase d'un antique mystère
possède pour Jaccottet, il nous l'a dit lui-même, un charme
inépuisable. Et nous comprenons bien pourquoi : tendre,
ignorant, lumineux, l'agneau nous fait rêveusement traverser l'ombre. Il est l'instrument imaginaire d'une résolution,
lactée et pelucheuse, de l'obscurité en jour. Mais voici
que la lune recueille métaphoriquement ce blanc-brebis
dont elle enchaîne le thème (et la tonalité sonore, ce
tendre jeu du *b* et du *r* qui semble si cher à Jaccottet) à
son complexe premier de l'incendie gelé (du jour absent).
Glissant alors du gel au lait, des sifflantes aux liquides,
du feu frileux à la douceur renaissante, elle nous permet
de passer, et sans se renier aucunement elle-même, de
l'expérience d'un demi-néant à l'avènement, au « bap-
tême » d'un être...
    Une telle réussite suppose cependant qu'au-delà d'une
rigueur de rêverie le poète adhère strictement à un genre
de vie, à une morale : morale difficile, qui lui prescrit
l'abandon au temps et au négatif, la non-crispation
spirituelle, la pratique d'une infidélité qui soit la vraie
fidélité. Car si ma vie se voue à saisir l'insaisissable,
l'insaisissable n'est autre encore que ma vie, une vie tuée
dès que fixée ou crue saisie... Mais comment éviter la

fixation ? Maints chemins, souvent nécessaires, y ramènent. Vivre, n'est-ce pas s'immobiliser peu à peu, et fatalement, en une certaine image de soi-même que l'œil des autres contribuera davantage encore à scléroser ? Je n'échapperai à ce danger qu'en cultivant en moi les vertus de retrait, de liberté, d'humour. Plus dangereuse, plus malaisément évitable la fixation que mon esprit veut imposer, de par son essence même, et parce qu'il est esprit, à la fluidité vécue qui le supporte. Comment dire, comment penser même l'insaisissable sans le limiter, donc le tuer ? Un peu comme Yves Bonnefoy se débattait dans le paradoxe d'une philosophie de la non-philosophie — fondée sur un concept de l'anti-concept —, Jaccottet se trouve écartelé entre la nécessité de l'ignorance et la nécessité de savoir cette nécessité, donc de n'être plus un ignorant...

Il semble même que le besoin de comprendre le *pourquoi*, le *comment*, les raisons du bonheur poétique, aboutisse à lui en interdire d'une certaine façon l'accès. Pour son malheur peut-être, il est notre meilleur critique actuel de poésie, et surtout le meilleur critique de lui-même... Il ne retrouvera le don de poésie que par hasard, ou de biais, quand il pensera ou fera semblant de penser à *autre chose :* ainsi dans ces petits *Airs* qui furent, nous dit-il, écrits comme des poèmes de circonstance. L'idéal serait donc, tout en portant une extrême attention à son langage, de n'en plus prêter aucune à celui, à ce *moi* qui en est cependant la source et le soutien. Cette attention de la non-attention, Jaccottet la nomme *effacement,* et c'est la vertu que décrivent le plus obstinément ses livres. Vertu extraordinairement difficile, et dont la pratique s'exerce d'ailleurs à divers niveaux de l'expérience. S'effacer, cela pourra vouloir dire éteindre sa réflexion, se laisser naïvement être, mais aussi s'oublier soi-même, s'ouvrir sans arrière-pensée à l'infinie vérité externe du réel. Plus profondément, l'effacement est une annulation de soi : elle réclame une destruction totale, véritable (et non point mimée, ou seulement littéraire, comme le montre bien l'affreuse mésaventure du héros de *l'Obscurité*). Et certes il est plus facile de parler du néant que de le vivre : comment, sans tricherie, mourir tout en ne mourant pas ? A ce paradoxe, auquel conduit toute spiritualité négative, l'effacement — dans l'existence et le langage — apporte une solution. Il me confirme que c'est en n'étant pas ou en étant le moins possible que finalement je serai, ou je serai un peu. Mort, et pourtant vivant, le poète s'oblitère donc lui-même : c'est un « ténébreux », une « ombre ». Sa modestie revêt ainsi valeur métaphysique : mais quel orgueil, quel espoir, quelle prière aussi peut-être en son dernier mot d'ordre : « L'effacement soit ma façon de resplendir » (*I*, 50).

Août 1962.

Jacques Dupin

Où tu sombres, la profondeur n'est plus.
Gravir, L'Égyptienne, p. 25.

« Le rocher où finit la route et où commence le voyage devint ce dieu abrupt et fendu auquel se mesure le souffle » (p. 76[1]) : un lieu où les chemins se perdent et où se dresse soudain devant le marcheur la sauvage nudité du « dieu », de l'être, voilà pour Jacques Dupin le site du départ. C'est ce « rocher » qui provoque en lui et qui qualifie le « souffle » — haleine d'alpiniste, parole de poète. La poésie se découvre ainsi à elle-même comme un effort tendu vers un obstacle, obstacle en lequel s'enracine l'élan premier de son effort. Son champ favori, c'est l'escarpement caillouteux, la pente de la colline méridionale sur laquelle on s'élève « par le versant le plus abrupt, la plus libre des routes », dans les dangers et le malaise, « malgré le timon de la foudre et [les] vomissements » (p. 29). L'abrupt : telle est bien, il me semble, pour Jacques Dupin la qualité la plus originale du vécu. Tantôt découverte dans l'espace sous sa forme électrique — ce sont la fondre, l'orage, si souvent invoqués par lui —, tantôt exaltée sous son mode calorique — et c'est la passion du sec, des « torrents taris », des « lèvres éclatées », « la rauque jubilation de l'espace affamé » —, tantôt cultivée sous son aspect

1. J'adopte les abréviations suivantes : *C : Cendrier du voyage*, GLM, 1960 ; *M : Joan Miró*, Flammarion, 1962 ; *G : Giacometti - Textes pour une approche*, Maeght, 1963. Les autres citations sont toutes extraites de *Gravir*, Gallimard, 1963.

charnel, avec le rêve du corps-glacier et des « amours anfractueuses », tantôt enfin recherchée, à travers le langage, dans un certain tranchant assertif de l'expression — car « la parole..., condamnée aux détours, tente désespérément de retrouver l'accès abrupt dont la nostalgie la ronge » *(G)* —, cette vertu lui sert à définir un paysage de « brisants », de promontoires, d'abîmes, de falaises. Paysage ambigu : car si l'abrupt est aussi pour nous le brut, s'il constitue un certain dévoilement fondamental de l'être, s'il affiche la chose même dans l'immédiat surgissement déchiré de son essence, il signifie en même temps le hérissement de cette vérité dévoilée, la verticalité hostile de son face à face, bref, son caractère impénétrable, inaccessible. Son offre est un refus, son refus est une offre. Rien ne saurait dénouer ce paradoxe, car l'abrupt ne peut comporter le terme, aucune réalité concrète n'arrive à l'épuiser. A peine, par exemple, s'est-on hissé, à travers l'amoncellement des cailloux et des mots, jusqu'aux sommets de la montagne, du poème, que tout s'écroule et qu'il faut s'attaquer à la remontée d'une autre pente : « te gravir, dit Dupin à la montagne, et, t'ayant gravie — quand la lumière ne prend plus appui sur les mots, et croule, eet dévale — te gravir encore. Autre cime, autre gisement » (p. 70). Alternativement muée en gouffre et en hauteur, l'aspérité est ainsi vécue comme le but, la « cime », et comme l'origine, « le gisement » de notre effort vers l'être ; comme la source, « la source murée », dit Dupin, de notre expression.

Croit-on échapper au piège de ce hérissement interminable ? Ce sera pour découvrir, au-delà de l'abrupt rocheux, le défi d'une autre réalité plus « basaltique » encore, d'une autre cime-gisement : le ciel. Qu'il soit nocturne, le « roc bondé d'étoiles » (p. 54), ou diurne, celui-ci ne s'arrête point de nous tenter ni de nous torturer. Plus cruel peut-être encore que la montagne en raison de sa neutralité, de son inhumaine transparence, et d'une monolithisme en lequel l'abrupt ne semble s'étaler que pour mieux s'interdire. Devant l'azur méri-

dional, Jacques Dupin retrouve alors l'accent d'une
révolte quasi mallarméenne : dans ce ciel dont la limpidité s'aiguise en lui comme une lame, dont l'immobilité
vainement fouillée par le regard se mue en « un voyage
pur et tranchant », au point que le poète souhaite, tel un
nouveau saint Jean, de se voir assailli et décapité par elle
(« Tu attends la décollation / Par la hache des ténèbres /
De ce ciel monotone et fou », p. 99), il hait le mal d'une
pureté qui se refuse, et qui pourtant au moment même
l'envahit, l'ensorcelle, le torture de sa contiguïté :

C'est la proximité du ciel intact
Qui fait la maigreur des troupeaux,
Et cet affleurement de la roche brûlante,
Et le regain d'odeurs de la montagne défleurie (p. 101)...

Belle rêverie à travers laquelle l'intégrité céleste semble
gagner, comme par contagion, toute notre épaisseur
vivante et matérielle, mais pour y devenir sécheresse,
maigreur, aridité ztérile, parfum dernier d'une agonie[1].
L'intégrité de l'étendue provoque ainsi physiquement
notre souffrance, une souffrance encore accrue par
l'évidente beauté, par l'harmonie toute méditerranéenne
de cet espace intact. Pour qui recherche en effet les
brûlures de l'être, rien de pire sans doute que cet
équilibre dans l'immuable (chanson des « colonnes »,
rythme des « tambours »), cette « immunité » qui « l'en-
trave de ses rayons » ; rien de plus exaspérant aussi que
cette répétition des thèmes, que cette régulière scansion
de l'existence (« Motets insipides, fureur des retours »),
que ce temps circulaire et éternel d'où sont exclus
saccades, reflux ou déchirures. Ce que nous détestons
dans l'absolu ainsi rêvé, c'est son autocontentement, sa
suffisance, c'est en somme sa perfection. Celle-ci ne
pourra être possédée qu'une fois défaite, souillée, réduite
par un autre absolu égal à elle, celui de notre révolte :

1. Cette agonie prépare aussi d'ailleurs, on le verra, à l'avènement
second d'un être : cette ardeur affleurante, ce parfum défleuri pourront
être saisis à la fois comme ultime bouffée et comme premier souffle...

par « la perfection, dit Jacques Dupin, d'une levée de preuves opposables à la Perfection » (p. 38).

Mais ces preuves, où vais-je les chercher, et si je ne les découvre nulle part, où puis-je les construire ? Peut-être dans le mouvement spontané de ma saisie. L'élan qui me porte contre l'objet, ce « dieu abrupt et fendu », pourra en effet, tout en s'affrontant à sa qualité première, l'abrupt, utiliser à son profit sa caractéristique seconde, la fissure. Ma première chance, c'est que la paroi de l'être n'est pas lisse et que je puis donc faire jouer en elle l'effort d'une incision. A l'abrupt de l'objet j'opposerai la brutalité de mon attaque. Déchirer l'espace en avançant en lui, creuser « une brèche dans l'horizon » (p. 54), une « brèche dans le mur » des choses (p. 56), jeter « la parole mal équarrie mais assaillante » dans la paroi « trouée » de l'air *(G)*, tels seront les premiers gestes de ma rébellion. Les thèmes de la faille ou de l'entame soutiennent ainsi, dans le paysage de Dupin, un rêve d'agressivité. Ils se lient à la pratique imaginaire de toute une série d'objets ou d'instruments tranchants — soc, fourche, bêche, lame, épée, épieu, aiguille, écharde même — destinés à violer le tissu hostile du réel. Il arrive parfois même que l'acte d'entailler s'aggrave d'un mouvement plus subtil de perversion : « Je marche interminablement. J marche pour altérer quelque chose de pur », écrit Jacques Dupin (p. 55). Il s'agit à la fois alors de pénétrer physiquement l'intégrité des choses et d'y introduire, venin ou conscience, une activité qui l'adultère. De la même façon, la « vipère vigilante », amie du poète, trace sa route « parmi les pierres éclatées » (on verra bientôt la valeur primordiale de ce thème) : pénétrante, incisive, venimeuse, sœur imaginaire de « l'hirondelle volant bas pour que les labours soient profonds » (p. 35), elle est comme un soc vivant et douloureux de l'épaisseur.

Mais, ailleurs, Dupin renonce à l'agression : au lieu de l'attaque il choisit l'attente. Il espère que d'elle-même, et à la suite d'une sorte de miracle — bris interne, foudroyante autoconvulsion de sa substance —, la limpidité aérienne éclatera, s'éparpillera en mille fragments dont l'avalanche déboulera sur lui. Il vit

> Dans l'attente à voix basse
> De quelque chose de terrible et de simple
> — Comme la récolte de la foudre
> Ou la descente des gravats (p. 101)...

Plus question ici d'assaillir directement l'absolu rocheux : on appelle seulement l'orage capable d'en provoquer du dedans la désagrégation et la chute. C'est le vœu, si souvent formulé ici[1], de l'écroulement, un écroulement qui nous « criblerait » le cœur ; ce sont l'invocation à la « terre promise, terre de l'ébpulement », le goût des tours ruinées, des remparts effondrés sur lesquels on danse et sur lesquels pullulent orties, chardons, mauvaises herbes, car l'éboulis répond encore au vœu d'impureté. Bref, c'est la recherche d'une sorte de désintégration pierreuse qui soit à la fois pour nous illumination et déchéance. Le prestige imaginaire de l'écroulé tient en effet à ce que son avènement s'accompagne d'une brusque révélation, presque d'une dénudation de l'être : fantasme d'une nudité quasi impossible à vivre, qui associerait en un seul complexe fulgurant les images de la fondrière, du corps féminin illuminé, de l'expression poétique délivrée :

1. On trouve dans *Saccades* diverses expressions voisines de la même attente. Ainsi :
> *En attendant que le feu se déclare*
> Dans les combles et *au-dessus du toit*
> Pour effacer le feuillage fébrile
> Qui s'épanche hors des murs et croule dans la mer...
> ...*Pour atteindre* le bois de votre porte hostile,
> *Pour entamer* le froid de votre cœur muré...

Mur, porte, toit sont ici des doublets humains du ciel fermé. Le « feuillage fébrile », « l'atroce feuillage aimanté », porteur de « la mort volubile » est une autre image, inverse, mais tout aussi douloureuse, de la négativité. C'est de son habit abusif que la tour devra être délivrée (cf. *l'Angle du mur*). La foudre peut d'ailleurs éclater au cœur de ce feuillage même :
> Où es-tu foudre errante de la forêt
> Dont on m'annonce la venue,
> — Dont on m'épargne la rencontre ?

> J'appelle l'éboulement
> (Dans sa clarté tu es nue)
> Et la dislocation du livre
> Parmi l'arrachement des pierres (p. 55)...

Ciel éboulé, c'est donc femme dévoilée, c'est aussi langage éclaté, dépouillé, jeté à la multiple liberté du sens, ou du non-sens. Ailleurs, en une liaison semblable, et qui porte mieux encore l'accent sur le caractère instantané, temporellement liquidateur de cette chute, le poète parlera de basculer «dans le ravin [son] cadavre successif / Et [sa] bibliothèque de cailloux» (p. 93). L'écroulement libère ainsi l'objet en rompant l'enveloppe — habit, habitude, feuillage — qui le maintenait artificiellement debout ; au prix d'une catastrophe, la démolition et la mort de cet objet, il nous donne accès à son essence. Ainsi, dans les quatre vers suivants, d'une expression si merveilleusement directe, le geste qui abolit et qui disloque ne sépare pas du geste qui jouit :

> Ma méditation ton manteau se consument
>
> Pour te perdre mieux
> Ou te mordre blanche.
>
> La tour délivrée de son lierre croule (p. 57).

Une fois détruit le lierre et pensivement consumé le manteau de l'aimée (travail dont la lenteur a été suggérée par la sourde, la presque amoureuse allitération des *m*), la tour et le corps nous apparaissent dans leur absolu, dans leur blancheur brusquement offerte et ruinée. Juste le temps alors (et c'est la violence passionnelle des *r*, soutenue par la qualité agressive des *c* ou des *t*, sensuellement elle-même adoucie en *d* : *t*e per*d*re, *t*e mor*d*re, *c*roule) de savourer cette perte, de modre cette chair, de fixer en soi l'éclair de cette chute. D'un même mouvement l'éboulement détruit, libère et donne, ce qu'indiquent bien aussi l'interne consonance et comme l'égalité sémantique de *perdre* et de *mordre*, de *tour* et de *croule*; il donne ce qu'il détruit, et détruit ce qu'il donne.

Ici foudroyant et instantané, son paradoxe peut s'inscrire aussi en une durée : il y entraîne alors quelques dangereuses conséquences. Lentement éboulée, la hauteur céleste succombe à l'attirance du ravin, à l'attrait de ce gouffre qui, dit Jacques Dupin, est comme son «sosie» (p. 54). Si bien que la «tentation du ciel nu» (p. 45), si nous la vivons jusqu'à son terme, nous amène à viser le plus vertigineux, le plus louche de notre profondeur. Pis encore, l'écroulement signifie une rupture de l'unité cosmique : monolithisme du ciel nu, harmonie du corps intact, traditionnel équilibre du langage, tout cela s'y trouve culbuté sous la poussée d'une même anarchie. Et certes ce désordre est bon, et nous l'avons cherché, mais sa venue entraîne un mal nouveau, celui de l'écartèlement et du fragment, de «l'inintelligible fragment que ne trahit que sa couleur imprécatoire» (p. 58)... Or, cette douleur ne peut être guérie par la pensée ; la discontinuité des choses résiste aux efforts de l'esprit, peut-être lui aussi d'ailleurs discontinu. «Les gerbes, avoue Dupin, refusent mes liens. Dans cette infinie dissonance unanime, chaque épi, chaque goutte de sang parle sa langue et va son chemin. La torche qui éclaire et ferme le gouffre, est elle-même un gouffre» (p. 66). Que faire alors ? Puisque nous ne pouvons pas regrouper en gerbe ce désordre, et puisque le gouffre est aussi bien en nous que dans les choses, pourquoi résister à la double tentation de l'éboulis ? En une sorte de résolution qui lui fait décider et assumer sa perte, le moi poétique choisit de s'égarer dans l'infinie fragmentation des apparences : «innombrable et ressemblant», tel qu'il sera plus tard, après sa mort, mais tel que «déjà les étoiles, déjà les cailloux, le torrent» lui permettent de rêver sa dispersion (*E*, 9). Du même élan, il cède à l'appel de la profondeur pierreuse. Volontairement dépouillé de son avoir, de son savoir, il se laisse glisser au cœur le plus sournois du gouffre :

Jette tes vêtements et tes vivres,
Sourcier de l'ordinaire éclat.
Le glissement de la colline
Comblera la profondeur fourbe,
L'excavation secrète sous le pas.

Au moment même alors, à la seconde où, par-delà l'épaisseur démantibulée des choses, nous parviennent les premiers souffles d'un lointain, d'un être, le pas s'enfonce dans la pente, notre acuité pensante disparaît, perdue dans l'éboulis, bue par lui :

Le calme s'insinue avec l'air de la nuit
Par les pierres disjointes et le cœur criblé.
A la seconde, tu as disparu
Comme une écharde dans la mer (p. 102).

Corrélatif à l'écroulement du paysage, se produit ainsi dans le poème un effacement de la pensée qui vit le paysage. Le cœur existe « par défaut » ; quiconque le regarde ne voit en lui que le lieu déchirant d'une absence, d'un vide en train de s'épancher, que « le luisant d'un soc / Et la nuit grandissante » (p. 54). Une nuit qui cherche à se perdre hors d'elle en d'autres nuits : celle de l'océan (ainsi à la fin du dernier poème des *Brisants, l'Oubli de soi*), ou celle de la terre. Jacques Dupin ne croit donc pas aux pouvoirs de la conscience claire. Pas plus que le ciel nu, la pensée ne saurait exister en nous à l'état pur, dans un absolu de transparence. Pleinement limpide à elle-même, « inerte bûcher lucide que ne tempère aucune production de cendres » (p. 53), elle ne pourrait rien sur le réel. Pour adhérer vraiment au monde, il lui faut accepter de produire des cendres, c'est-à-dire de brûler quelque chose, de se brûler peut-être à quelque chose, de pactiser en somme avec une matière et de s'obscurcir en elle. Quand l'esprit s'est bien torturé lui-même au feu de son éternel et vain ressassement,

> ... la bouche à la fin, la bouche pleine de terre
> Et de fureur
> Se souvient que c'est elle qui brûle
> Et guide les berceaux sur le fleuve (p. 53).

L'issue, qui se traduit ici en d'étonnantes images de naissance et de liquidité heureuse, contrôlée, a été découverte parce que la pensée s'est « souvenue » qu'elle était aussi parole, donc corps, un corps lié à une terre et agité par l'impulsion créatrice d'une humeur, d'une « fureur ». La conscience humaine n'atteint ainsi le monde qu'à condition de se voiler, de se substantifier à demi en lui, d'y devenir ce « souffle », plus vital que spirituel, mais capable d'« ameublir » un « océan de terre » (p. 78) et d'y résoudre en son épaisseur aveugle l'abstraite « équation » qui nous torturait. Voilà pourquoi le moi poétique succombe si aisément au lyrisme de l'enfoncement et du chaos : il y trouve le champ d'une opacification, les gestes annulants d'un paroxysme, l'occasion d'une perte qui prélude peut-être à une renaissance, au rejaillissement d'une « ingénuité ».

Entraînés par le mouvement descendant de l'éboulis, nous voici donc jetés aux filons les plus souterrains de l'être. Bonheur, individualité, figure s'y trouvent étouffés, comme obturés de terre. « Piéger le seul sourire / Éteindre le visage et sa suffocation / Sous un crépi de terre calcinée », écrit Dupin en un geste de négation sauvage qui rappelle un peu, chez Yves Bonnefoy, la décomposition du visage de Douve. Le corps s'y dépouille, s'y paralyse dans la crispation du roc qu'il a fini par devenir : « Ta nuque plus bas que la pierre. Ton corps plus nu que cette table de granit » (p. 94)... Tout entière l'existence se bouche, s'enfonce, s'enterre, ou plutôt se terre. Car si je me convertis ainsi au souterrain c'est encore pour m'y réfugier, pour y fuir la double catastrophe extérieure de l'espace : écroulement des choses et assaut sadique de l'Histoire. Sur terre, en effet, c'est le désastre, guerre, sécheresse, ciel éclaté et chu ; « Dehors les charniers occupent le lit des fleuves perdus sous la terre. La roche qui se délite est la sœur du ciel qui se fend » (p. 64). C'est bien la « terreur » qui conduit alors « sous terre ma semence, l'éclaire et la refroidit » (p. 57). « J'écris, dit encore Dupin, pour enfouir mon or » (p. 55). Au pire du désastre, le sous-sol recueille donc cet « or », cette « semence », ce germe d'être dont nous attendrons au cœur de l'ombre le mûrissement et la « déflagration ». L'univers souterrain figure ainsi pour nous le site conjugué de l'abolition, de l'abri cherché contre cette abolition, et d'une possible renaissance. Cette dernière valeur s'y affirme d'autant mieux que nous touchons aussi en lui à quelque chose de fondamental, à une vérité première du concret, à cette « énergie » tellurique « de l'informe », ce « creuset de la matière en fusion, des désirs à l'état sauvage » (*M*, 477) dont Jacques Dupin a merveilleusement montré à propos de Miró toute la puissance vitale d'expresion [1]. Dans ses poèmes tout comme dans les tableaux du peintre catalan, la profondeur, formant abri, fomente aussi la transe. Ce souterrain où nous sommes tombés, et où nous côtoyons affectueusement les morts — n'y sommes-nous pas nous-mêmes à demi morts ? —, nous en assumons alors le « chaos initial », en absorbons « l'énergie naturelle », en épousons la qualité volcanique et déferlante, tout en le travaillant de nos mains (« Dedans, sous terre, mes mains broient des couleurs à peine commencées », p. 64), et en l'incisant de nos outils, pour

---

1. Chez Miró, ce sous-sol est tout à la fois la terre catalane originelle (le village de Montroig) et, intérieurement, la « poche aux monstres ». Il existe aussi pour Giacometti, tout entier regroupé autour de la figure cybélienne de la mère : « Par son intercession, le lien de Giacometti avec la *terre*, le *sous-sol*, la *profondeur* est aussi puissant qu'il est invisible. On sent derrière chacun des gestes du sculpteur, chacune de ses paroles, la *force impulsive* et *l'écho souterrain d'un arrière-pays* qu'il n'a pas besoin de manifester, c'est-à-dire de vérifier, tant il est secrètement actif. » Cet arrière-pays ne manque pas non plus à Jacques Dupin : c'est l'épaisseur rocheuse de sa montagne ardéchoise ; mais son cas est plus complexe, car le sous-sol, pour lui, tout à la fois soutient, aveugle, inspire, paralyse.

en extraire les moyens humains de notre délivrance. C'est ainsi qu'il faut lire, me semble-t-il, les trois vers suivants qui se placent, dans le très beau poème *A l'angle du mur*, immédiatement après l'évocation de la chair mordue, de la tour ruinée et de la semence ensevelie :

> Et je tutoie les morts, les nouveaux venus.
> Celle que j'aime est dans leur camp.
> Fourche, flamme et minerai (p. 57).

Tout ce travail ne s'accompagne d'aucun savoir, d'aucun regard. Il se poursuit dans l'absolu de l'ombre, peut-être du sommeil. Être aveugle : ce vœu aura pour Jacques Dupin la même importance, la même fonction spirituelle que le désir d'effacement chez un Philippe Jaccottet ou le souhait de brutalité sensible chez un Yves Bonnefoy. Çà et là, par des moyens oniriques différents, se traduit la même utopie d'une sorte de connaissance immédiate, d'un savoir concret et négatif, négatif pour toucher le concret, pour se situer au plus près, au plus ras d'une humilité de l'être. Voyance ou clairvoyance sont ainsi condamnées par Dupin comme sources d'erreur, presque de ruine («Chaque pas visible / Est un monde perdu, / Un arbre brûlé», p. 9) ; l'aveuglement, lié à la douleur, est au contraire célébré par lui pour sa qualité pénétrante et créatrice («Chaque pas aveugle / Reconstruit la ville, / A travers nos larmes, / Dans l'air déchiré», *ibid.*). De cette passion du non-voir, normalement associée à la vie souterraine, naissent quelques grands symboles, ainsi celui de l'épervier, oiseau de proie encapuchonné, mais par là même plus lucide que maint chasseur à l'œil ouvert [1] — et quelques obsessions centrales, par exemple le refus du regard d'autrui, le besoin d'éteindre devant soi la clarté des sourires, la flamme des visages :

---

1. L'épervier est d'ailleurs une réalité ambiguë : car il signifie aussi, sans doute, le filet jeté d'un seul coup — d'une *saccade* — sur la réalité afin d'en réunir dans ses mailles l'éclatement et la diversité.

Je marche pour altérer quelque chose de pur,
Cet oiseau aveugle à mon poing
Ou ce trop clair visage entrevu
A distance d'un jet de pierres.

J'écris pour enfouir mon or,
Pour fermer tes yeux (p. 55).

Ces beaux vers, à la fois brutaux et tendres, réunissent
dans la logique d'un seul mouvement imaginaire le vœu
d'adultération, les gestes de l'enfoncement et de la marche,
l'appel enfin à une cécité qui frapperait, en moi et hors
de moi (en «toi»), toute faculté trop facile d'évidence.
L'évidence authentique réside, elle, dans le sourire
«piégé», la figure abolie, dans la brèche anonyme, «Son
absence de visage et sa seule nudité», dans l'espace
nocturne que ne doit éclairer aucune présence amie : «Si
par mégarde cette nuit je heurte votre porte, n'ouvrez
pas. N'ouvrez pas encore. Votre absence de visage est
ma seule obscurité» (p. 69). Et comme, d'autre part,
l'obscurité est ma seule richesse, vous ne me servirez
qu'en vous effaçant, en vous détournant de moi.

Cet aveuglement, nous pourrons le vivre encore comme
une certaine expérience féconde du silence. Pour un poète,
qu'est-ce en effet que l'écriture, sinon un tâtonnement
cherchant sa voie à travers le champ obscur des mots ?
Qu'est-ce que l'expression, sinon une ignorance lancée à
la poursuite d'elle-même, et qui se dénouerait en éblouissement sans jamais cesser d'être ignorante ? Jacques
Dupin, qui a vu le langage traditionnel, «la bibliothèque
de cailloux», se disloquer puis s'effondrer au fond du
«ravin» sous l'effort de son labourage révolté — un
labourage qui visait à réveiller l'être à la fois dans les
mots et dans les choses («Langue de pain noir et d'eau
pure, / Lorsqu'une bêche te retourne / Le ciel entre en
activité», p. 93) — se retrouve aux prises avec un
vocabulaire éclaté, foudroyé, presque pétrifié :

> Parole déchiquetée,
> Pour une seule gorgée d'eau
> Retenue par le roc,
> Parole déchiquetée,
> Fiente du feu perpétuel,
> Éclats de la pierre des tables (p. 104)!

Ce produit quasi résiduel de la combustion mentale, ces signes rompus et asséchés, comment les pénétrer à nouveau de vie? En les faisant participer à la grande alchimie souterraine. Le poète les enfonce donc dans son sous-sol, il les plonge dans l'ombre intérieure où, regonflé de suc, le mot se régénérera. Au contact de la pâte nocturne retrouvée, dans «l'épaississement limoneux du sommeil» où se «ramifient» nos «racines» les plus originelles, le langage se réimbibe d'être; il y retrouve la saveur, l'ardeur d'un nouveau sens. Le poème s'y construit de lui-même, et le livre également s'y forme, il s'y meut d'une existence étrange qui semble emprunter sa force à la vitalité ignorée des inframondes : «incompulsé, le livre intermittent tourne sans hâte sur ses gonds dans la terre, et chaque page à ton attouchement prend feu, et sa substance se confond avec le surcroît de ta sève, avec le progrès de son sang» (p. 78). Écrire, c'est rompre ainsi le mot pour le recharger — et dans la suite logique de l'acte qui le brise — de mutisme, de nuit, d'incandescence, de hasard, c'est-à-dire de nécessité profonde. «Le tirant d'obscurité du poème / Redresse» alors «la route effacée» (p. 98). Opération aveugle, mais qui reste conduite au cœur de son aveuglement par une intuition quasi charnelle des équilibres, des échos, des magnétismes internes du langage : «sorcellerie», dit Jacques Dupin, mariée à une «ingénuité».

Point cependant d'ingénuité plus souveraine que celle qui situe son alchimie dans l'obscurité biologique d'une chair, d'une chair amoureuse. La femme est en effet dans l'univers imaginaire de Dupin une valeur centrale, fascinante, dont la méditation émerveillée occupe maint poème. Son thème se lie à la plupart des images dominantes dont nous avons tenté de déchiffrer l'intention. Nous la savons par exemple associée, de par sa nudité soudain éclatée, à l'écroulement des pierres. Mais du bouleversement elle peut figurer aussi la source orageuse, le foyer :

> Sans le tonnerre d'un seul de tes cils
> Serais-tu devenue la même
> Lisse et insaisissable ennemie
> Dans la poussière de la route
> Et la mémoire du glacier (p. 94) ?

Futilité fulgurante, qui provoque ici l'apparition dans le corps féminin des deux qualités bénéfiques d'abrupt (le gel, le blanc) et d'évanescence (effacement de la poussière [1], volupté lisse de l'insaisissable). Ce mixte imaginaire se retrouve, sous une forme légèrement différente, en d'autres invocations amoureuses : la femme y résume son essence sous les espèces heureusement conjuguées du mince, de l'aigu, du tranchant, du glissant, et d'un emportement qui évoque la disparition ou le naufrage. Ainsi *la Herse* (p. 81) : « Mon amour, le *vent* n'était pas plus *rapide* au milieu de la mer qu'à la *surface de ton ongle* » ; dans *la Superstition* (p. 82) : « Plus droite était sa *flamme* dans leurs yeux, plus *acérée,* plus *blanche* était la famine... Et sa voix court parmi ma voix comme une *aiguillée de temps pur*. » Ou bien la femme supporte plus directement encore l'appel que nous lançons au déchirement et à l'opaque : « Amours anfractueuses, revenez, / Déchirez le corps clairvoyant » (p. 94).

Comprenons bien l'unité de tous ces rôles : fulgurante, déchirante, déchirée, éparse, catastrophique, capricieuse,

---

1. Le thème de la poussière se lie ailleurs, dans *l'Initiale* par exemple (p. 59), au rêve de la dispersion absolue, de l'auto-abolition dans l'infiniment petit : « Poussière fine et sèche dans le vent, / Je t'appelle, je t'appartiens. / Poussière, trait pour trait, / Que ton visage soit le mien, / Inscrutable dans le vent. » Ce poème pourrait appartenir à Philippe Jaccottet, n'étaient, bien sûr, la passion du *sec* qu'il manifeste, et l'ardeur, la violence même de son offre.

naufragée, la femme possède toujours ici une vocation bouleversante et négatrice. Entendons qu'elle s'avère capable de nier sa réalité immédiate, et la nôtre, pour nous entraîner avec elle en une sorte d'ouverture annulante où s'égarent toutes nos assurances, mais où se fonde aussi la possibilité d'un contact vrai. Ainsi dans le beau poème intitulé *Obsidienne,* l'aimée, d'abord définie comme un autre côté, comme une falaise de lumière («en elle l'autre rive est une barre de clarté»), ne se laisse approcher qu'en une suite d'élisions. Sa présence s'accorde sous le mode du *pas même,* du *il ne reste que.* Nous la possédons comme une transcendance enfuie; l'offre la plus brûlante devient ainsi progressive extinction, retrait, autorature [1] :

> Notre idylle? L'étonnement, et la fraîcheur, et l'au-delà d'une forêt d'oiseaux dont il ne reste qu'un tison. Pas même un tison, sa brûlure. Aux lieux qu'elle a quittés la lumière s'engouffre. Pas même la lumière (p. 80)...

Mais cette défaillance amoureuse de l'ici se retourne bientôt en un mouvement de retrouvailles. Le recul même de l'aimée permet en effet à l'amant de la rejoindre, parmi l'univers ruiné, mais aussi de l'élan le plus solide, le plus durement voluptueux :

1. Ce mode de surgissement de l'autre fait songer à la vision de Giacometti telle que Jacques Dupin l'a admirablement, presque douloureusement décrite. La présence ne surgit en effet dans l'œuvre de Giacometti que pour être détruite et contestée, que pour y céder la place à l'espace, c'est-à-dire au vide, à la solitude, à l'impossibilité vécue de la présence. Mais c'est aussi, et inversement, cet inlassable travail de destruction qui permet à la figurine surgie «de son propre vide» d'exister comme source d'espace, donc comme absolue présence : comme «une intégrité, dit Dupin, qui se rétablit sans cesse dans le mouvement perpétuel de l'ouverture et de la destruction qu'elle provoque. Comme cette figurine, toute l'œuvre de Giacometti tire son affirmation souveraine de l'espace interrogatif qu'elle rend visible, de son refus, de son recul, de cette durée menaçante et nourricière qui la fait et qui la défait». Analyse qui rejoint d'une certaine manière la dialectique épuisante de l'abrupt.

Mais déjà nous ne sommes plus seuls, il ne fait pas tout à fait nuit, dans la forêt, quand je me jette à sa rencontre, parmi les arbres morts, avec un cœur noueux et lisse comme le manche des cognées...

Ici complice lumineuse et pourtant quasi évanouie d'un au-delà, c'est-à-dire d'une profondeur d'espace — de «ce tison la distance» —, la femme se lie ailleurs à la rêverie plus obscure d'une substance souterraine, d'un en-deçà, disons d'une transdescendance. Elle s'accorde à la familiarité d'une épaisseur cosmique dont elle provoque le spasme ou recueille la pulsation. La voici devenue porteuse de cet «abîme inférieur que l'on sent gronder sous le sol, sous la peau, derrière l'apparence des choses» (*M*, 474). Nous reconnaissons et vénérons alors en elle un parfait médium de l'inframonde. Quand elle est totale, déchaînée, quand elle ruine les fausses coquetteries du sentiment, «l'hérésie des grâces et les légendes accrochées aux boucles de la valse», pour jeter la femme, telle «une toute blanche idole», aux «bras» catastrophiques de la «mort» (*C*, 19), la volupté parvient en effet à réveiller dans les glauques régions de l'endessous le sens élémentaire de la crise. D'une crise d'ailleurs encore contenue, à demi sommeillante, plus frissonnante qu'éruptive :

... son étreinte révèle à qui s'abandonne le message à bouche fermée d'un monde en veilleuse. Le cristal artériel... m'apporte l'écho étouffé des remuements, des girations, des heurts, qui ébranlent des fondations sans déraciner les secrets des dessous de la vie... Je sens trembler en elle le grand chaos primitif (*C*, 17)...

Dynamisme du primordial, de la brutalité informe, qui apporte à la quête masculine son nécessaire contrepoint de nuit et de délire : mais d'une nuit devenue, à travers l'amour, humaine et presque lumineuse. Car le noir féminin, Dupin le précise bien, est un «noir exorcisé» :

démentie par l'auto-expression, par l'offre personnelle auxquelles elle aboutit, la négation y prend valeur affirmative. La crise sensuelle nous délivre ainsi de ce désordre même qu'elle trahit au jour et qui la soutient, la nourrit de toute son anarchie profonde. Mieux : l'abandon féminin au grand chaos de l'en-dessous constitue peut-être le seul moyen d'accéder au calme étoilé de l'altitude, à une paix de l'être. C'est du moins à un tel passage, véritable court-circuit ontologique, que nous permet de rêver le beau tableau suivant :

> Une femme en amour devant une fenêtre vide. Des yeux bleu ardent, bleu lanière. Un corps arqué sur le désespoir de son nom. Dehors le grand tumulte harassé des étoiles contre le ciel semble ne plus s'ouvrir, ne plus suspendre l'issue de leur perfection qu'à cette véhémence brouillée de larmes puériles, qu'à ce gémissement, qu'à ce silence (p. 37).

A travers le paradoxe de la plus violente imperfection se rouvrent donc les voies de la Perfection ancienne. «L'aspiration des abîmes supérieurs et de leur mécanique exacte» (*M*, 474) se recrée à partir d'une incohérente poussée venue du bas. Pas d'échelle symbolique dans ce paysage, comme dans tel tableau de Miró, pour marquer une ascension vers «l'ordre pur des constellations» à partir de notre impureté charnelle ou matérielle. C'est directement, à travers le seul cadre ouvert d'une fenêtre, que s'opèrent pour nous les noces des deux gouffres. Voici donc réofferte la hauteur par l'acceptation passionnée de nos naufrages. Ou comme le dit mieux, et décisivement, Jacques Dupin : «Où tu sombres, la profondeur n'est plus» (p. 25).

Nous voyons donc s'opérer ici, comme en tant d'autres œuvres poétiques d'aujourd'hui, un renversement imaginaire du gouffre à l'altitude, de la nuit à la lumière, de la négation à l'espérance : ou c'est plutôt peut-être une alliance, dans le déchirement et la tension, dans la parole, de ces notions apparemment antithétiques, en réalité fraternelles. De même en effet que, dans les statues de Giacometti, la présence semble ne pouvoir se dresser que sur un fond de vide, un vide qui sourd d'elle et qui se retourne aussitôt contre elle, de même ici le chaos n'est recherché que pour sa vertu d'instauration, parce qu'il est « le moment d'oubli qui fonde la mémoire » (p. 19), l'oublieuse mémoire, eût dit un autre grand poète. Dupin ne cultive pas ainsi l'orage pour la seule joie d'en être foudroyé, mais pour recueillir en lui quelque chose qui survive à son explosion, ce « surcroît des orages » (p. 10) qu'est très positivement le poème. Extraire du *non* — c'est-à-dire du déchirement, de la chute, de l'étouffement, de la mort, du « malheur qui n'a pas de nom » — les principes générateurs d'un *oui* — c'est-à-dire d'une ouverture, d'un désir nouveau, d'une « soif échancrée » et d' « un chemin frugal » (p. 9) —, ce vœu engendre ici une véritable alchimie cachée du mot et de l'image.

Tout devra y partir, rappelons-le, de la nuit, du rocher brisé, de l'informité profonde, et du feu qui maintient en eux comme un continuel renouveau de l'anarchie. A partir de ce donné, divers dépassements imaginaires sont possibles : soit par le rêve de la *cristallisation,* qui contracte en un seul objet ardent et virtuel toute l'essence fragmentée du souterrain (« attente infinie d'un orage éclatant au cœur de l'ammonite », p. 49, charbon enfermant en lui « l'incandescence des fougères », ou même sel marin, lié au recueillement qui suit les grands naufrages : « les algues sur ton corps et le *scintillement du sel* te disaient complice du tumulte et sœur du *silence* qui *s'édifiait au fond de lui* », p. 81) ; soit à travers le schème du *surgissement* éruptif, le feu utilisant alors pour manifester au jour un nouvel être la même puissance qui lui avait permis de faire s'écrouler dans la nuit l'être ancien. Ainsi dans le beau poème intitulé *le Règne minéral,* c'est le roc lui-même, le roc le plus démantelé qui devient la source d'une flamme, le foyer d'une conscience, sans jamais cesser, et voilà l'énigme, de se livrer à la transe absolue d'une dislocation :

Dans ce pays la foudre fait germer la pierre
Sur les pitons qui commandent les gorges
Des tours ruinées se dressent
Comme autant de torches mentales actives
Qui raniment les nuits de grand vent
L'instinct de mort dans le sang du carrier
Toutes les veines du granit
Vont se dénouer dans ses yeux (p. 26)...

Principe de l'affaissement chaotique, la foudre l'est donc aussi de cette vie dressée qui « commande » le chaos. La tour ruinée, chère à Jacques Dupin, ne se distingue plus de la tour vivante, puisque c'est la vie en elle qui se ruine, qui se pense ruinée, qui domine donc activement la ruine au-dessus de laquelle elle s'élève, avec laquelle pourtant elle s'écroule... L'esprit surgit alors au contact du vent, de l'ombre, de la mort, et du sang qui se laisse bouleverser par leur orage. La vie la plus aveugle de la pierre vient enfin se « dénouer » dans le mystère d'un regard.

Ce mystère peut devenir encore celui d'un ordre, d'une architecture. La tour ruinée ne s'équilibre-t-elle pas déjà dans la double tension de son surgissement et de sa chute, de sa chute surgie ? Il en est de même de toute expression véritablement poétique. Car si la poésie se vit comme sens arraché au non-sens, comme sens peut-être du non-sens, ou comme totalité du non-sens devenant sens — Jacques Dupin dirait feu sorti du rocher, feu du rocher, rocher mué en feu —, ce paradoxe cherche à s'y résoudre dans la réalité elle-même paradoxale du poème, c'est-à-dire d'une forme soutenue par l'informe, tout à la fois nourrie et déchirée par lui, nourrie sans doute de ce déchirement lui-même. Les mots, parce que mots, c'est-à-dire éléments préalables à l'invention, signes traditionnellement dotés d'un sens et d'une chair, accueillent en effet la flamme ; ils l'obligent à s'informer en eux, mais c'est en se laissant brûler et déformer par elle ; ils sont comme une demeure que le sens, le feu, tout à la fois édifierait et détruirait, détruirait afin d'y édifier la possibilité d'autres combinaisons verbales, d'autres demeures, toujours plus totales et véridiques que celles où nous avions cru pouvoir un instant nous établir. Le poème, c'est ainsi :

> … la maison ouverte, inaccessible,
> Que le feu construit et maintient (p. 95)…

Maison construite, le sens poétique réunit en une seule contraction verbale l'ensemble éclaté des choses ; maison ouverte, il se creuse, par l'incessante découverte d'un nouveau pouvoir de déchirer, de s'autodéchirer, c'est-à-dire de réunir différemment ce qu'il déchire, vers une dimension intérieure et quasi inaccessible du sens, un peu comme si la falaise du ciel et de l'objet était devenue maintenant fait de langage, et la genèse du poème « naissance abrupte et infinie » *(G)*. Comme dans le cas d'André du Bouchet, la physique propre du poème reproduit donc indéfiniment en elle la contradiction éprouvée au niveau de l'univers sensible : contradiction qui ne se situerait plus exactement, comme pour Du Bouchet, dans l'unique relation impossible d'un ici et d'un là-bas qui fonderait et détruirait sans cesse la transcendance de l'ici, mais qui affecterait des rapports d'existence plus variés, ainsi celui de la profondeur et de l'altitude, celui de l'ombre et de la lumière, celui (on le verra bientôt) du feu et de la liquidité, celui du chaos et de l'ordre, celui, plus fondamental encore, et qui les soutient tous, de l'unité et de la totalité.

De cette contradiction si diversement interrogée, le langage poétique fait la condition première de son être. Réussi, et je songe surtout aux dernières œuvres de Dupin, où son inspiration tout à la fois s'aère, s'aiguise et s'harmonise, le poème existe comme une suite signifiante de « saccades » (images, soupirs, interrogations, ordres, comptes rendus narratifs ou descriptifs, tous ces éléments le plus souvent brefs, sémantiquement discontinus, sépa-

rés les uns des autres par de grands blancs), et comme
la trame, autrement signifiante, d'un accord — accord
qui n'est rien d'autre sans doute que la reprise globale
de tous ces élans rompus, et que la découverte du sens
transcendant, de la fécondité de leur rupture. Le modèle
est ici, bien sûr, Rimbaud, chez qui la cassure, loin de
tuer la consonance, la rend au contraire possible et la
fomente en elle. Et Rimbaud aurait pu lui aussi définir le
« sacré », ce but de la quête poétique, comme « le rapport
excédant de l'homme et du réel », comme « l'impossible
communication de l'un avec le tout qu'établit, seuil et
fulguration uniques, par la déchirure de soi et le déchirement de l'autre, le pouvoir totalisant de l'acte créateur »
(G). On comprend ainsi que la parole la plus fragmentaire
et la plus menacée (par le silence, par l'étouffement du
roc, par son propre abrupt interne) puisse parvenir à
recréer un court instant tout autour d'elle la paix des
choses. Les poèmes de Dupin nous donnent quelquefois
cette paix, cette merveilleuse sensation d'une coïncidence
absolue du mot avec le sens, et de l'être avec lui-même.
Mais cette coïncidence n'y existe aussi qu'en s'y perdant,
en s'y déchirant vers l' « excès » ou le « défaut » d'autres
coïncidences (« excès » et « défaut » sont deux notions
centrales chez Dupin : notions opposées, et, je crois,
synonymes). La consonance interne du langage, souvent
exquise ici, l'instrumentalité propre du poème resteront
donc toujours liées — nous savons maintenant pourquoi,
et que c'est le sens même du sens — à l'exigence d'une
sorte d'anéantissement léger et ardent. Ainsi dans la
strophe suivante, où derrière l'image d'une autre conjonction annulante, celle du poète et de son lecteur, se formule
très exactement un art poétique :

> Et l'indicible instrumental
> Monte comme un feu fragile
> D'un double corps anéanti
> Par la nuit légère
> Ou cet autre amour (p. 10).

Au lieu pourtant de s'abandonner à la créativité déchirée du feu fragile, ce «feu qui parle notre langue», le roc pourra se muer imaginairement en une substance plus étale, moins directement dialectisée : une eau courante. A l'épreuve pierreuse, l'eau offre alors l'immédiate issue de sa fluidité, de sa tendresse. Et sa continuité guérit en elle le mal de la fragmentation. Mais cette guérison ne s'y effectuera que si l'eau naît au plus stérile, du plus stérile de l'étendue rocheuse : ce sera même l'une des fonctions de la parole, cette parole «pour une seule gorgée d'eau retenue par le roc» (p. 104), que d'y favoriser son avènement. De ce roc l'eau va donc rejaillir, ou plutôt sourdre ; nous la voyons filtrer hors de la ruine («Dehors, avec d'obscures précautions, s'ouvre l'eau corrompue, l'eau pacifiée, l'eau minuscule», p. 47), puis devenir torrent, s'unir au fleuve, descendre vers la mer. Sa valeur est alors dans le lent écoulement qu'elle propage, et qui s'accorde souvent à des images d'amour heureux, de recommencement ou de naissance. La «bouche furieuse» du poète pourra ainsi finalement «conduire les berceaux sur le fleuve» — le même fleuve qui coule, réconcilié, à côté de sa haie de peupliers («Aujourd'hui nous faisons route ensemble / Comme le fleuve et le rideau de peupliers», p. 28), ou qui au contraire, dans *la Diluvienne*, déborde calmement hors de ses rêves, noyant toute discontinuité sensible («nul épi dans la lumière, nul escarpement dans l'étendue», p. 75) sous la nappe d'un seul bonheur charnel. Le fleuve supporte dans ces diverses rêveries le souhait d'un étalement vivant, d'une temporalité sans déchirure, d'un lisse sensible retrouvé.

Quant à la mer, aboutissement infini du fleuve, elle constitue à la fois l'espace de l'achèvement — c'est dans la mer que croule le lierre fébrile de la tour (p. 58), c'est vers la mer que descendent finalement les loups de la *Suite basaltique* (p. 23), c'est la mer que deviennent les pierres affaissées de l'éboulis — et l'étendue de l'ouverture, le lieu du départ apaisé : ainsi, à la fin de *la Herse*, et après la tempête, «ce rivage qui s'éloigne dans le

matin », « cette barque qui n'a pas sombré » (p. 81).
L'immensité de son tissu fluide aime à jouer un court
instant, avant de la résorber en elle, avec l'acuité
déchirante de nos vies : c'est la rêverie, par exemple, de
« l'épée nue qui danse sur la mer », ce « vertical rayon
qui poignarde l'immense » (*C*, 15), ou, moins emphatique,
plus près d'une immédiate vérité de l'expérience, celle
de l'écharde bue (« A la seconde tu as disparu / Comme
une écharde dans la mer », p. 102), ou bien encore, plus
tragique, plus liée au songe de la disparition féconde,
celle de l'astre englouti : dans *l'Oubli de soi*, la pointe
du « regard / Qui poignardera » l'océan, « les amours
millénaires », devient finalement un « astre / Pour sombrer
à ma place, et pacifier la mer » (p. 31)... L'aigu et
l'immense, le lumineux et le fluide, l'infiniment ouvert et
le suprêmement contracté se trouvent ainsi mis en contact
en une dialectique imaginante, qui est aussi peut-être celle
de la parole (« O ma parole en perte pure / Ma parole
semblable à la rétraction d'une aile extrême sur la mer ! »,
p. 24), qui est celle en tout cas de l'existence.

Je n'en donnerai qu'un seul et dernier exemple, celui
de cette eau naissante : la *rosée*. Il s'agit là d'une substance
heureuse, qui nous sert de médiation vers l'étendue : « La
rosée d'une seule branche / Me rendra tout l'espace vivant,
/ Étoiles, / Si vous tirez à l'autre bout » (p. 56). Cette
substance de vaporisation naît cependant du feu, elle sort
tout droit de son déchirement, puisque ce sont « les
guenilles de la foudre » qui préparent « la future rosée »
(p. 30). Voici donc la vierge humidité des origines
immédiatement issue d'un embrasement éclaté de l'air.
Autre paradoxe : cet avènement brûlant de la rosée, cette
matinée de l'être s'annoncent cependant à nous sous la
forme de ce que Jacques Dupin nomme une « connaissance
par défaut », c'est-à-dire d'un vide, mais un vide qui nous
comblerait, qui nous rendrait d'un seul coup amour,
tendresse, espace immense. C'est ce que signifie, me
semble-t-il, avec une sorte d'évidence obscure — mais le
propre de l'obscurité n'est-il pas justement ici d'être

évidente ? —, l'admirable vision sur laquelle se clôt *ce Tison la Distance* (p. 88). Nous y voyons la nudité, obtenue et détruite par la flamme, s'y faire à la fois présence et absence, infinie fraîcheur :

> Il n'y a qu'une femme qui me suive, et elle ne me suit pas. Pendant que ses habits brûlent, immense est la rosée.

Octobre 1962.

Table

(55), la sécession (57). Au bout de la liberté : désert, silence, néant (59).

Retour au réel : l'alternance (60). Du vide au plein : la solitude foisonnante (61) ; la pierre réveillée (61) ; le sel (63) ; l'amour (65) ; le cuivre (66) ; les bulles (67). Le tranchant ouvert : l'arête (69) ; le carquois, la cosse (70) ; le grain (71) ; l'insecte (72). Paradoxe de l'instant (73) et de l'éclair (74). Foudre continue : la chair (76), la mer (77). La vivacité finale (79).

Thèmes d'éveil : le matin (81), l'instant (82). L'instant prolongé, la durée (83), L'herbe (85). L'instant paralysé : torpeur (86), clôture (87), usure (87), graisse (88), lourdeur (88). Secouer le temps : la rivière (90), le vent (92), l'oiseau (94). Du fluide au déchiré : l'orage (98), le soleil et la marguerite (100), l'insecte (101), le grain de poussière (102). Douleur du fragment (103). La double contradiction de Char (104). L'impossible fascinant (105). Figures de la réunion : le prisme (105), la moire (106), le papillon (106), la gerbe (107), la rose (107). Du côté de Georges de La Tour : l'*et* (109) ; l'*entre* (111) ; l'*à la fois* (112) ; le *tour à tour* (112) ; l'amour (113) ; l'amande (115). Du côté d'Héraclite : la rencontre (117) ; la séduction (119) ; le taureau (121) ; la métaphore (121) ; l'en-avant (123) ; l'inconnu équilibrant (124) ; le requin et la mouette (126).

Le rapport créateur (128). L'œil comme miroir, comme foyer (130). L'effusion subjective : routes (131), chair (132), sang (134). L'effusion objective : éveil (137), transfert de la lumière (138). Poésie ininterrompue (138). Mobilité de l'être : l'oubli (139), la nudité (140), la pureté (140).

Figures de l'ouverture : plume (141), oiseau (142), vent (143), pointe (144), éventail (144), rire (145). Mais expansion n'est pas confusion : netteté de l'objet (147). Synthèses du net et du vital. Linéarité féconde : l'aiguille (148), le roseau (148), l'épée (148), l'épi (148), le brin d'herbe (149). Multiplicité linéaire : le réseau (149), le feuillage (150). Circularité ouverte : le collier (150), le bracelet (151), la bague (151), la ronde (151). L'infini dans la relation : intercirculation du monde (154). Bloquages de la circulation : dus au *moi* (154), au *toi* (156), à un excès de transparence (157). D'où appel à l'ombre, à la négativité (159). Arrêts plus graves : la nuit (161). Lutte contre la nuit (163). La nuit assumée et dépassée par le rêve (164). La mort (168). Le monde à l'envers (168). L'attente et l'espérance (170). L'avenir (171).

La terre est un verger (173). Maturation, virginité du temps : la pomme (175). Pourtant insatisfaction de notre ici : la mélancolie (176). Thèmes d'absence (177). Le bout du monde (179). Le clos et l'ouvert (180). Vers l'ouvert : le feuillage (181), l'oiseau (181), la musique (183), le parfum (183), l'œil bleu (183), l'eau (184), les larmes (185), le langage (186). Mais dangers du là-bas (187). L'impossible retour (188). La pensée et la mort (189). La vie est un songe (190). Le suspens (191). La poésie et sa critique (192).

Face à l'objet : parti pris (198), emprises (199), prise à partie (200). Le texte comme appui (201), comme moyen d'évider l'objet en un objeu (202). Vers l'objet : danse des points de vue (202), analyse des surfaces (203), des tangences (204), des intersections (204), des comparaisons (205). Résultat : le *oui* des choses (206). L'expression comme surgissement (207), déploiement (207), ouverture (208), parole (208). Répugnances : l'élémentaire, le passif, eau, boue (209) ; l'illimité, le roc (210). Contre ces dégoûts, il faut réactiver l'élément (211), individualiser la substance (212). Goût du réel discontinu (212), ou en grappe (213). Discontinuité parallèle des qualités constitutives (213). Le *jeu* pongien (213). Ponge et Mallarmé (214).
De l'objeu à l'objet (215) ; réintégration verbale (215). Synthèse des qualités (216). Soumission à un ordre : ainsi la pluie (219), la viande (219), la lessiveuse (219). Équilibre de la matière et de la forme, humanisme (221). L'objet comme

allégorie de la parole (221). Interne clignotement du sens (222). Saveur (222).

Clôture du dehors (225). Abîmes de l'objet (227). Au fond de l'objet, la préhistoire (228). Malédiction de la matière : l'hypnose (229), le tourbillon (230). Une rémission : la danse (230). La chose nous implore (231), nous boit (233), nous agresse (234). Différents niveaux du fantastique (235). Le paradoxe de l'objet (237). Thèmes de subjectivité : la chair (239), la muqueuse (239), le sang (239), la tiédeur (240), le tremblement (240). La rencontre impossible (242). Transitions : le cadavre (243), l'arbre (244). Interpénétrations : l'humus (246), le taureau (246). Médiations : la sphère (248), le travail (250), le langage (251).

Gloire de l'idée (254). Contre l'idée (255). L'*improbable* (256). Échecs exemplaires : Racine, Mallarmé, Sade (257). Architectures brisées (258). La présence (261).
Figures de l'anticoncept : la pierre (261), le vent (263), l'agonie, le sang (265), la forêt (267), l'herbe (268), l'insecte (269), le marais (270). La perte comme salut (270). Mystère de l'instant (271). Archétypes de la renaissance : ménade, phénix, salamandre (273). Figures de la négation résolue. Resserrement : torche, froid, épée dans la pierre (275). Surgissement : cri (276). Réanimation : sang baroque, voix des feuilles (278). Embrasement : feu dressé (279). L'à-travers (280). Le décor sacrificiel (282). Le nombre et la nuit (283). Le cycle du temps (285).

Vers le jour (286). L'être, le fond du jour (287). Le jour est ici et là-bas (289). Aveuglement : l'obscurité du jour (290). Figures de la résistance : la paroi (293), la glace (293), l'air (293), le souffle (293). Contre l'espace : efforts d'incision (295). Retournement de l'incision (296). Aboutissements : la plaie, la fissure (297). Mais je reste dehors l'échec (298).

IMPRIMERIE MAME À TOURS
D.L. 4e TRIM. 1981. No 5970 (8805)

Collection Points

Collection Points

Collection Points

Collection Points

SÉRIE SAGESSES

dirigée par Jean-Pie Lapierre